救
心

삼성서울
순환기내과 매뉴얼

심혈관 진료 Quick Manual

Samsung
Medical Center

**Circulatory
Internal Medicine
Handbook**

삼성서울병원

순환기내과 매뉴얼

심혈관 진료 Quick Manual

첫째판 1쇄 인쇄 | 2022년 07월 01일
첫째판 1쇄 발행 | 2022년 07월 15일
첫째판 2쇄 발행 | 2023년 03월 31일

지 은 이 김덕경 외 삼성서울병원 순환기내과 교수진
발 행 인 장주연
출 판 기 획 김도성
책 임 편 집 이민지
편집디자인 양은정
표지디자인 김재욱
일 러 스 트 이다솜
발 행 처 군자출판사(주)
등록 제4-139호(1991. 6. 24)
본사 (10881) 파주출판단지 경기도 파주시 회동길 338(서패동 474-1)
전화 (031) 943-1888 팩스 (031) 955-9545
홈페이지 | www.koonja.co.kr

ISBN 979-11-5955-899-3
정가 35,000원

救心

집필진

편집
김덕경 장성아 양정훈

책임감수
권현철 김다래 김덕경 김은경 김주연 김준수 김지훈 박경민 박성지 박승우 박승정 박택규 성지동 송영빈 양정훈 온영근 이상철 이승화 이주명 장성아 전은석 최기홍 최승혁 최진오 한주용

저자
김덕경 김다래 김은경 김주연 김지훈 박택규 양정훈 이주명 장성아 최기홍

도움을 주신 분들
권우찬 김성은 김수빈 김주원 박민정 박수건 전기나 정태완 조현승

머리말

4차 산업혁명의 시대를 맞아 심혈관질환 분야의 발전과 지식의 축적은 급성장하고 있습니다. 이에 따라 과거보다 더 많은 의학지식을 습득할 수 있는 여러 정보매체가 나날이 증가합니다. 과거에는 의학정보를 얻기 위한 수단이 부족하여 교과서, 저널 등을 많이 구독하였지만 이제는 오히려 쏟아지는 정보 중에서 핵심정보를 빨리 추려서 터득하는 것이 더 중요한 시대가 되었습니다.

이러한 의미에서 이 책 "구심(求心): 순환기내과매뉴얼"이 갖는 중요성이 크다 생각합니다. "구심(求心)"은 2008년에 삼성서울병원 순환기내과 전임의 선생님들이 전임의 진료의 가장 필수적이고 핵심적인 내용을 바로 찾아볼 수 있도록 처음으로 만든 매뉴얼로서, 그 후 지속적으로 발전하여 지금까지 이어져 왔습니다. 저희 과에서 내부적으로만 사용하던 매뉴얼이었는데 금번에 최신지견을 더하고 체계적이면서 알기 쉽게 다듬어 책으로 출판하게 되었습니다.

모든 의학이 마찬가지이지만 순환기학 분야는 "순간의 선택이 환자의 일평생을 좌우"하는 critical care medicine의 중심이 되는 가장 대표적인 학문이라 생각합니다. "구심(求心)"은 주 내용인 알고리즘 및 직관적인 표와 그림을 넣어 항시 휴대하면서 바로 찾아볼 수 있게 구성한 책으로, 구심(求心) 뜻 그대로 심장을 구하고 환자의 생명을 구할 수 있는 진료 매뉴얼입니다. 아무쪼록 진료현장에서 일하는 모든 의료인에게 유용하게 활용되기를 기대합니다.

마지막으로 본인의 정년을 맞이하여 2008년 이후 구심을 발전시켜 왔던 모든 전임의 출신 동문 여러분들과 금번 출판을 위하여 집필, 교정의 수고를 아끼지 않은 삼성서울병원 순환기내과 교수진 및 전임의들께 깊이 감사하며 출판과 관련하여 수고하여 주신 분들께 고마움을 표시합니다.

2022년 7월

김 덕 경

救心

목차

01 Echocardiography

1 Report Form of Echocardiography

* Cause of evaluation:
* Baseline ECG:

1) Left ventricle

(1) Normal LV cavity size and normal/mild/moderate/severe systolic dysfunction (LVEF = ____ % by visual/Simpson method)
(2) Normal/increased LV wall thickness
(3) Regional wall motion abnormality (+/–)/global hypokinesia (+/–)
(4) Normal/Indeterminate diastolic function/diastolic dysfunction grade 1–3

2) Right ventricle

(1) Normal/dilated RV cavity size and normal/decreased systolic function
(2) Normal/Increased RV wall thickness (____ cm at subcostal view)

3) Atrium

Normal size/LA enlargement/RA enlargement

4) Valve

"If dysfunction is more than moderate, describe measurements."

(1) Mild MR

(2) Minimal TR, AR

5) Great vessel: Normal/Abnormal

- Ascending aorta = ___mm
- Abdominal aorta size = __ × __mm

6) Pericardial effusion: None/small/moderate/large amount

"If the amount is more than moderate, access tamponade physiology."

7) Mass, thrombi, or vegetation: None

8) RV systolic pressure

by TR Vmax = __mmHg (assumed RAP = ___mmHg)

9) Etc.

- Sigmoid septum without dynamic LVOT obstruction
- IAS aneurysm (> 15 mm), Redundant IAS
- Prominent Eustachian valve
- Chiari network in RA

Conclusion:

1. Diagnosis from the echo finding
2. List the abnormal findings

Comments:

Recommendation, Comparing with the previous echo

2 Parasternal Long Axis View

1) 2D view

2) Doppler view

- Descending thoracic aorta & RV가 상하에 포함되도록 잡는다.

3) Valve zoom

4) Valve Doppler zoom

- 한 번에 잘 안 잡히면 AV, MV를 각각 zoom

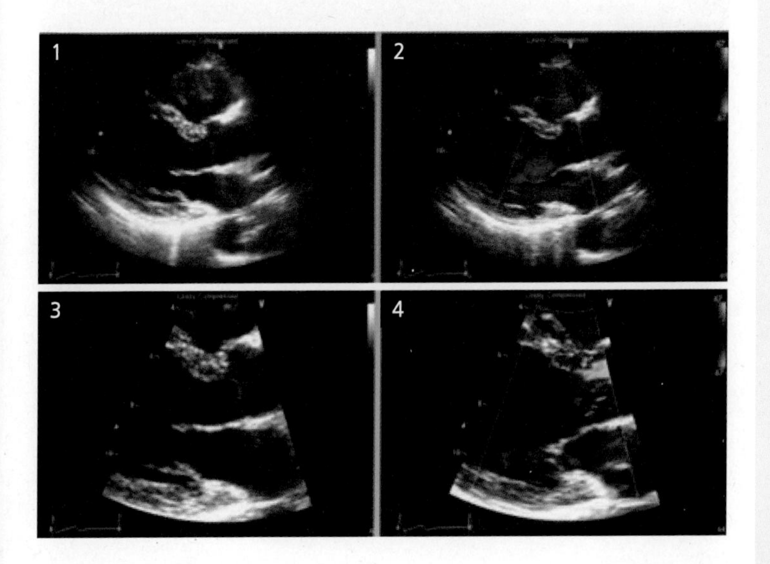

5) M-mode view

(1) Aorta/LA view

→ Aorta size: end-diastole에 측정

→ LA size: end-systole에 측정

(2) LV internal diameter at systole/diastole (LVIDd/LVIDs)

(3) IVS/LV posterior wall thickness at diastole

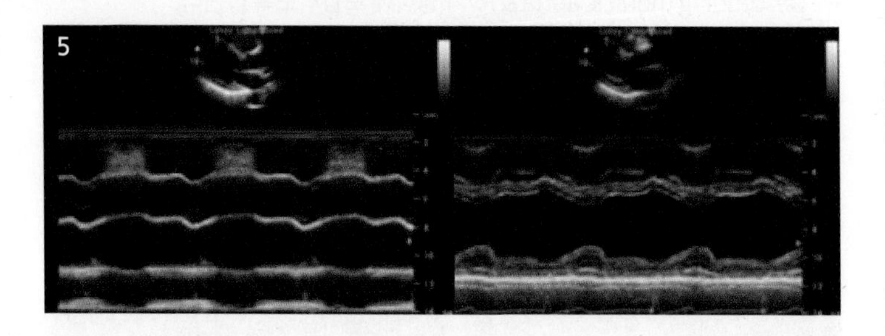

Aorta size measurement

1. Aortic annulus
2. Sinuses of Valsalva
3. Sinotubular junction
4. Proximal ascending aorta

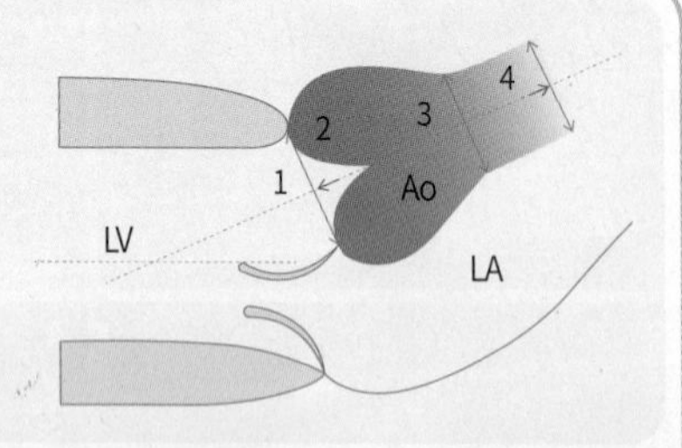

Tips: End-diastole에 leading-leading edge 측정

1) Marfan syndrome, 2) BAV, 3) ascending aorta 45 mm 이상인 경우, sinus of Valsalva size를 mid-systole phase에 inner-inner edge로 추가 측정한다.

3 Parasternal Short Axis View

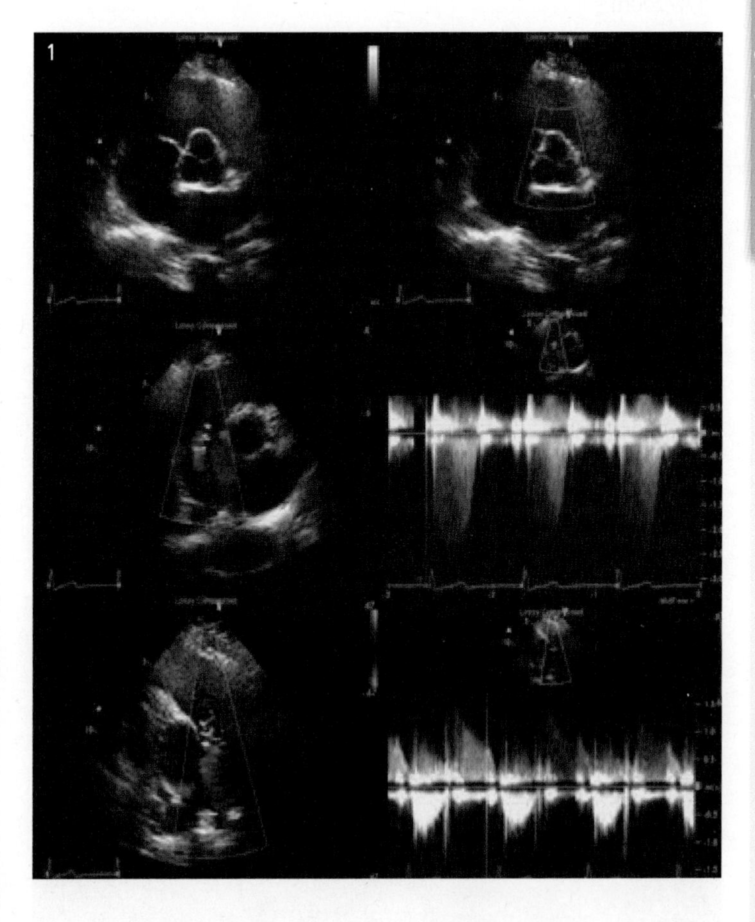

1) AV level

(1) AV 2D & Doppler view

(2) AV zoom

→ Valve cusp, thickening 확인

→ AR & AS 확인

(3) RA, RV & TV 2D & Doppler

(4) IAS: shunt flow 유무 확인

(5) Pulmonary artery & Pulmonic valve 2D & Doppler

→ RVOT, PV, PA 확인

→ PA diameter (mid-systole)

→ PV color Doppler, PV Vmax

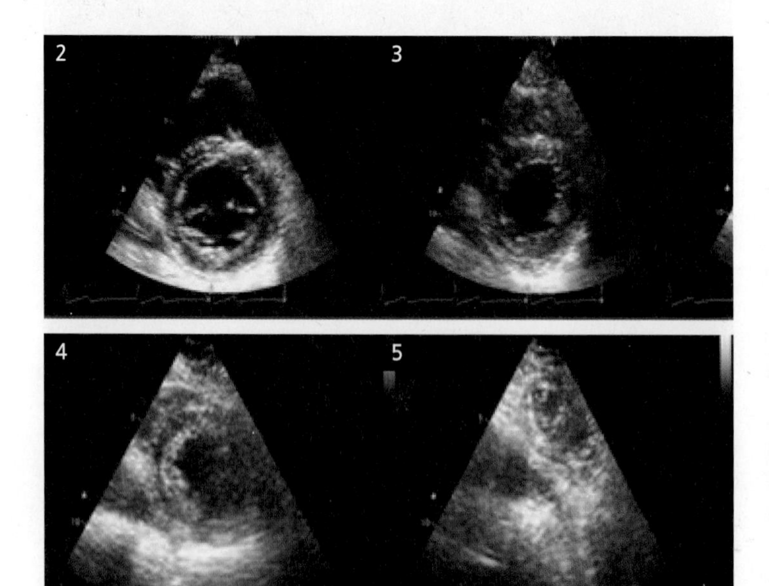

2) LV base level: MV leaflet 보이는 view

- MS 시, MV 2D planimetry 확인, MR portion 측정
- RWM: Ant, Inf, A–L, I–L, A–S, I–S

3) LV mid wall level: Papillary m. level

- RWM: Ant, Inf, A–L, I–L, A–S, I–S

4) LV apical wall level

- RWM: Ant, Inf, Lat, Septal

5) True apex

4 Apical View

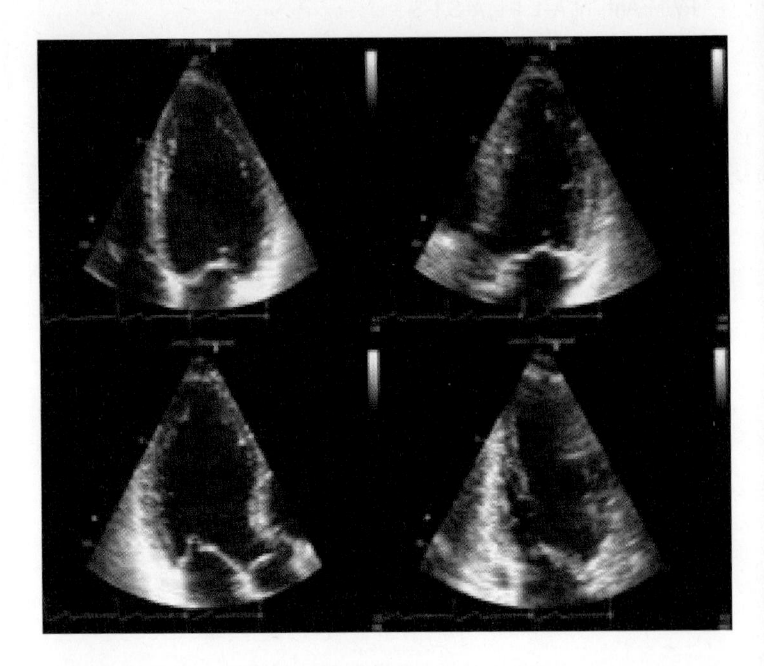

1) LV wall motion abnormality 확인

- A4C (basal/mid/apical I–S & A–L)
- A3C (basal/mid/apical I–L & A–S)
- A2C (basal/mid/apical Ant & Inf)

2) Simpson's LVEF 측정

A2C & A4C 각각에서 end-systole 및 end-diastole phase에 endocardial border를 따라 LV cavity tracing (trabeculation이 포함되지 않도록 주의)

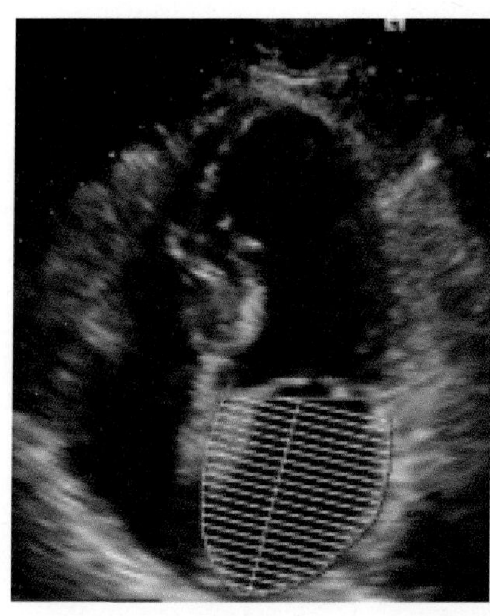

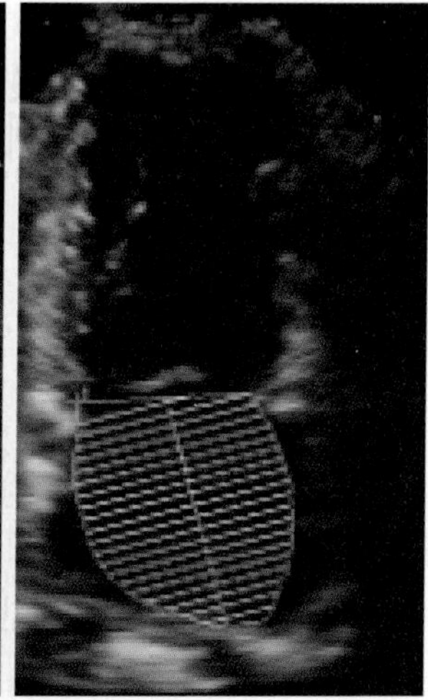

3) LA volume in A4C & A2C: LA 가장 클 때 측정

- LAA, pulmonary vein orifice는 포함하지 않는다.
- by area–length method $= 0.85 \times \dfrac{(\text{LA area on A4C}) \times (\text{LA area on A2C})}{(\text{Shortest LA length on A4C or A2C})}$

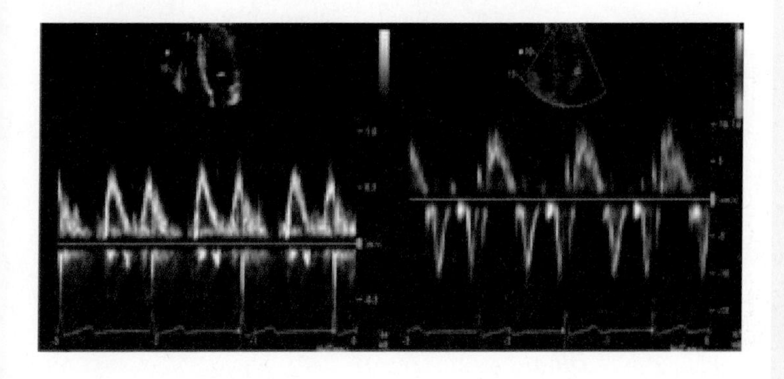

4) LV diastolic function (A4C)

- MV tip에 sample vol.두고 PW: Mitral inflow의 E, A, DT
- MV medial annulus에 sample vol.두고 TDI septal e', a'
- MV lat. wall (lateral e')
- PV의 PW

5 Diastolic Function 평가

2009 ASE Guideline

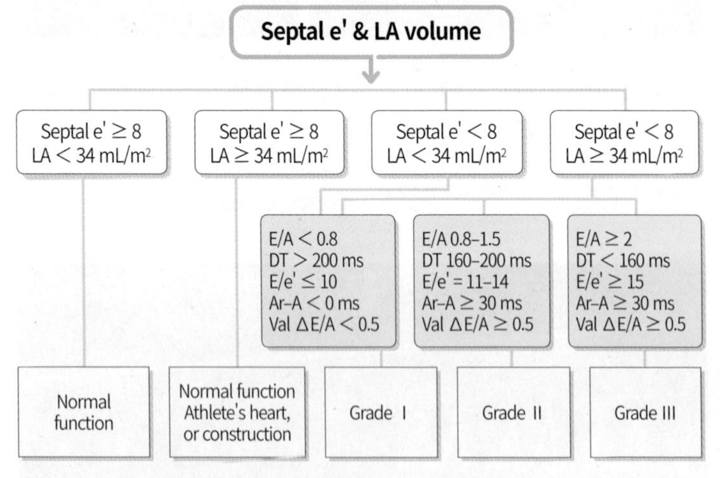

*2009년과 2016년에 개정된 평가 방법을 혼용하여 사용

2016 ASE Guideline

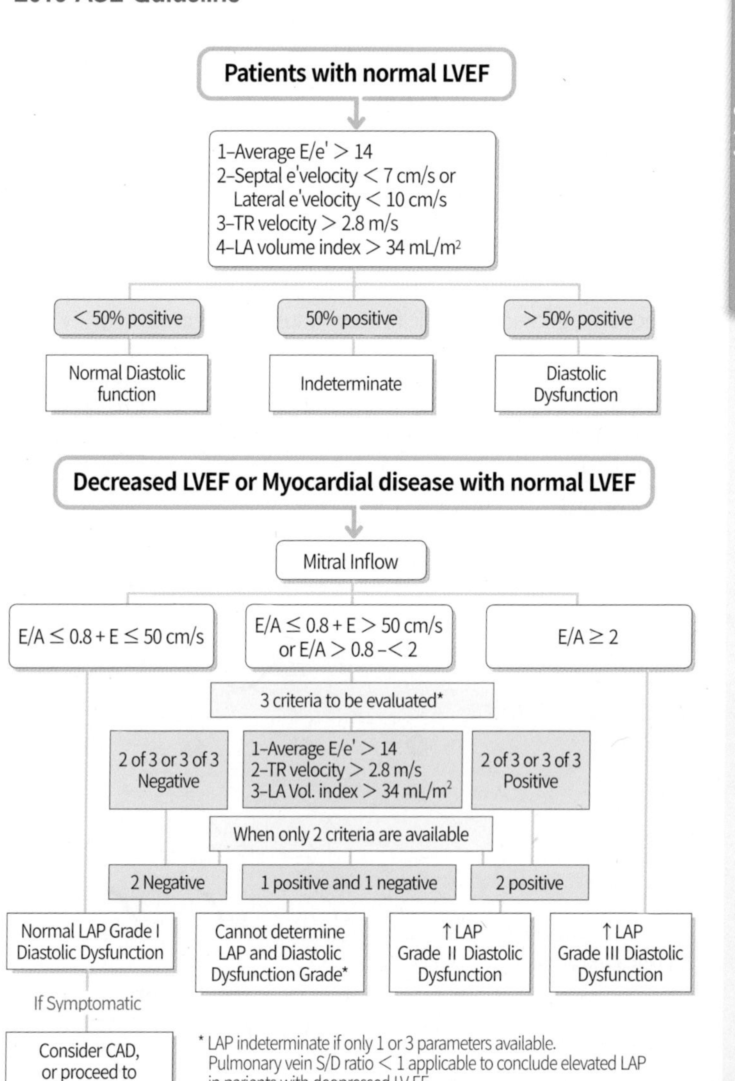
Patients with normal LVEF
1–Average E/e' > 14
2–Septal e'velocity < 7 cm/s or
Lateral e'velocity < 10 cm/s
3–TR velocity > 2.8 m/s
4–LA volume index > 34 mL/m²
< 50% positive
50% positive
> 50% positive
Normal Diastolic function
Indeterminate
Diastolic Dysfunction
Decreased LVEF or Myocardial disease with normal LVEF
Mitral Inflow
E/A ≤ 0.8 + E ≤ 50 cm/s
E/A ≤ 0.8 + E > 50 cm/s or E/A > 0.8 –< 2
E/A ≥ 2
3 criteria to be evaluated*
2 of 3 or 3 of 3 Negative
1–Average E/e' > 14
2–TR velocity > 2.8 m/s
3–LA Vol. index > 34 mL/m²
2 of 3 or 3 of 3 Positive
When only 2 criteria are available
2 Negative
1 positive and 1 negative
2 positive
Normal LAP Grade I Diastolic Dysfunction
Cannot determine LAP and Diastolic Dysfunction Grade*
↑ LAP Grade II Diastolic Dysfunction
↑ LAP Grade III Diastolic Dysfunction
If Symptomatic
Consider CAD, or proceed to diastolic stress test
* LAP indeterminate if only 1 or 3 parameters available.
Pulmonary vein S/D ratio < 1 applicable to conclude elevated LAP
in parients with deopressed LV EF.

6 Valve Study

1) MS (+) – A4C & A2C (+ PLAX)

- Thickening, calcification, mobility
- AMVL의 doming & PMVL의 limited motion 여부(PLAX)
- Inflow Doppler에서 mean PG (by CW)
- MVA by 2D (at PSAX), by PHT (by CW at A4C)
- Echo score = ____________
  (motion =, thickening =, calcification =, subvalvular involve =)

Mitral stenosis	Mild	Moderate	Severe
Mean PG (mmHg)	< 5	5–10	> 10
PASP (mmHg)	< 30	30–50	> 60
Valve area (cm^2)	> 1.5	1.0–1.5	< 1.0

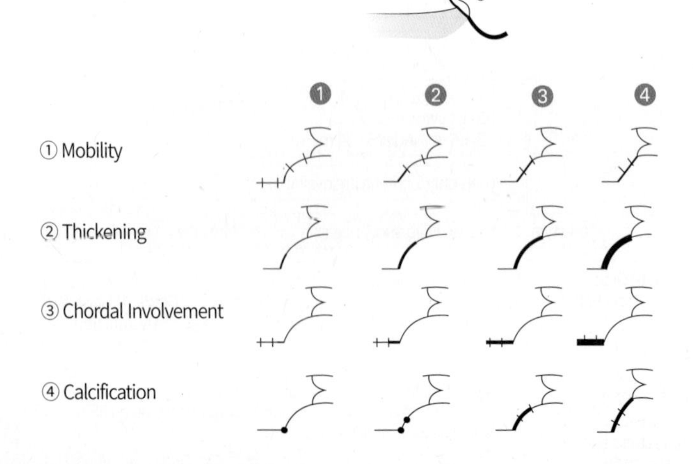

표 ECHO SCORE

	Mobility	Subvalvular thickening	Thickening	Calcification
1	Highly mobile valve with only restrictive tips	Minimal thicken just below the mitral leaflets	Learlets near normal in thickness (4–5 mm)	A single area of increased echo brightness
2	Leaflet mid base portions have normal mobility	Trickening of chordal structures extending up to one-third of the chordal length	Midleaflets normal, considerable thickening of margins (5–8 mm)	Scattered areas of brightness confined to leaflet margins
3	Valve continues to move forward in diastole mainly from the base	Trickening extending to the distal third of the chordae	Thickening extending through the entire leaflet (5–8 mm)	Brightness extending into the midprtion of the leaflet
4	No or mininal forward movement of the leaflets in diastole	Extensive thickening and shortening of all chordal structures extending down to the papillary musele	Considerable thickening all leaflet tissue (> 8–10 mm)	Extensive brightness throufhout much of the leaflet tissue

2) MR(+) – A4C & A2C

Color Doppler jet, VCW, Pulmonic vein systolic reversal flow 측정

- Regurgitation volume by volumetric method
  → MV annulus 직경, MV/LVOT VTI (PW), LVOT직경
- Regurgitation volume by PISA method
  → PISA radius, MR Vmax, Aliasing velocity, MR VTI (CW)
  → Aliasing velocity for MV = 30–35 cm/s

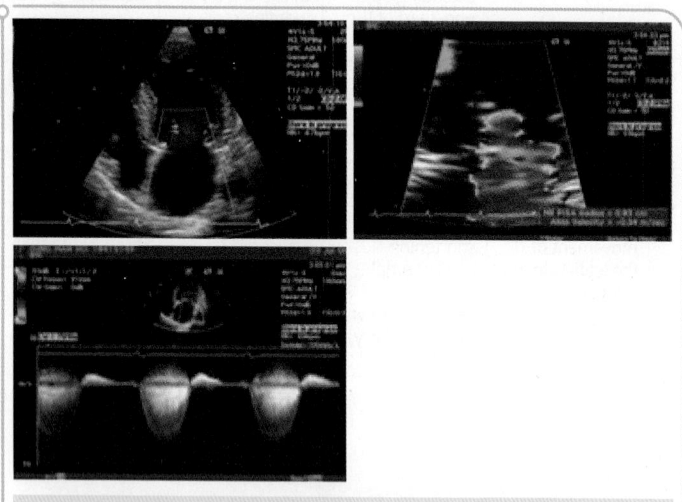

(1) MR이 잘 나오는 view를 잡는다.
(2) Zoom 후, baseline을 20–40 cm/sec으로 낮추고 PISA가 잘 나오는 프레임을 찾는다.
(3) PISA radius를 측정한다.
(4) MR jet과 Doppler 방향을 잘 맞추어 MR VTI를 측정한다.
- ERO = 6.28 × $(\text{PISA radius})^2$ × (aliasing velocity) / MR Vmax
- MR volume = ERO × MR VTI
- MR ERO 기준 20/40 (AR은 10/30)

※ PISA가 맺히는 위치에 따라 MR origin, 원인 기록

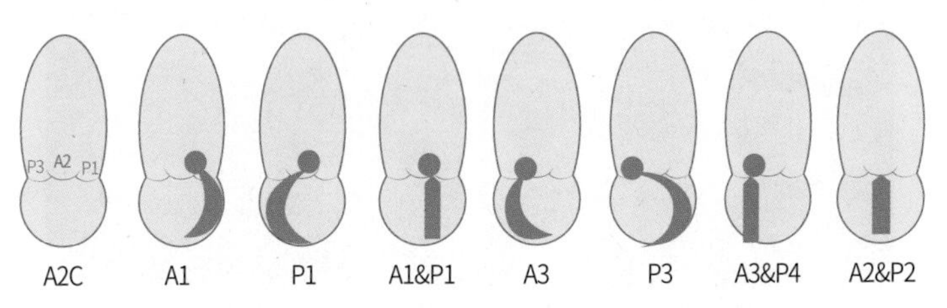

Mitral regurgitation	Mild	Moderate	Severe
Color Doppler jet area	< 20%	20–40%	> 40%
VC width (cm)	< 0.3	0.3–0.69	≥ 0.7
Regurgitant volume (mL/beat)	< 30	30–59	≥ 60
Regurgitant fraction (%)	< 30	30–49	≥ 50
Regurgitant orifice area (cm^2)	< 0.2	0.2–0.39	≥ 0.4
LA and LV size	Usually normal	Normal or mild dilated	Enlarged

3) AS – A3C, A5C, PLAX & Rt. PLAX

- Thickened/calcified AV with limited motion
- Vmax, LVOTd, LVOT TVI/AV TVI, ascending aorta diameter 측정

  ※ ELco, ELI 측정(AVA 0.8–1 cm^2, ST junction이 30 mm 이하일 때)

  → $ELco = \frac{[AVA\ (by\ Doppler)] \times [Asc\ Ao\ area]}{[Asc\ Ao\ area] - [AVA\ (by\ Doppler)]}$, ELI=ELco/BSA

  → True severe AS: ELco < 1.0, ELI < 0.6

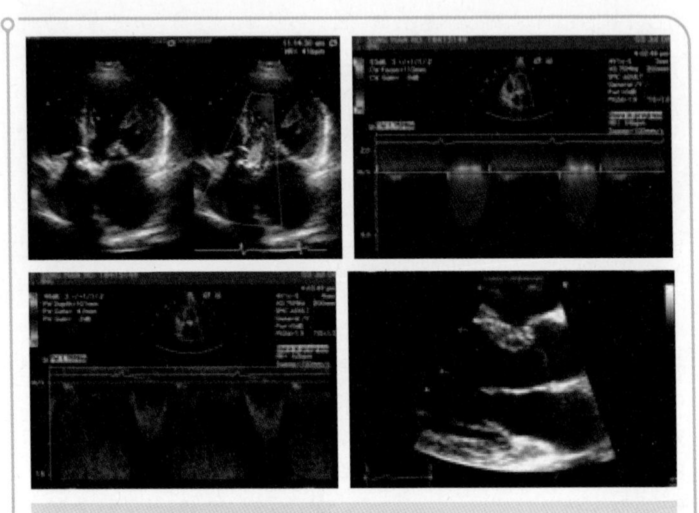

(1) Aortic flow 방향과 Doppler 방향을 잘 맞춘다.
(2) CW로 aortic valve VTI를 구한다.
(3) PW로 LVOT에서 VTI를 구한다.
(4) PLAX에서 LVOT zoom해서 LOVT diameter를 구한다.

* AVA = (LVOT dimater/2)^2 × π × (LVOT VTI/AV VTI)

	Aortic sclerosis	Mild	Moderate	Severe
Vmax	2.0–2.5	2.6–2.9	3–3.9	≥ 4.0
Mean PG		< 20	20–39	≥ 40
AVA (AVAI)	> 2.0	> 1.5(0.85)	1.0–1.5	< 1.0(0.6)

4) AR – A3C & A5C & PLAX

- VCW, PHT 확인
- Regurgitation volume by PISA method
  → PISA radius, AR VTI (CW), Aliasing velocity, AR Vmax 측정

- Holodiastolic reversal flow in descending aorta: VTI > 15 cm일 때 (+)
  Holodiastolic reversal flow in abdominal aorta: 있으면 (+)
- Aliasing velocity for AV = 35–40 cm/s

Aortic Regurgitation	Mild	Moderate	Severe
Jet width/LVOT with, central jets (%)	< 25%	25–64%	≥ 65%
VC width (cm)	0.3	0.3–0.6	> 0.6
PHT (msec)	> 500	500–200	< 200
Regurgitant volume (mL/beat)	< 30	30–59	≥ 60
Regurgitant fraction (%)	< 30	30–49	≥ 50
Regurgitant orifice area (cm^2)	< 0.1	0.1–0.29	≥ 0.3

5) Rt. side valve 평가

(1) TR - A4C & PSAX

- VCW, PISA, IVC size/plethora, TR Vmax, TV annulus diameter
- Hepatic vein systolic reversal flow (+/–)
- PISA Aliasing velocity = 25–30 cm/s

(2) Others

Rt. Valve disease			
Severe TV stenosis	Valve area ≤ 1.0 cm^2, PHT ≥ 190 mm		
Severe TV Regurgitations	VC width ≥ 0.7 cm & systolic flow reversal in hepatic veins PISA radius > 0.9 cm Annulus dilation ≥ 4 cm (end-diastole) or inadequate cusp coaptation Dense, often triangular CW doppler jet		
Severe PV stenosis	Jet vel. > 4 m/sec or max. gradient > 64 mmHg		
Severe PV Regurgitations	PR jet width/pulmonary annulus > 0.7 Deceleration time of PR < 260 msec		
RV systolic dysfunction			
TAPSE	< 16 mm	S'	< 10 cm/sec
RV FAC	< 35%	–	–

7 Subcostal View

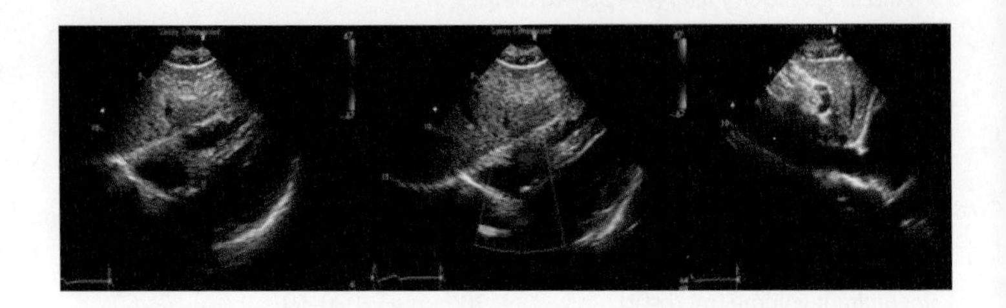

1) Interatrial septum, RA 관찰하고, IAS color Doppler, zoom 확인

2) IVC dilatation 및 plethora 여부(hepatic vein 바로 distal에서 측정, plethora 확인 시 sniffing) → RVSP 계산

3) Hepatic vein flow reversal 여부 확인

<table>
<tr><td>IVC ≤ 2.1 cm</td><td>Plethora (-)</td><td>RAP = 5</td></tr>
<tr><td>IVC ≤ 2.1 cm</td><td>Plethora (+)</td><td rowspan="2">RAP = 10</td></tr>
<tr><td>IVC > 2.1 cm</td><td>Plethora (-)</td></tr>
<tr><td>IVC > 2.1 cm</td><td>Plethora (+)</td><td>RAP = 15</td></tr>
</table>

8 Suprasternal View

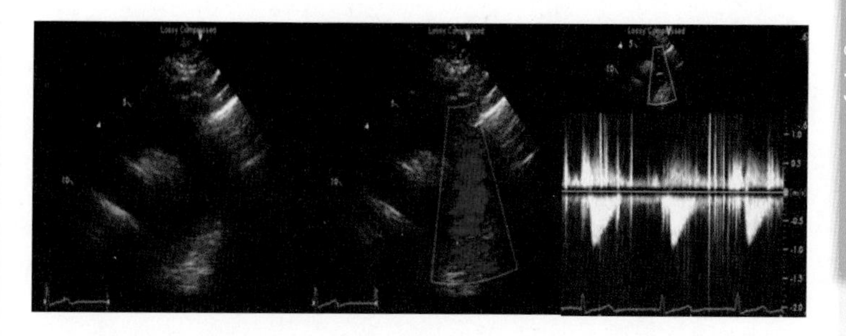

- Arch & Great vessel 확인: ex) PDA, CoA, Dissection 여부 확인
- Doppler image
  Vmax of descending thoracic aorta > 2 m/s: CoA 의심

* Diastolic reversal flow in the aorta (AR severity 평가)

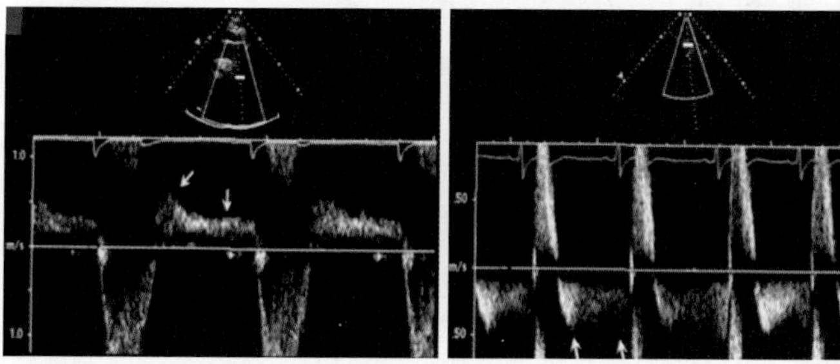

Descending aorta (TVI > 15 cm)　　Abdominal aorta (+)

Regional Wall Motion Abnormality

Apical 4-chamber view (A4C) Apical 2-chamber view (A2C) Apical 3-chamber view (A3C)

Apex
17 Apical lateral 16
Apical septal 14
Mid anterolateral 12
Mid inferoseptal 9
Basal anterolateral 6
Basal inferoseptal 3

Apex 17
Apical inferior 15
Apical anterior 13
Mid inferior 10
Mid anterior 7
Basal inferior 4
Basal anterior 1

Apex 17
Apical inferior 16
Apical anterior 13
Mid inferolateral 11
Mid anteroseptal 8
Basal inferolateral 5
Basal anteroseptal 2

Parasternal short-axis view (PSAX)

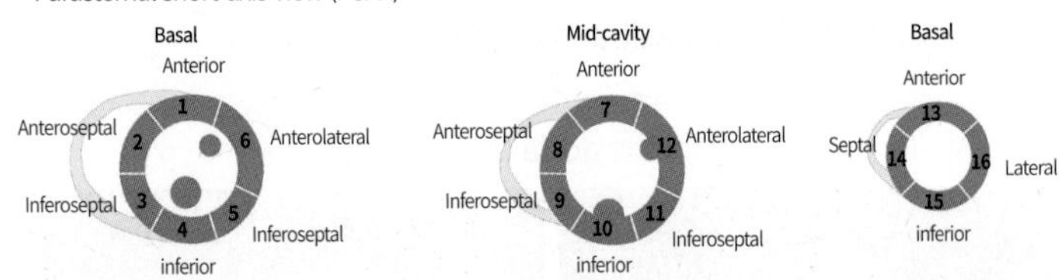

	Ant (2C)	A-S (3C)	I-S (4C)	Inf (2C)	I-L (3C)	A-L (4C)
Basal	(1)	(2)	(3)	(4)	(5)	(6)
Mid	(7)	(8)	(9)	(10)	(11)	(12)
Apical	(13)	-	(14)	(15)	-	(16)
Apex	(17)	-	-	-	-	-

** RWM score
1: normal 4: dyskinesia
2: hypokines 5: aneurysm
3: akinesia 99: no visible

10 Reference Range

Dimension	Reference range	Abnormal
LVIDd	35–57 mm	> 57 mm
LVPWT	6–11 mm	> 11 mm
IVS	6–11 mm	> 11 mm
LA	19–40 mm	LAVI > 34 mL/m^2 by A–L method
RA (end systole)	-	RA diameter ≥ 45 mm on A4Cx
RV (end diastole)	-	Base ≥ 42 mm Mid ≥ 35 mm (A4C)
Aorta		
→ Ao annulus	14–26 mm	-
→ Sinus of Valsalva	21–35 mm	> 40 mm
→ ST junction	17–36 mm	-
→ Ascending aorta	22–36 mm	> 40 mm
→ Aortic arch	22–36 mm	-
→ Descending aorta	20–30 mm	> 30 mm
→ Abdominal aorta	-	> 30 mm
Main pulmonary artery	-	> 30 mm
LV ejection fraction		
→ Normal systolic function	> 55%	-
→ Lower normal systolic fx	50–55%	-
→ Mild systolic dysfunction	40–50%	-
→ Moderate systolic dysfx	30–40%	-
→ Severe systolic dysfx	< 30%	-
Pulmonary HTN Gr	(RVSP)	(RVOT Acceleration time)
→ Borderline	36–40	-
→ Mild I	> 40	80–100 msec
→ Moderate	> 50	60–80 msec
→ Severe	> 75	< 60 msec

11 Special Case Echo Report

Valvular Heart Disease 동반 시 아래 내용 추가 기술

1) MS

- Thickened and calcified MV with doming of ant. mitral leaflet & limited motion of posterior mitral leaflet
  (2D에서 관찰한 MV morphology 기술)
- Mean PG = mmHg, MVA by 2–D = cm^2, by PHT = cm^2
- Echo score = points
  (Motion = , Thickening = , Calcification = , Subvalvular involve =)

2) MR

- AMVL/PMVL prolapse (mainly ______ portion) or Functional MR
- PISA radius = mm^2, VC width = cm
  Regurgitation Volume= mL, ERO = mm^2
- Pulmonic vein systolic reversal flow (+/–)

3) AS

- Thickened and calcified AoV with limited motion of AoV
- Vmax = m/sec, mean PG = mmHg,
  AVA by C.E = cm^2, LVOT d = cm, LVOT TVI/ AV TVI =
  SVI = mL/m^2, ELco = , ELI =
- Bicuspid AV일 경우 type 기술

4) AR

- VC width = cm, ERO = mm^2, RV = mL
- Holodiastolic reversal flow in descending aorta (+/–), TVI = cm
- Holodiastolic reversal flow in abdominal aorta (+/–)

5) TR

- VC width = cm, PISA radius = cm, TV annulus size = cm
- Hepatic vein systolic reversal flow (+/–)
- IVC size = cm, Plethora (+/–)

6) TS

- Thickened and calcified TV
- Mean PG = mmHg

12 Anatomy of MV

Surgeon's view

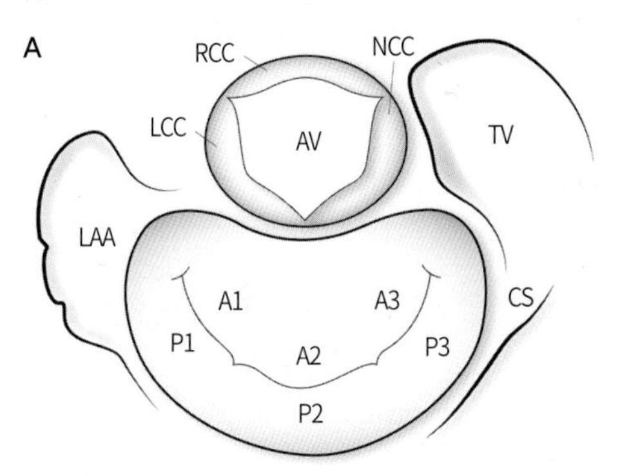

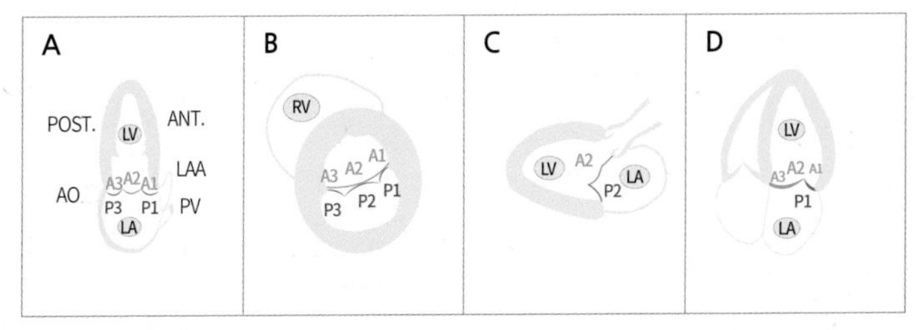

13 Anatomy of AV

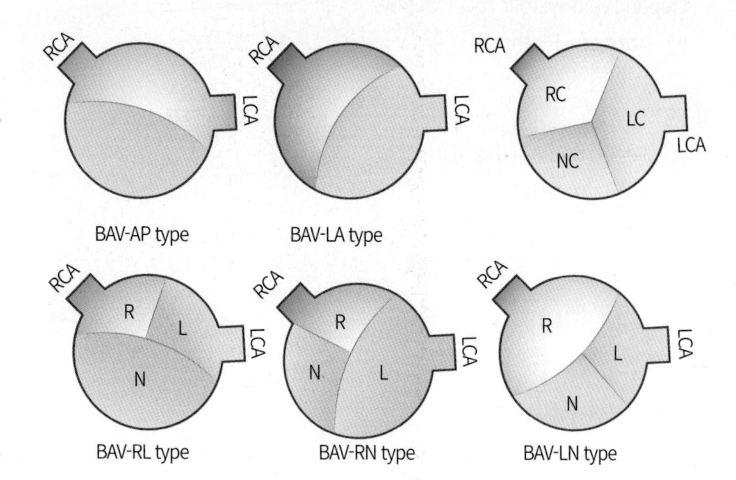

14 Anatomy of TV

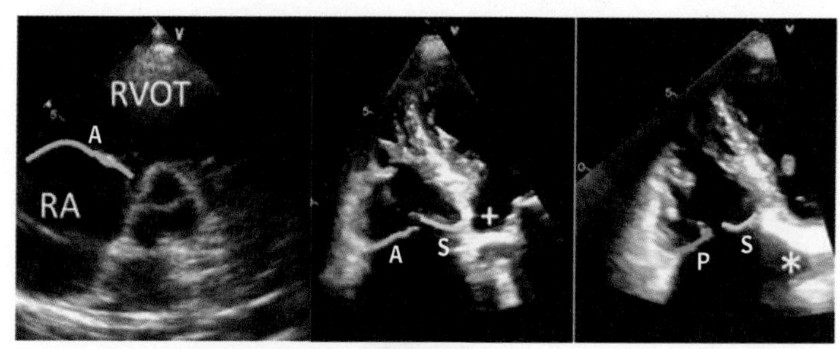

A: anterior leaflet, S: septal leaflet, P: posterior leaflet
Rebecca T. Hahn, Circ ACardiovasc Imaging. 2016

Prosthetic Valve 평가

1) MVR

- Well functioning/malfunctioning bio-/mechanical prosthetic mital valve
- mean PG = mmHg, Physiologic MR (+/-)
- Mild 이상의 MR or MS 보이면 MR, MS에 준해 앞의 내용 측정

Parameter	Normal	Possible obstruction	Significant obstruction
Peak velocity (m/s)	< 1.9	1.9–2.5	≥ 2.5
Mean gradient (mmHg)	< 5	6–10	≥ 10
VTI_{PrMV}/VTI_{LVO}	< 2.2	2.2–2.5	> 2.5
EOA (cm^2)	> 1.1	0.8–1.1	< 0.8
PHT (ms)	< 130	130–200	> 200

2) MV repair

- Repaired MV
- mean PG = mmHg, MR grade

3) AVR

- Well functioning/malfunctioning bio-/mechanical aortic prosthetic valve with physiologic AR (+/−)
- mean PG = mmHg, Vmax = m/sec
  EOA by C.E = cm^2, EOAI = cm^2/m^2, LVOT TVI/AV TVI =
- 역시 mild 이상의 AR 시 AR에 grade 및 측정 내용 기재

Parameter	Normal	Possible obstruction	Significant obstruction
Peak velocity (m/s)	< 3	3–4	≥ 4
Mean gradient (mmHg)	< 20	20–35	≥ 35
VTI_{LVOT}/VTI_{PrV}	≥ 0.35	0.25–0.34	< 0.25
EOA (cm^2)	> 1.1	0.8–1.1	< 0.8
Contour	Triangular, early peak	Triangular to Intermediate	Rounded, symmetrical
AcT (ms)	< 80	80–100	> 100

그림 Increased prosthetic AV mean PG 시, 원인 감별

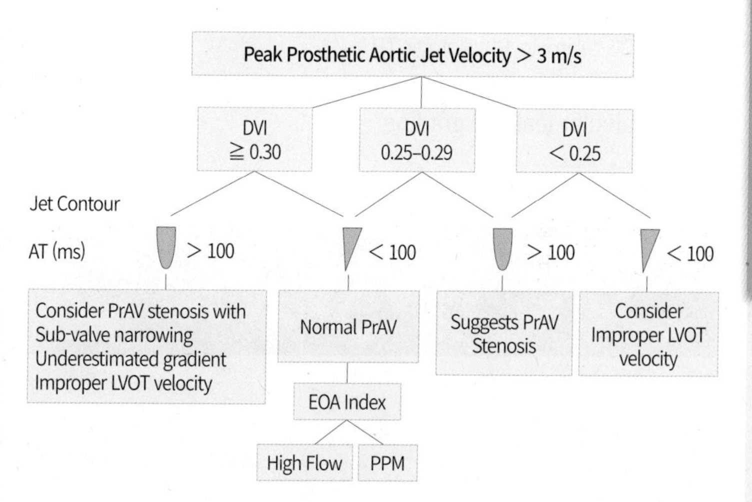

4) TVR

- Well functioning/malfunctioning bio-/mechanical tricuspid prosthetic valve
- mean PG = mmHg, Physiologic TR (+/–)

Parameter	Normal	Possible obstruction
Peak velocity (m/s)	< 1.9	≥ 1.9
Mean gradient (mmHg)	< 6	≥ 6
VTI_{PrV}/VTI_{LVOT}		≥ 3.2 (bioprosthetic) ≥ 2 (mechanical bileaflet)
PHT (ms)	< 130	≥ 130

5) TV repair

- Repaired TV
- mean PG = mmHg, Physiologic TR (+/−)

6) Paravalvular leakage grading

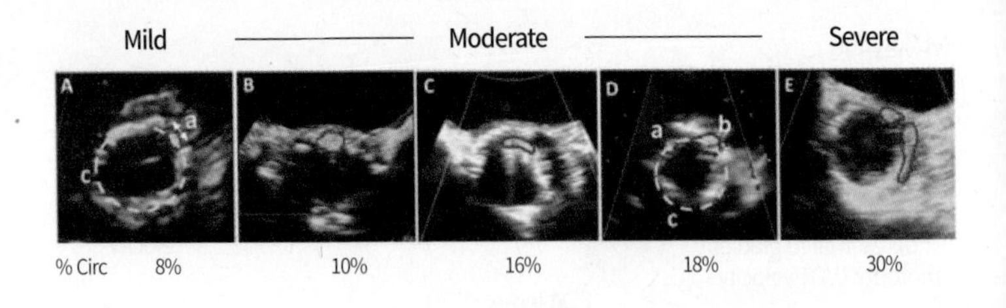

Parameter	Mild	Moderate	Severe
AV			
Circumferencial extent of paravalvular regurgitation (%)	< 10	10–29	≥ 30
VC width (mm)	< 3	3–6	> 6
MV			
Circumferencial extent of paravalvular regurgitation (%)	< 10	10–29	≥ 30
VC width (mm)	< 3	3–5.9	≥ 6

J Am Soc Echocardiogr 2019;32:431–75

15 LVOT Obstruction 평가

- Systolic anterior motion of mitral valve (+/–)
- Latent LVOT/LV cavity obstruction
  → 2.7 m/sec, 30 mmHg 이상 시 (+)
  → Vmax, peak PG at rest & Valsalva maneuver

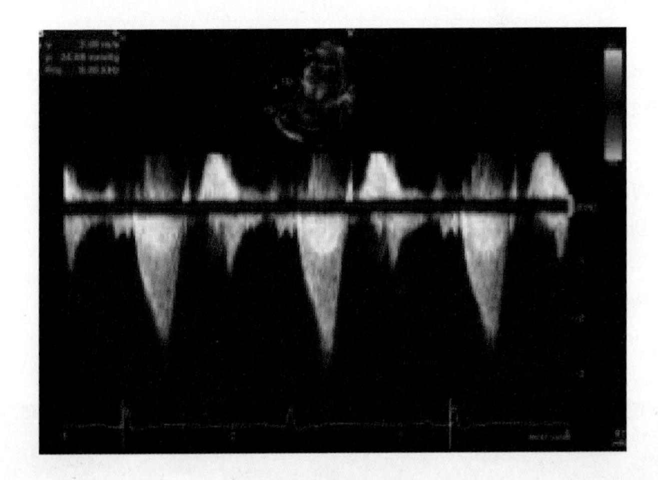

16 Pericardial Effusion

1) Large/moderate/small amount of pericardial effusion

- location / ____ cm /at ____ view로 기술(at end-diastole)
- ex) RV anterior: cm, LV posterior: cm at PSAX

Pericardial effusion	Thickness	Volume (cc)
Minimal	< 0.5	50–100
Small	0.5–1	100–250
Moderate	1–2	250–500
Large	> 2	> 500

2) With/without tamponade physiology

- Diastolic RV collapse (+/–), Systolic RA collapse (+/–)
- Respiratory variation of mitral inflow (> 25%)
- Respiratory variation of tricuspid inflow (> 45%)
- Hepatic vein diastolic reversal flow (+)
- IVC dilatation (size: mm) and hepatic vein dilatation

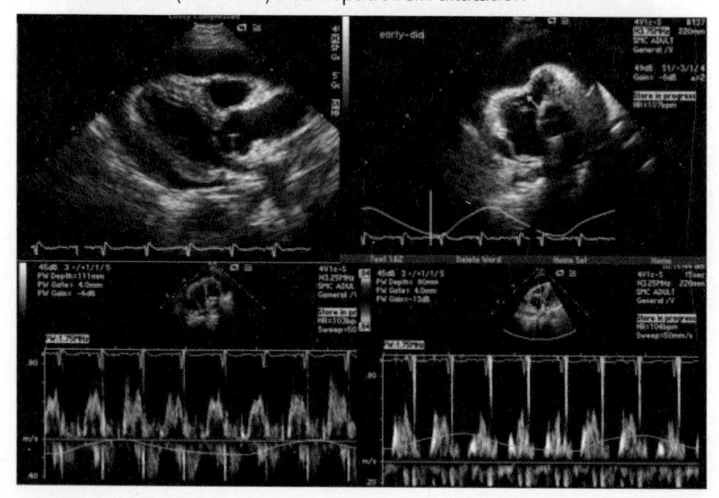

Pericardiocentesis

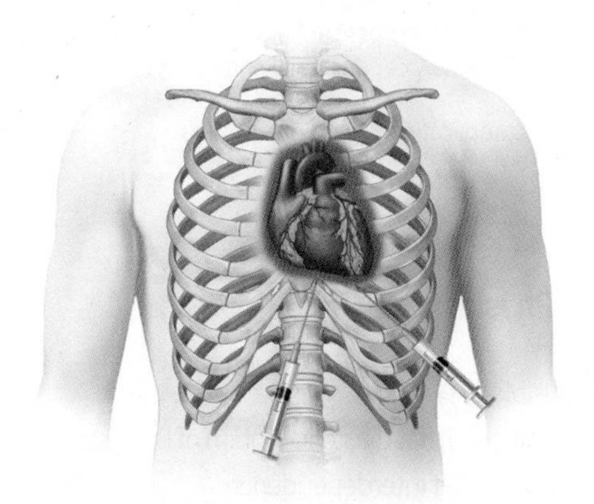

Puncture site anatomy
1. Xyphoid approach: Xiphochondral junction 바로 왼쪽
2. Lateral approach: sternum 및 Lt 4th ICS가 만나는 부위: coronary artery laceration 위험이 높다.
Procedure
1. Skin에서 15–45도 각도로 needle을 세우고 echo 방향으로 puncture 한다.
2. Needle의 head가 환자의 왼쪽 어깨를 향하게 한다.
3. Fluid가 나올 때까지 needle을 advance 시킨다. (ST–T wave change, wide QRS, PVC가 monitor상에서 나오면 rhythm이 정상으로 돌아올 때까지 needle을 baseline으로 return 한다.)
4. Aspiration될 시 guidewire를 진입시키고 심초음파상에서 와이어가 pericardial space에 적절히 위치하는지 확인한다.
5. Guidewire를 통해 drain catheter를 진입시키고 drain bag을 연결한다.
6. 3 way를 통해 agitated saline을 주입하여 catheter가 적절히 위치했는지 재확인하고, 충분히 drain해준 뒤 시술을 마친다.
7. Post–procedure Chest PA: Pneumothorax, hemothorax, catheter 위치 적절성 확인
Complication
1. Coronary artery or vein의 laceration, great vessel injury
2. Ventricular blood의 aspiration/기흉, 폐기질 혹은 복막 puncture/부정맥

Pericardiocentesis Echo Report

- 2D echo 확인 후[apex = ( ) cm] apical/subxiphoid approach로 PCC 시행함.
- Yellow serous/bloody fluid 배액됨.
- Agitated saline injection하여 pericardial space로 들어가는 것을 확인함.
- ( ) cc가량 배액, 2D echo에서 pericardial effusion 감소한 것을 확인 후 시술을 마침.
- No immediate complication

Constrictive Physiology 평가

Constrictive physiology (+/–)

- Septal bouncing (+/–), flat diastolic motion of LV posterior wall
- Respiratory ventricular interdependence
- Respiratory variation of mitral inflow > 25%
- Respiratory variation of tricuspid inflow > 45%
- Hepatic vein diastolic reversal flow with expiration (+/–)
- IVC dilatation and hepatic vein dilatation
- Mitral annulus TDI medial e' > lateral e'
- Pericardial thickening (+/–) (> 4 mm)
- Adhesion (+/–)

	Tamponade	Constrictive pericarditis
Anatomic features	Pericardial effusion	Thickened pericardium
	–	Ventricular interdependence
2D echo, M-mode	Diastolic RV collapse	Septal bouncing
	Systolic RA collapse	Flattening LVPW at diastole
Respiratory variation	MV > 25% (E wave exp ≫ ins) TV > 45% (E wave exp ≪ insp)	MV > 25% (E wave exp ≫ insp) TV > 45% (E wave exp ≪ insp) Restrictive pattern of MV inflow
HV Diastolic reversal	Dominant expiration (+)	Dominant expiration (+)
IVC	IVC plethora	IVC plethora

	Constrictive pericarditis	Restrictive CMP
Diastolic function	E/A > 1.5–2.0, DT < 160 msec	E/A > 1.5–2.0, DT < 160 msec
Respiratory variation of MV	(+), E exp ≫insp	(–)
MV annulus E’ (medial)	정상 or ↑ (> 7–8 cm/sec)	↓
HV diastolic reversal	Dominant expiration (+)	Dominant inspiration (+)
Color M-mode propagation vel.	> 45 cm/sec	< 45 cm/sec

	Constrictive Pericarditis	COPD
MV inflow	최대치 호기 시작점 발생	최대치 호기 말경 발생
SVC forward flow	→ SVC 속도 변화 (–) 흡기 시 흉강 내 음압 정상, 심장 내 전달 안됨	→ SVC 속도변화 (+) 흡기 시 흉강 내 큰 음압 발생, RA 내 유입 혈류 증가

18 Positive or Negative

1) Hepatic vein flow reversal

IVC에서 hepatic vein쪽으로 2–3 cm 지점에 sample volume 두고 측정

(1) Normal pattern: S > D, S≫SR
(2) Constriction: S < D, dominant diastolic reversal at expiration
(3) Restriction: S < D, dominant diastolic reversal at inspiration
(4) Pulmonary HTN: respiratory variation of DR (–)
(5) Severe TR: S ≪ SR

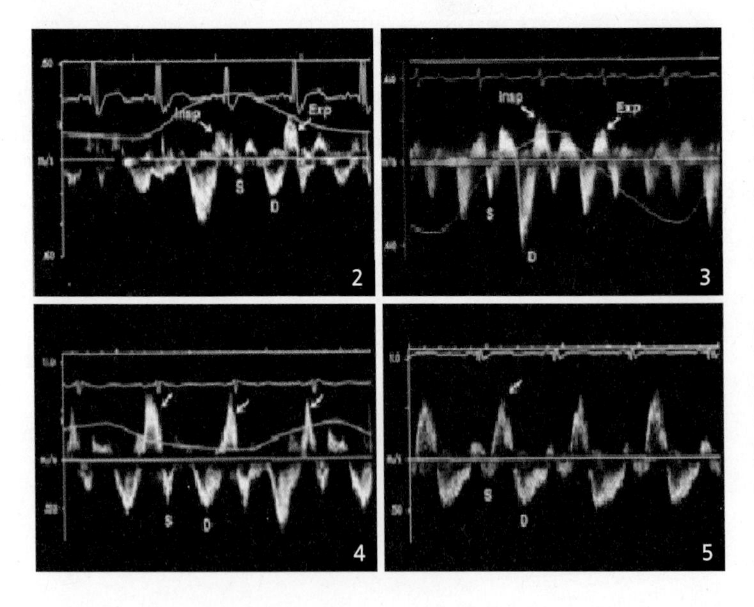

2) Pulmonary vein systolic reversal flow

Apical 4chamber view에서 PW 확인

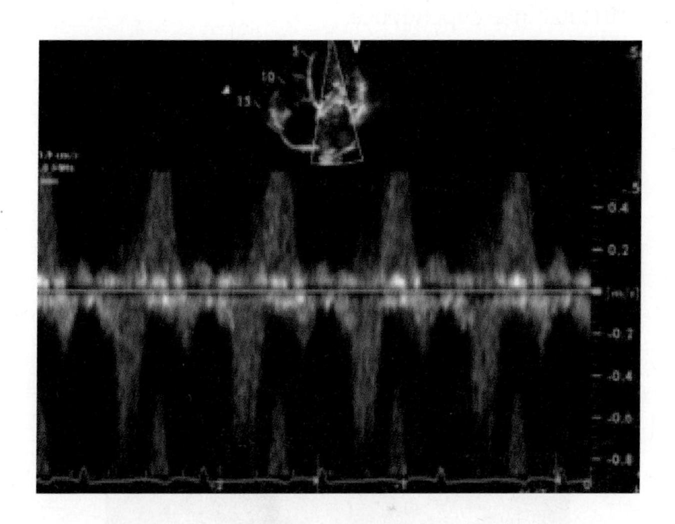

3) Respiratory variation of MV (> 25%)/TV (< 45%) inflow

Insp/Exp 측정. Velocity(큰 값 – 작은 값)/작은 값

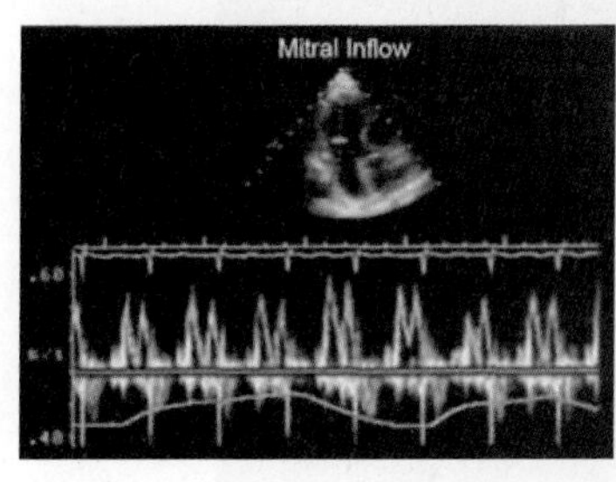

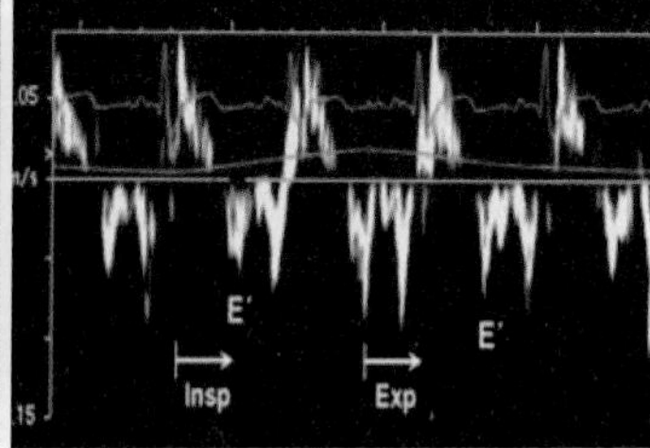

4) Septal bouncing

5) Ventricular interdependence

흡기 시 LV volume 감소 → IVS이 LV로 밀림 → RV volume 증가

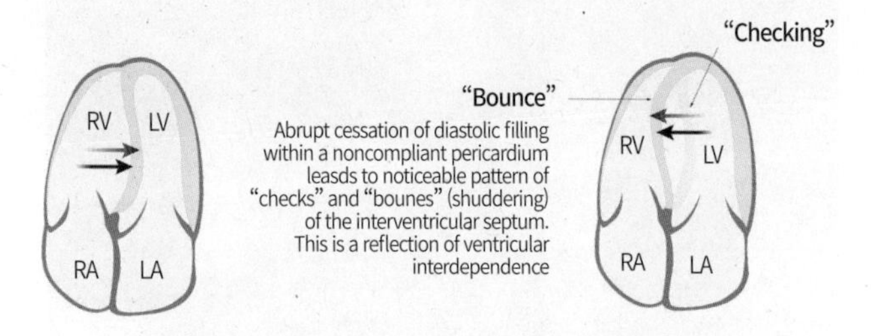

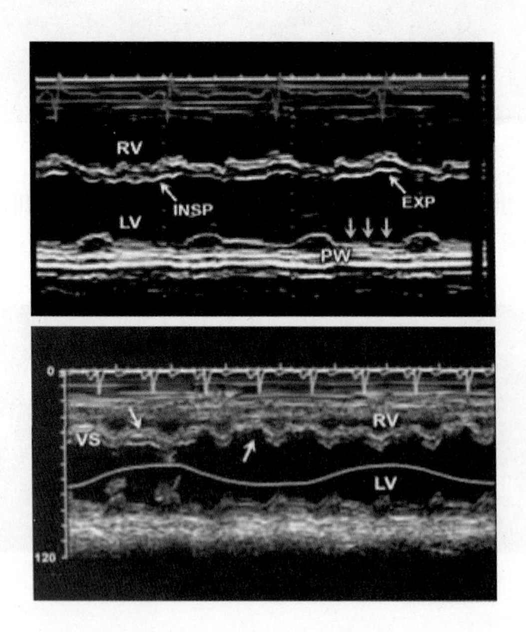

19 Pulmonary Hypertension ECHO

1) Pulmonary artery PW – mid-systolic notch

2) RVH: RV wall ≥ 5 mm at subcostal view

3) RAE: 4 chamber RV focus view에서 mid level에서 측정(45 mm)

4) Paradoxical ventricular septal motion

- Septum이 수축기에 RV 방향으로 위치(2D & M-mode 확인)

5) D-shape LV

- Pressure overload – 항상 D/Volume overload – D at diastole

6) RV systolic dysfunction

- TAPSE – apex를 향한 움직임(M-mode)
- TV annulus TDI – 정상 peak velocity ≥ 10 cm/s

7) Pressure gradient

(1) TR CW Doppler에서 Vmax를 구하여 계산

→ RVSP = 4 × $(\text{TR Vmax})^2$ + assumed RAP

→ RVSP (Systolic PA Pr): 36–40, > 40, > 50, > 75

(2) Mean PA Pressure

→ Mahan's method – RVOT에서 PW Doppler image 얻어서 계산

mPAP = 79 – 0.45 (AcT of RVOT flow)

*정상 AcT > 120 ms (pul.HT 시 AcT 감소)

→ PR의 CW Doppler image 얻어서 계산

mPAP = 4 × PR Vmax^2

mPAP = PAEDP + 1/3 (PASP–PAEDP)

8) PVR

- (MPAP–PCWP)/CO = 10 × (TR Velocity/RVOT VTI) + 0.16

9) Hepatic vein flow reversal (+)

- respiratory variation (–)

> - Normal: ACT > 120 msec → PAP ≤ 25 mmHg
> - Normal RV systolic fx:
>   TAPSE ≥ 16 mm, TV annulars' ≥ 10 cm/s, RV FAC ≥ 35%

20 Transesophageal Echocardiography (TEE)

1) Indication

(1) Embolic source: thrombus in LA & LAA, spontaneous echo contrast, PFO, atherosclerotic plaque in aorta
(2) Shunt and other congenital cardiac disease
(3) Intracardiac tumor or mass
(4) Infective endocarditis: vegetation, abscess, valve dysfunction
(5) Valve evaluation: native valve, prosthetic valve
(6) Aortic dissection or aneurysm
(7) Unavailable TTE or poor images of TEE
LV function, RWMA, posterior cardiac structure

2) Routine views (0→45→75→90→135→110→desc. Ao)

TEE: routine view

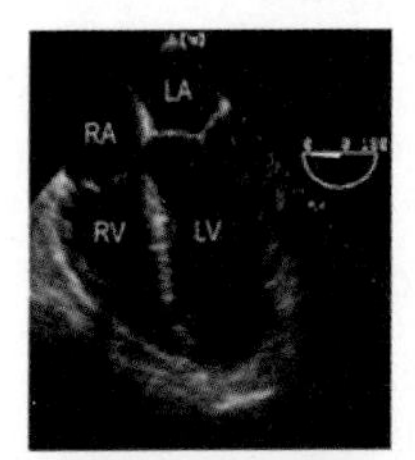

0도(4C): MV, TV, LA, RA, RV

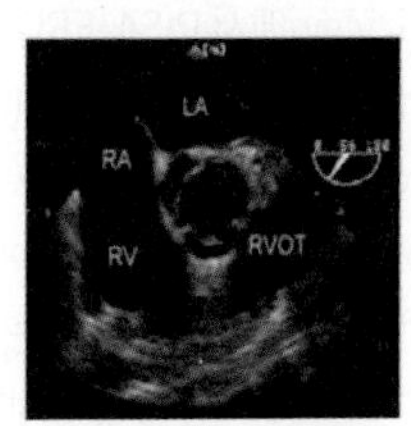

45도(short axis): Aortic root, AV, TV, PV, RVOT

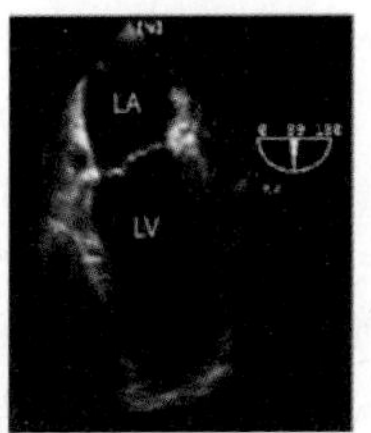

90도(2C): MV, LAA

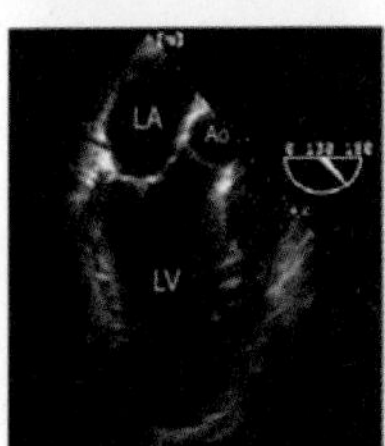

120도(long axis): MV, AV, Aortic root, aortomitral intervalvular fibrosa

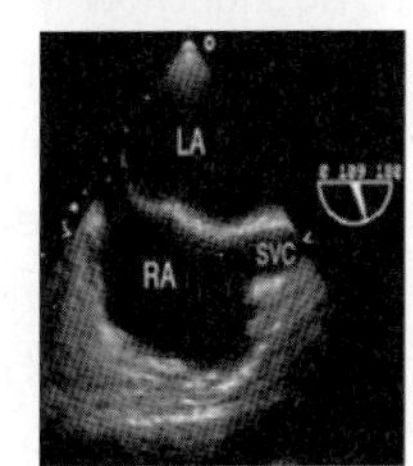

Bicaval: PFO, ASD, LA, RA

3) 3D, 4D TEE

- Valvular heart disease
  - → Cardiac mass
  - → Congenital heart disease: defect size & shape of ASD
- Real time 3D images, Full volume 3D images, Color 3D images

4) Report form(예시)

(1) Visually normal LV cavity size and LV systolic function

(2) Visually normal LV wall thickness

(3) Visually normal RV cavity size and RV systolic function

(4) Visually normal LA and RA cavity size (0도 4C view에서 diameter 측정 가능)

(5) Valve: MR, TR, AR
- MR: amount, prolapsed MVL portion, PISA and ERO, V.C. 등
- MS: mean PG, MVA by PHT method (transgastric view or 3D images에서 valve area planimetry 가능)
- AR: PHT, AR cause, 135도 view에서 PISA, ERO
- AS: AVA by planimetry method at 45' view, bicuspid 등 확인

(6) No evidence of thrombus, SEC in LA and LAA
- Normal LAA emptying velocity (＞ 40 cm/s) or decreased (＜ 20 cm/s)

(7) No shunt flow
- Extracardiac shunt (+–): timing, origin, amount
- Intracardiac shunt (+–): timing, amount, defect size, shunt 방향
- If ASD (+), rim size & defect size 기술
  → 0도(4C): AI, PS rim, 45도(short axis): AS, PI rim,
  → 110도 (bicaval): inferior, superior rim

(8) Aorta
- Atherosclerosis: IMT thickening/atheroma – maximal thickness
- Dilated aorta: size 기술
- TAVI 환자는 aorta annulus size, coronary artery 기시부 확인

Conclusion: positive finding 중심으로 TEE 시행한 이유를 참고하여 기술

예) No evidence of intracardiac shunt
No evidence of intracardiac thrombus

21 MV leaflet portion on TEE

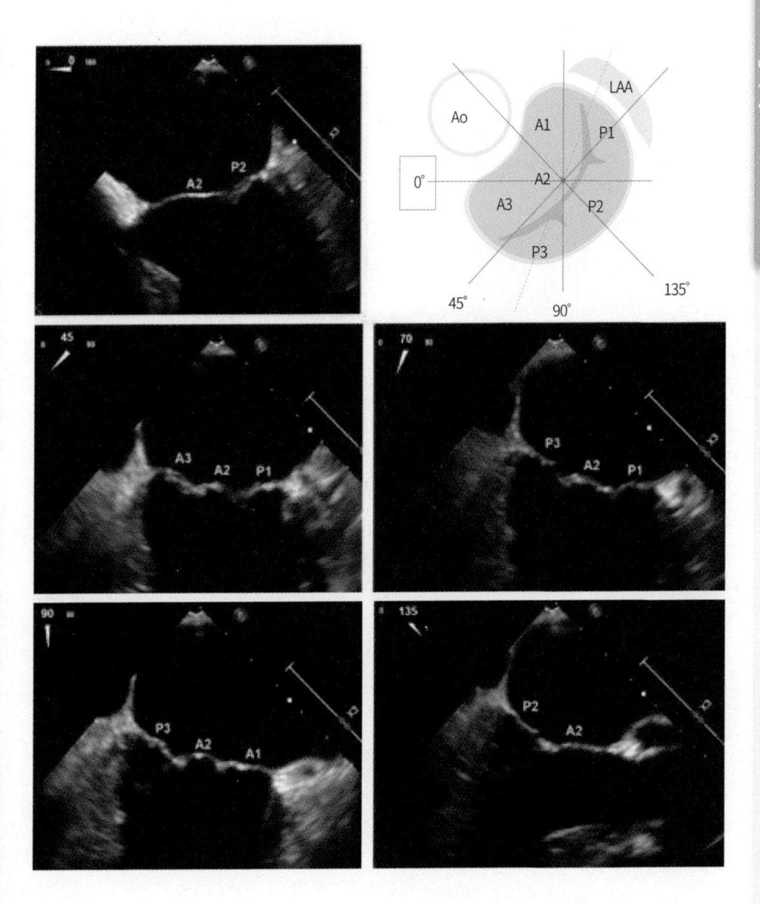

22 ASD Rim on TEE

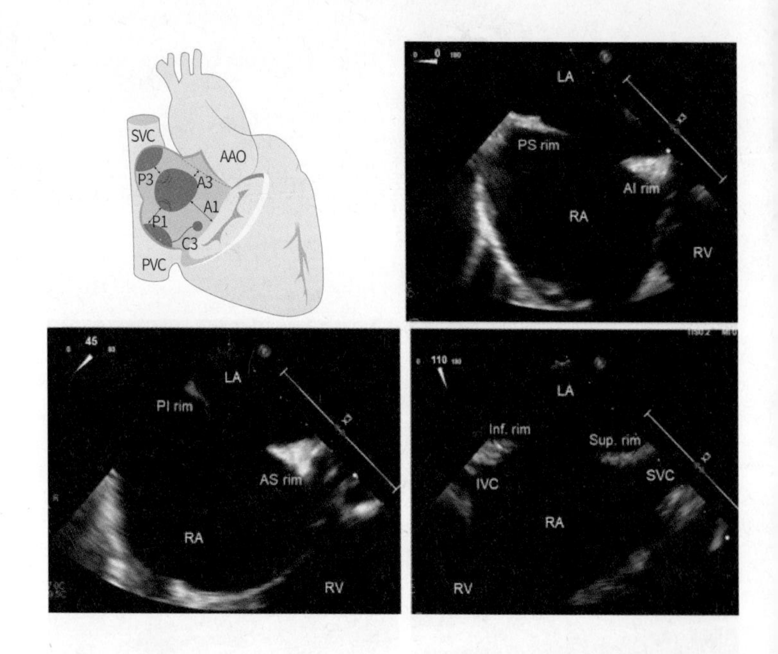

02 Clinical Pathway for VHD

	Definition	Description
A	At risk	VHD가 발생할 risk factor가 있는 환자
B	Progressive	Mild to moderate VHD를 가지고 있으면서 무증상인 환자
C	Asymptomatic severe	Severe VHD를 가지면서 무증상인 환자
D	Symptomatic severe	Severe VHD로 인해 증상을 호소하는 환자

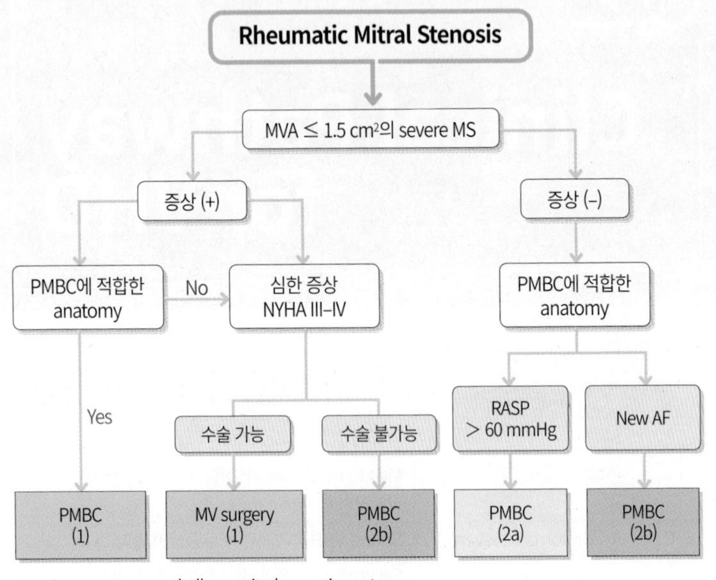

PMBC = percutaneous balloon mitral commissurotomy

MVA > 1.5 cm^2의 progressive MS이면서 exertional sx이 있고 stress test상에서 hemodynamically significant MS가 있을 때 PMBC에 적합한 구조이면 PMBC를 시행한다(IIb).

- PMBC에 적합한 anatomy
  - → 유연한 판막 구조
  - → 혈전(–)
  - → Mild 미만의 MR

2020 ACC/AHA Guideline

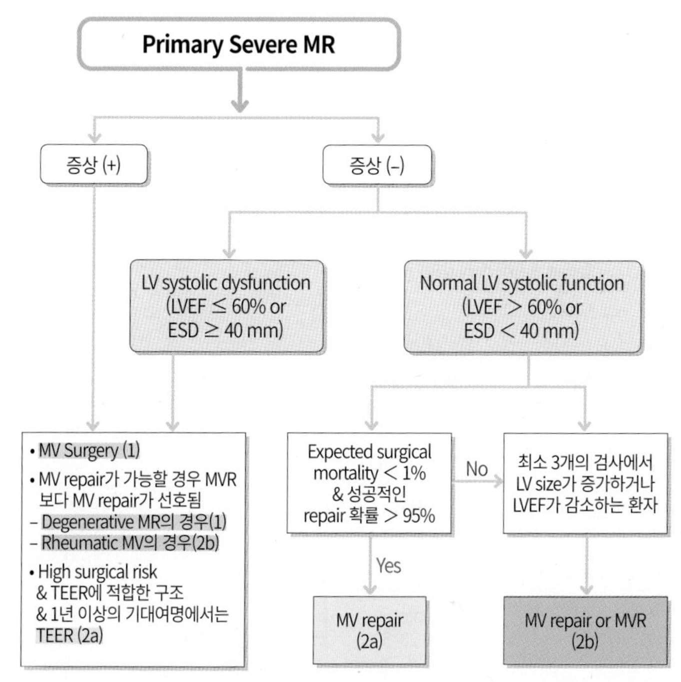
Primary Severe MR
증상 (+)
증상 (-)
LV systolic dysfunction (LVEF ≤ 60% or ESD ≥ 40 mm)
Normal LV systolic function (LVEF > 60% or ESD < 40 mm)
• MV Surgery (1)
• MV repair가 가능할 경우 MVR 보다 MV repair가 선호됨
- Degenerative MR의 경우(1)
- Rheumatic MV의 경우(2b)
• High surgical risk & TEER에 적합한 구조 & 1년 이상의 기대여명에서는 TEER (2a)
Expected surgical mortality < 1% & 성공적인 repair 확률 > 95%
No
최소 3개의 검사에서 LV size가 증가하거나 LVEF가 감소하는 환자
Yes
MV repair (2a)
MV repair or MVR (2b)

TEER = transcatheter edge-to-edge repair

2020 ACC/AHA Guideline

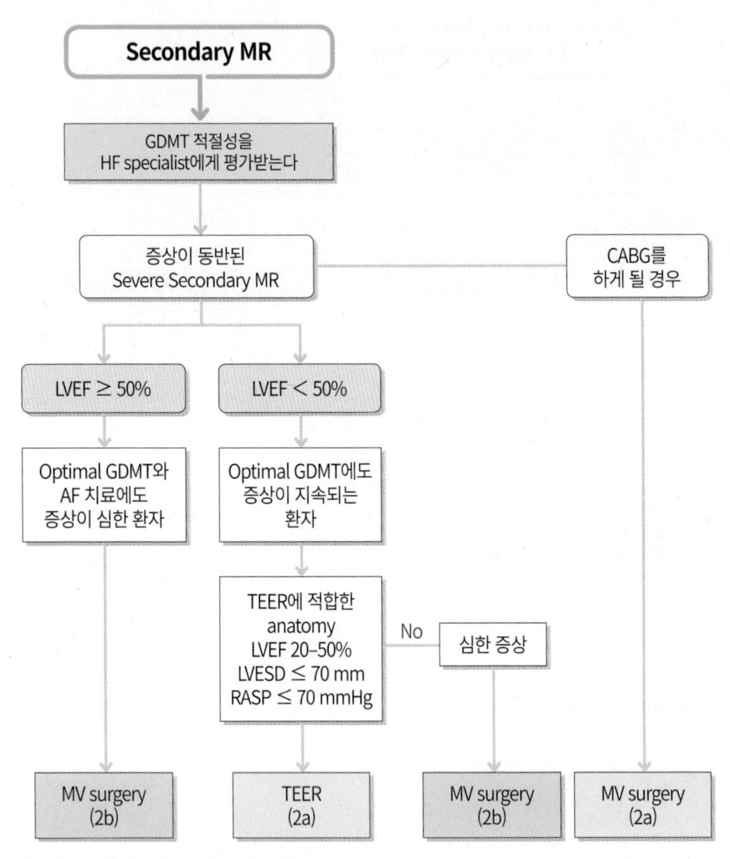

GDMT = guideline-directed medical therapy

2020 ACC/AHA Guideline

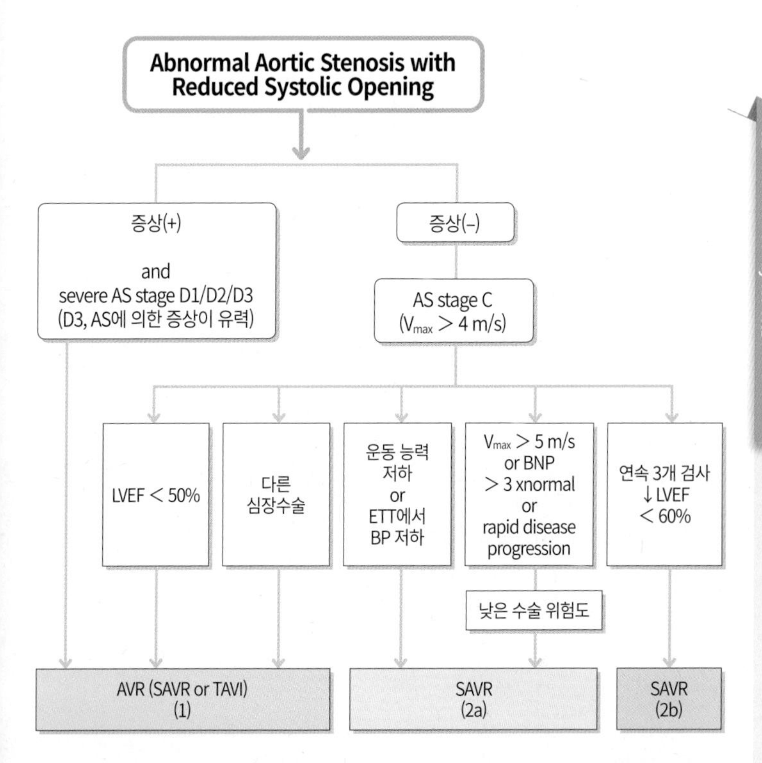

AS Stage B (V_{max} 3–3.9 m/s)에서 다른 심장 수술 시 AVR을 고려할 수 있다(2b).

2020 ACC/AHA Guideline

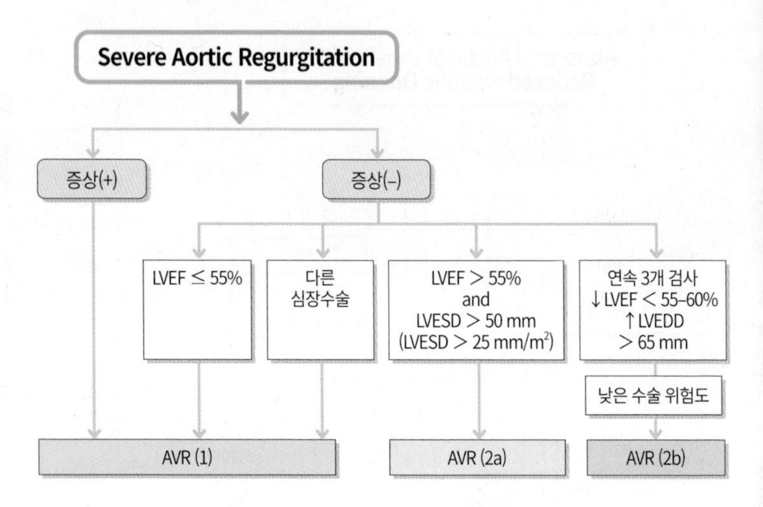

Moderate AR에서 다른 심장 수술 시 AVR을 고려할 수 있다(IIa).

1 Infective Endocarditis

1) 정의

Definite IE

(1) 병리학적 기준(다음 두 가지 중 하나)
- 미생물: 증식, 색전된 증식, 심장내 농양의 조직소견이나 균배양에서 양성
- 병리학적 병변: 증식 혹은 심장내 농양이 활동성 심내막염의 조직학적 소견에 합당

(2) 임상적 기준(다음 세 가지 중 하나)
- 2개의 주 기준
- 1개의 주 기준과 3개의 소 기준
- 5개의 소 기준

Possible IE

(1) 1개의 주 기준과 1개의 소 기준
(2) 3개의 소 기준

Major Criteria

(1) 혈액배양 양성(다음 세 가지 중의 하나)
- 2회의 분리된 혈액배양 검사에서 감염성 심내막염에 합당한 전형적인 균이 배양 – Viraidans streptococci, Streptococcus bovis, HACEK group, Staphylococcus aureus; or 일차병소가 없는 community-acquired enterococci 배양
- 감염성 심내막염에 합당한 전형적인 균이 지속적으로 배양 양성
- Coxiella burnetii가 1회 혈액배양되거나 phase I IgG antibody 역가 > 1:800

(2) 심내막 침범의 증거(다음 두 가지 중 하나)

- 심초음파 소견상 증식(vegetation), 농양(abscess), 판막 천공(perforation), 인공판막의 새로운 결손
- 18F-FDG PET/CT or radiolabelled leukocytes SPECT/CT에서 확인되는 prosthetic valve implantation site 주위의 abnormal activity
- Cardiac CT에서 확인되는 definite paravalvular lesion

Minor Criteria

(1) 질병소인: 심장의 선행요인이 있는 상태, 주사약물 사용

(2) 발열: 체온 > 38°C

(3) 혈관 현상: 주 동맥 색전, 감염성 폐경색, 진균성 동맥류, 뇌출혈, 결막 출혈, Janeway 병변들

(4) 면역 현상: 사구체신염, Osler 결절, Roth 반점, 류마티스 유사인자

(5) 세균학적 증거: 주 기준에 맞지 않는 혈액배양 양성 혹은 감염성 심내막염 균주에 의한 급성 감염 혈청학적 증거

2) Infective endocarditis 수술 적응증

(1) 심부전 증상

- Cardiogenic shock 혹은 refractory pulmonary edema를 일으키는 심한 판막 폐쇄 부전, 폐쇄, 누공의 경우 emergency 수술을 권한다(IB).
- 심부전 증상 혹은 echo상에서 poor hemodynamic tolerance sign이 보이는 심한 판막 폐쇄 부전, 폐쇄의 경우 urgent 수술을 권한다(IB).

(2) 조절되지 않는 감염

- 조절되지 않는 국소 감염(abscess, false aneurysm, fistula, enlarging vegetation)의 경우 urgent 수술을 권한다(IB).
- 진균 혹은 다제 내성 균주에 의한 감염인 경우 urgent or elective 수술을 권장한다(IC).

(3) 색전 방지

- 10 mm 이상의 vegetation이 있으면서 내과적 약물치료에도 불구하고 뇌색전이나(출혈 없이) 반복적인 전신성 색전증이 발생하는 경우, urgent 수술을 권장한다(IB).

3) Empirical treatment of infective endocarditis(균동정 전)

Community-acquired native valves or late prosthetic valves (≥ 12 months post surgery) endocarditis	
Ampicillin with (Flu) cloxacillin or oxacillin with Gentamicin	12 g/day i.v. in 4-6 doses 12 g/day i.v. in 4-6 doses 3 mg/kg/day i.v. or i.m. in 1 dose
[For penicillin allergy patients] Vancomycin with Gentamicin	 30-60 mg/kg/day i.v. in 2-3 doses 3 mg/kg/day i.v. or i.m. in 1 dose
Early PVE (< 12 months post surgery) or nosocomial and non-nosocomial healthcare associated endocarditis	
Vancomycin with Gentamicin with Rifampin	30 mg/kg/day i.v. in 2 doses 3 mg/kg/day i.v. or i.m. in 1 dose 900-1,200 mg i.v. or orally in 2 or 3 divided doses

4) Infective endocarditis 예방

(1) High risk procedure에서 감염섬 심내막염 예방을 고려해야는 Cardiac condition

- 인공판막 또는 심장판막 교정을 위한 인공보형물을 가지고 있는 경우
- 과거에 감염성 심내막염을 앓은 병력이 있는 경우
- 아래와 같은 선천심장질환을 가지고 있는 경우
  - → 청색증 선천심장질환
  - → Prosthetic material로 교정되었으나 6개월이 지나지 않은 경우 혹은 교정한 부위에 결손(residual shunt or valvular regurgitation)이 남아있는 경우

(2) 감염성 심내막염 High risk procedure

- 치과 시술 중에서는 잇몸 조직 시술, 치근단 주위(periapical region) 시술, 구강점막의 천공 등과 같은 시술을 할 때 권장된다(amoxicillin or ampicillin 2 g PO or IV, penicillin or ampicillin allergy가 있는 경우 clindamycin 600 mg PO or IV).
- Established infection를 치료하기 위한 invasive respiratory tract procedure를 시행하는 경우 anti-staphylococci drug 사용이 권장된다.
- 예방적 항생제가 필요한 GI or GI tract 시술을 하거나 established된 infection이 있는 경우 anti-enterococci drug 사용이 권장된다.
- Infected skin or musculoskeletal tissue가 포함된 surgical procedure를 하는 경우 anti-staphylococci & anti beta-haemolytic streptococci drug 사용이 권장된다.

03 Cath-Lab

1 Angiographic Views

Principle	From observer to target 환자 아래에 x-ray source가 위치			
Views 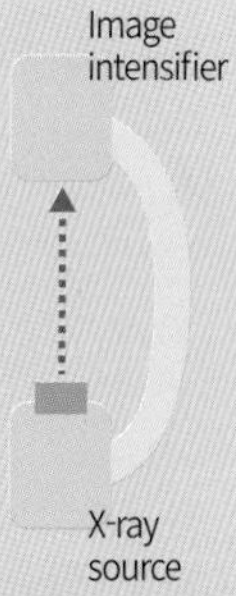	Anteroposterior (AP) 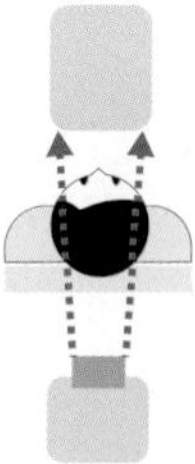	Right anterior oblique (RAO) 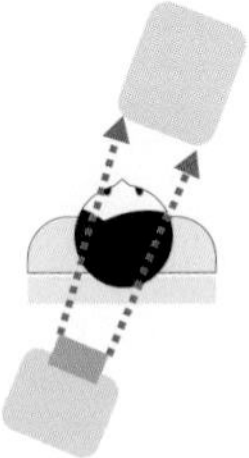	Left anterior oblique (LAO) 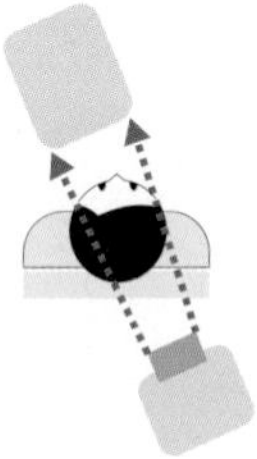	Lateral 
Angulation	Cranial (Cr) 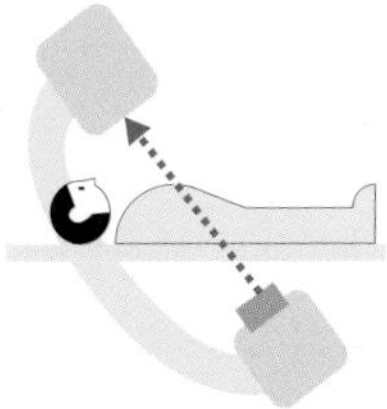		Caudal (Cd) 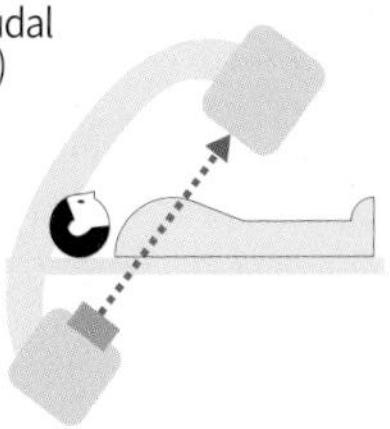	

<table>
<tr><th></th><th>Left coronary artery</th><th>Right coronary artery</th></tr>
<tr><td rowspan="4">Routine Views</td><td>RAO cranial:
Mid to distal LAD, diagonal</td><td rowspan="2">LAO:
Proximal to distal RCA, PL, PDA</td></tr>
<tr><td>RAO caudal:
Proximal to distal LCx, OM,
proximal LAD,
ramus intermedius (RI)</td></tr>
<tr><td>LAO cranial:
Proximal to distal LAD,
diagonal ostium, septal branch</td><td rowspan="2">AP cranial:
Distal RCA, PL/PDA bifurcation site, PL/PDA</td></tr>
<tr><td>LAO caudal (spider):
left main (LM), LAD/LCx ostium, RI</td></tr>
<tr><td rowspan="2">Modified Views</td><td>AP caudal:
LM, proximal to distal LCx, OM,
pLAD, RI</td><td>RAO cranial:
Mid RCA</td></tr>
<tr><td>AP cranial or Extreme RAO:
p-dLAD, diagonal</td><td>Left lateral:
Mid RCA</td></tr>
</table>

2 Routine Angiographic Views

LCA

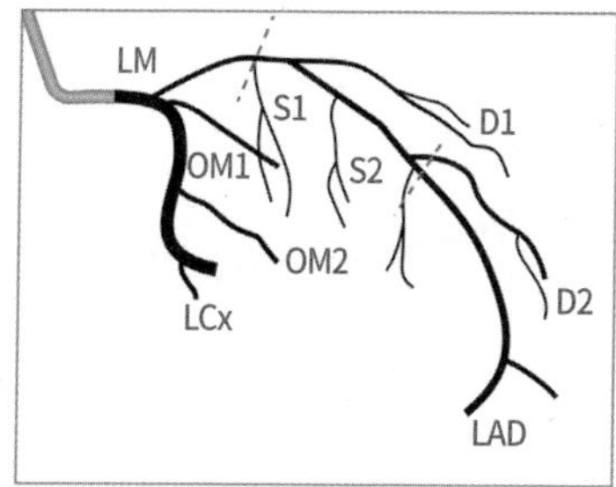

RAO 30° Cr 20°

RAO 30° Cd 20°

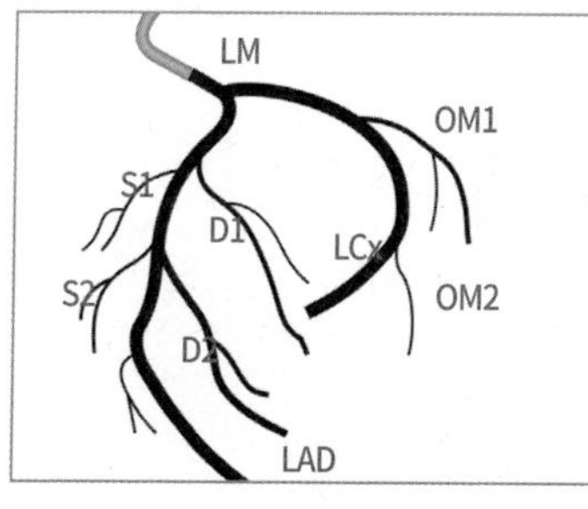

LAO 50–60° Cr 20°

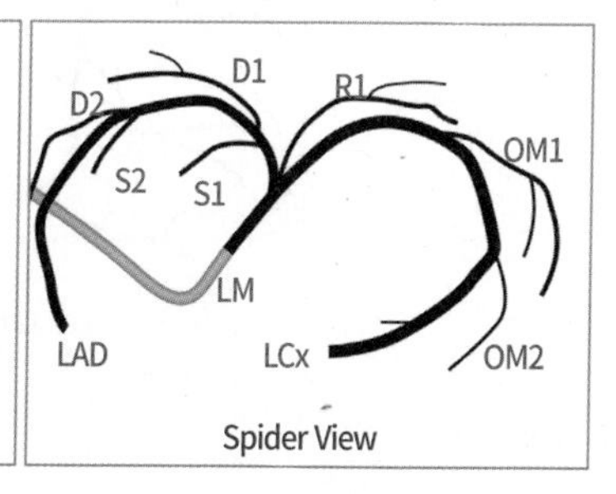

Spider View

LAO 45–50° Cd 20°

RCA

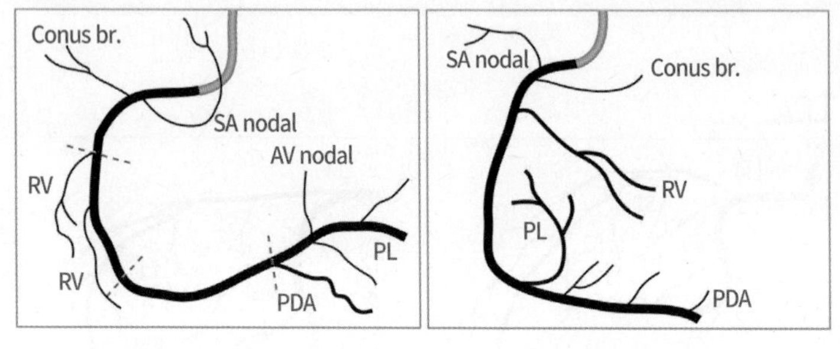

LAO 45° Cr 10–20°　　RAO 30° Cd 20°

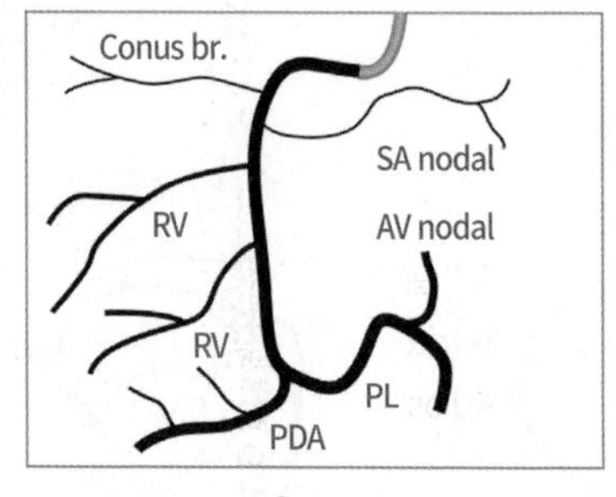

Left Lateral

③ Modified Angiographic Views

LCA

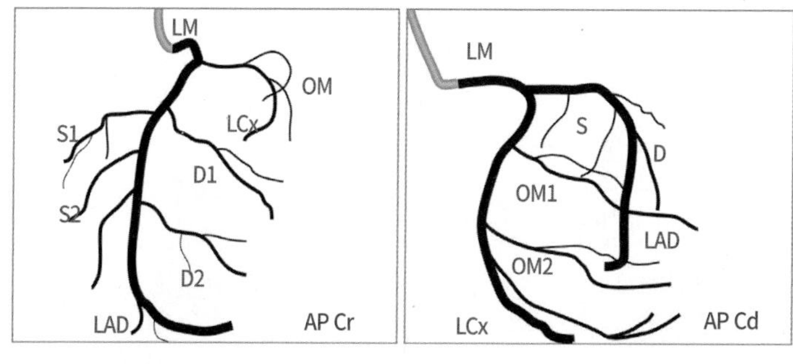

LAO 10–20° Cr 45°　　RAO 10–20° Cd 30°

- AP cranial view는 LAD를 전반에 걸쳐 길게 펼쳐 볼 수 있으며 diagonal branch와 septal branch가 잘 분리된다.
- AP caudal view는 LCx territory를 잘 펼쳐 볼 수 있으며 특히 OM branch가 잘 분리된다. LM os or LAD os도 잘 관찰할 수 있다.

RCA

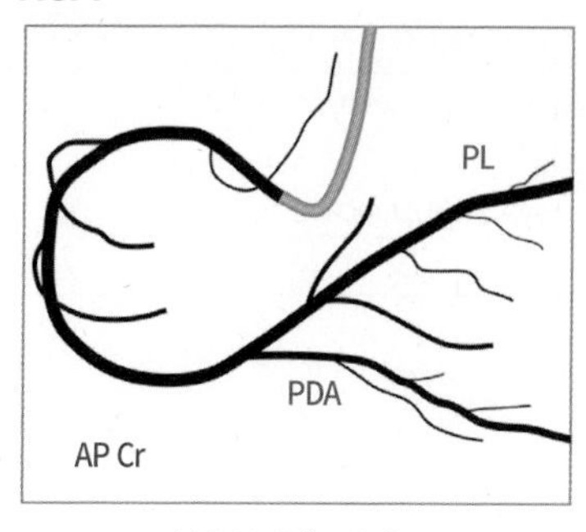

LAO 10–20° Cr 30°

- AP cranial view는 distal RCA의 bifurcation을 잘 볼 수 있으며 PDA와 PL이 잘 분리된다.

4 LV Angiogram

	RAO view	LAO view
Regional LV wall segment	Anterobasal Anterolateral Apical Inferior Posterobasal	Superolateral Posterolateral Septal

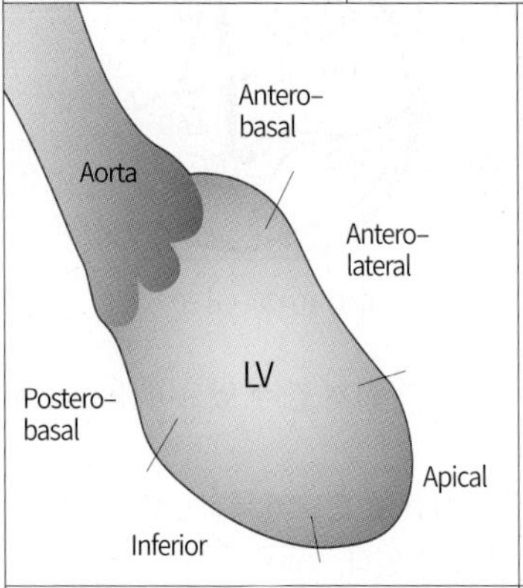

RAO 30°	LAO 60° Cr 20 °

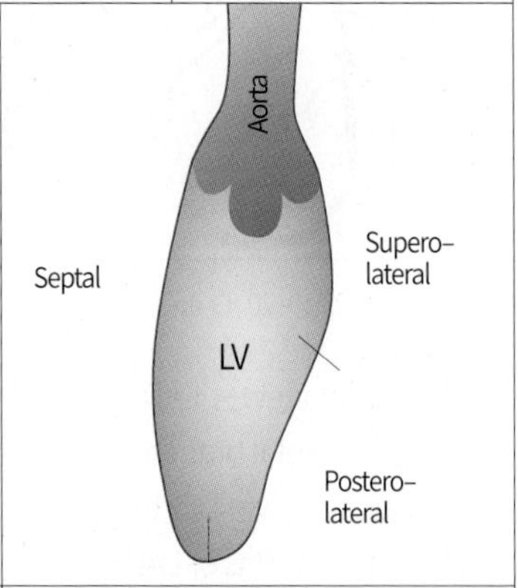

	평가 항목
Wall motion	Normal, Hypokinesia, Akinesia, Dyskinesia, Aneurysm
LV function	Normal LV systolic function Mild, Moderate, Severe LV systolic dysfunction
LV thrombus	유/무

How to Describe Cath-lab Report

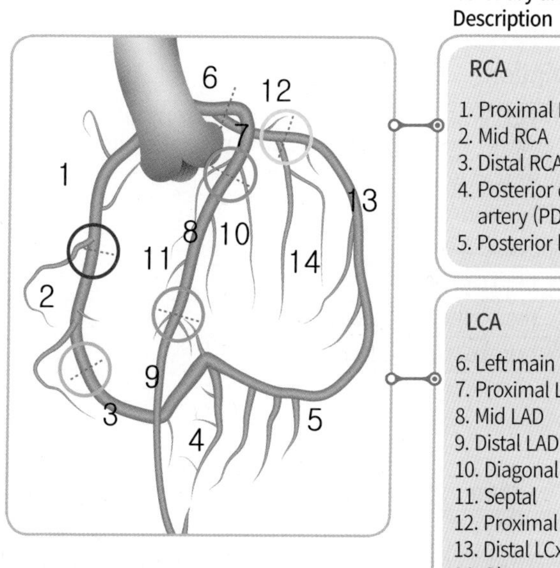

Coronary artery Segment Description

RCA

1. Proximal RCA
2. Mid RCA
3. Distal RCA
4. Posterior descending artery (PDA)
5. Posterior lateral (PL)

LCA

6. Left main (LM)
7. Proximal LAD
8. Mid LAD
9. Distal LAD
10. Diagonal
11. Septal
12. Proximal LCx
13. Distal LCx
14. Obtuse marginal (OM)

Definition of Segment (Reference Landmark)

Right coronary artery (RCA)	Proximal to mid: Half of proximal to mid segment (Red circle)
	Mid to distal: Cardiac angle (acute margin of heart) (Orange circle)
Left anterior descending (LAD)	Proximal to mid: First major septal (Green circle)
	Mid to distal: Angle (RAO view) (Blue circle)
Left circumflex (LCx)	Proximal to distal: First OM (Yellow circle)

Coronary Arterial Dominance

Right dominance	PDA is supplied by RCA or both RCA and LCA
Left dominance	PDA is supplied by LCA

Lesion Description

Definition of angiographic vessel diseased (VD): $\geq$ 50% diameter stenosis in major coronary vessels ($\geq$ 2 mm)	
Length	Focal: < 10 mm
	Segmental: 10–20 mm
	Diffuse: > 20 mm
Stenosis	TIMI 3 flow: 30%, 50%, 75%, 90%, 95%
	TIMI 1–2 flow: 99%–subtotal occlusion
	TIMI 0 flow: total occlusion

Flow Grade

TIMI grade	TIMI 0	No antegrade flow
	TIMI 1	Penetrate the lesion without filling whole artery
	TIMI 2	Filling the whole artery, but slow flow
	TIMI 3	Normal coronary flow
Collateral grade (Rentrop grade)	Grade 0	No filling of any collateral vessels
	Grade 1	Filling of collateral vessels without any epicardial filling of the target artery
	Grade 2	Partial filling of the target epicardial artery by collateral vessels
	Grade 3	Complete filling of the target epicardial artery by collateral vessels

Lesion Characteristics

AHA/ACC lesion type: A, B, B2, C		
Eccentric	병변의 축이 가장자리 25% 내의 위치	
Angulation	Moderate: 45–90°, Severe: bend > 90°	
Proximal tortuosity	Number of > 75° bends to reach the lesion	
	Mild: 1 bend	
	Moderate: 2 bends	
	Severe: ≥ 3 bends	
Ostial lesion	Origin of the lesion ≤ 3 mm of the vessel origin	
	Aorto-ostial lesion: lesions of ostium of RCA, ostium of LM and ostium of saphenous venous graft	
	Branch-ostial lesion: lesions of ostium of major epicardial artery except for aorto-ostial lesion	
Ulceration	Lesions with small crater consisting of a discrete luminal widening	
Thrombus	Intraluminal filling defect with defined borders	
Calcification	**Severe**: radiopacities noted without cardiac motion before contrast injection generally compromising both sides of the arterial lumen (encircling calcification)	
Arrangement of the lesion	Tandem: two lesions located within one balloon length	
	Sequential: two lesions located at a distance longer than the balloon	

<table>
<tr><td rowspan="2">Bifurcation</td><td>Generally, use medina classification 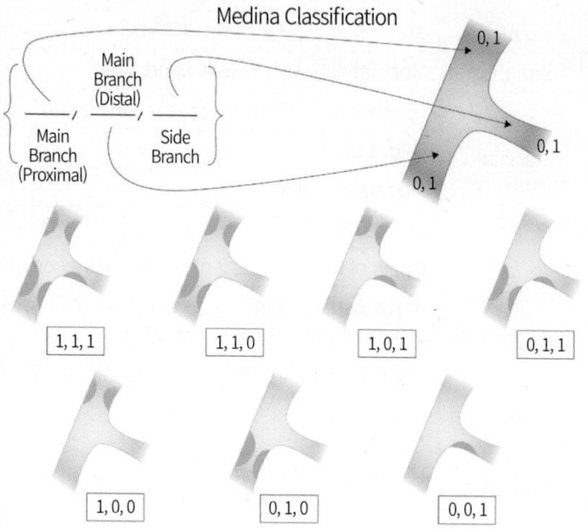</td></tr>
<tr><td>Medina Classification
Main Branch (Proximal) / Main Branch (Distal) / Side Branch
0, 1   0, 1   0, 1
1, 1, 1   1, 1, 0   1, 0, 1   0, 1, 1
1, 0, 0   0, 1, 0   0, 0, 1</td></tr>
<tr><td>LM bifurcation</td><td>LM–LAD: main branch, LCx: side branch</td></tr>
<tr><td>PL/PDA bifurcation</td><td>Distal RCA–PL: main branch, PDA: side branch</td></tr>
<tr><td>D bifurcation</td><td>LAD: main branch, Diagonal: side branch</td></tr>
<tr><td>OM bifurcation</td><td>LCx: main branch, OM: side branch</td></tr>
<tr><td colspan="2">Chronic Total Occlusion (CTO)</td></tr>
<tr><td>Definition</td><td>Totally occluded lesion with TIMI 0 or 1</td></tr>
<tr><td>Duration</td><td>Usually more than 3 months defined by clinical history</td></tr>
<tr><td>Collaterals</td><td>Epicardial, septal, bridging collaterals (inter–arterial connection)</td></tr>
</table>

출처: Medina A et al. Rev Esp Cardiol 2006;59:183.

Favorable and Unfavorable morphology for procedure success	
Favorable	Unfavorable
 Tapered stump	 Absent stump
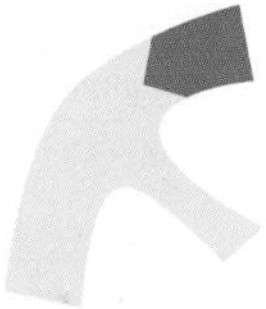 Pre or Post branch occlusion	 Occlusion at side branch
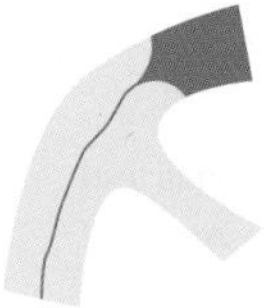 Functional occlusion	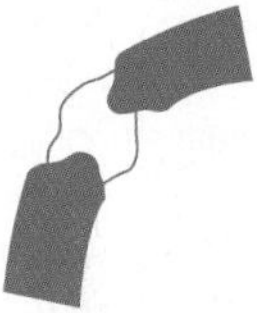 Bridging collateral

Cath Lab Diagnosis

Normal CAG, Insignificant stenosis, 1VD, 2VD, 3VD, LM disease	
Instent restenosis (ISR) or No ISR, graft failure or patent graft	
Successful PCI or Incomplete PCI or Failed PCI	
Criteria of successful PCI	Balloon: residual stenosis < 50%
	Stent: residual stenosis < 20%
Procedural success	Angiographic success without AMI, emergent CABG and death
Clinical Success	Procedural success with improvement of ischemia

Clinical Diagnosis

No significant CAD		
Silent ischemia	Presence of objective evidence of ischemia in the absence of angina-relevant symptoms	
Stable angina	Typical angina: meets all of below characteristics - Constricting discomfort in chest, neck, shoulder, arm, jaw - Precipitated by physical exertion - Relieved by rest or nitrates within 5 min	
Unstable angina (meets 1 of 4)	Crescendo	Progressive to CCSC III–IV
	New onset	Within 3 months and CCSC II–IV
	Resting	Greater than 20 minutes
	Post-infarction	Within 2 weeks after MI
Variant angina	Vasospasm	
Mixed angina	Vasospasm + exertional angina with significant epicardial stenosis	
Syndrome X (Microvascular angina)	Meets all of below - Typical exertional angina pain - Objective evidence of ischemia (positive result of non-invasive ischemia test) - Normal CAG with negative vasospasm	
STEMI	ST-elevation MI	
NSTEMI	Non ST-elevation MI	
Recent MI		
Myocardial infarction (MI)	Presence of myocardial injury detected by abnormal cardiac biomarkers in the setting of evidence of acute myocardial ischemia	
Treated CAD		
Ischemic cardiomyopathy (ICMP)	Significantly impaired left ventricular dysfunction (LVEF ≤ 40%), which results from coronary artery disease	
Canadian Cardiovascular Society angina classification (CCSC)		
CCSC I	Angina only during strenuous or prolonged physical activity	
CCSC II	Slight limitation, with angina only during vigorous physical activity	
CCSC III	Marked limitation of ordinary physical activity	
CCSC IV	Inability to perform any activity without angina or angina at rest	

6 CAG Description Example

Right radial artery was punctured

1. CAG; 5F JR4.0 & 5F JL3.5 catheter was used.
   1) LMCA – normal
   2) LAD – normal
   3) LCx – proximal: focal stenosis up to 90% with heavy calcification
   4) RCA – normal

2. One stage PCI for pLCx; 6F XB3.5 guiding catheter was used.
- Lesion length: 10 mm
- Balloon dilatation with 2.5×15 mm balloon (max. = 10 atm)
  → 40% residual stenosis & no dissection (reference diameter = 3.0 mm, residual diameter = 1.8 mm)
- Stent implantation with 3.0×16 mm Promus Element stent (max. = 16 atm)
  → no residual stenosis & no dissection.

1. Final results
- Successful PCI with stent implantation (Promus Element).
  No residual stenosis & no dissection.
2. Cath diagnosis; 1VD, Successful PCI (pLCx)
3. Clinical diagnosis; Stable angina

REC.; Medical follow-up

Kissing balloon 기술

Kissing balloon dilatation with 3.5×18 mm (max. = 12 atm) at pLAD and 2.5×15 mm (max. = 12 atm) at D1, OS
no residual stenosis, no dissection

Aortography

LIMA & RIMA: no stenosis with good flow

CABG 환자

<native vessel CAG>
→ LAD: pLAD total occlusion
→ LCx: OM1, prox., FS 75%
→ RCA: mRCA SS 75%

<graft vessel CAG>
→ LIMA to LAD: no stenosis with good flow
→ RIMA to OM (Y-graft): no stenosis with good flow
→ SVG to RCA: no stenosis with good flow

7 Vascular Access

Feature	Femoral artery	Radial artery
Patient comfort	Acceptable	Great
Ambulation	2–4hr	Immediate
Extra costs	Closure device	Band
> 8F guide catheter	No problem	Maximum 7F
Access site bleeding	3–4%	Up to 0.6%
Complications	Pseudoaneurysm, Retroperitoneal bleeding	AV fistula, Hematoma

Closure Devices for Femoral Artery

1) FemoSeal (St. Jude Medical)

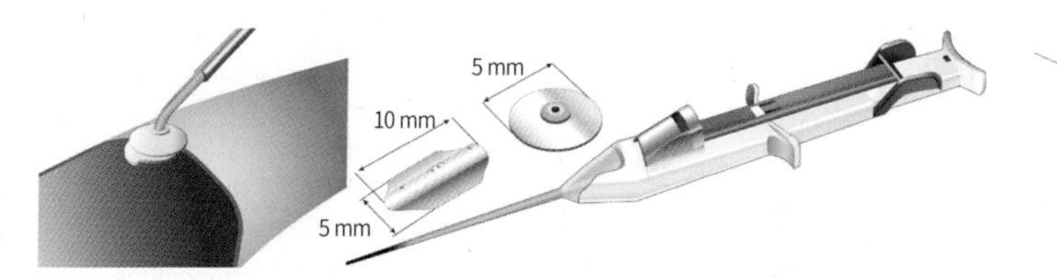

2) Perclose Proglide (Abbott Vascular)

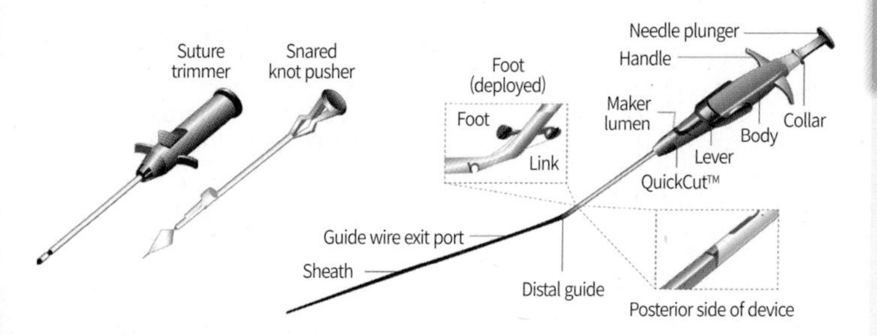

3) Exoseal (Cordis)

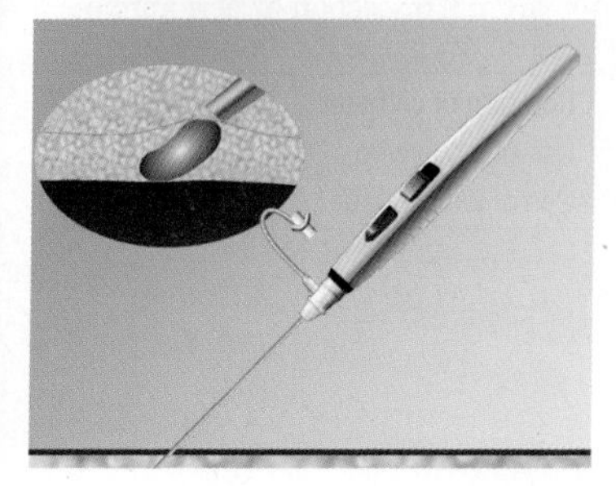

Heparin bolus after vascular access	
50 IU/kg	Diagnostic purpose
70–100 IU/kg	Intervention purpose

8 Femoral Puncture

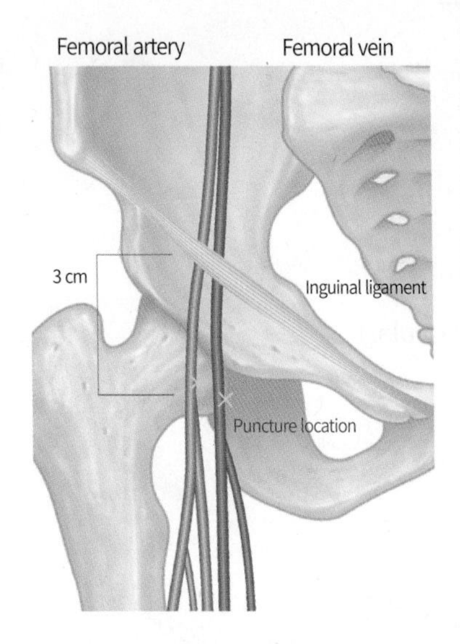

Skin entry
Most important for successful puncture 1 inch below inguinal ligament **(usually skin crease)** **Fluoroscopy:** femoral head
Too high: risk for retroperitoneal bleeding
Too low: deep puncture, risk for hematoma
Anterior puncture (Not Seldinger technique)
Feel the pulse with needle tip **If resistance (+):** stop and angiogram (small amount)

Tips to avoid complication		
Iliac tortuosity	Use Terumo wire	Use with caution due to risk of arterial dissection or perforation Use dry gauze for torque control
When guiding catheter could not advance		Rotation of catheter Use of 0.065 wire Use of long sheath

Radial Puncture

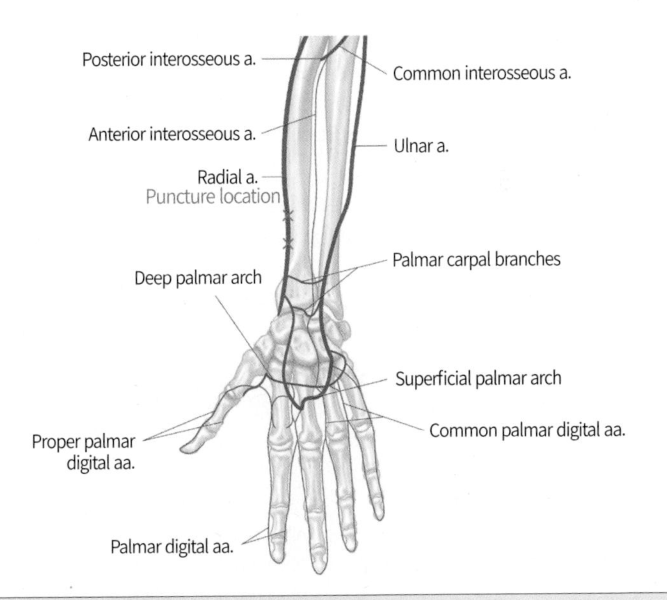

Skin entry
Right radial artery first Just at the lateral styloid process 대개는 피부주름 2–3 cm 상방 Direct the needle tip to the medial side
If resistance (+) during wiring, stop wiring and consider angiography or re–puncture
Causes of wiring difficulty 1. Unsuccessful puncture of radial artery 2. False lumen wiring 3. Radial artery spasm 4. Remnant radial artery 5. Radial loop 6. Very small diameter of radial artery 7. Radial artery branch navigation

Tips to avoid complication	
Puncture 전 radial artery pulse를 확인하여 약할 경우 contralateral radial artery로 access	
Brachial or subclavian artery가 tortuous할 경우 Terumo wire를 사용	
When guiding catheter could not advance	• Use small diameter of guiding catheter • Use of heart rail • Use of long diagnostic catheter inserted in guiding catheter
Radial access first, as possible	

출처: Gregory A et al. JACC Cardiovasc Interv 2018;11:2113-9.

10 Contraindication

Femoral approach	Radial approach
• Claudication • Absent dorsalis pedis & posterior tibialis pulse • Absent popliteal pulses • Femoral bruits • Absent femoral pulse • Prior femoral artery surgery • Extensive inguinal scarring • Excessively tortuous or diseased iliac artery • Severe back pain or inability to lie flat • Patient request • Morbid obesity	• Allen test: positive • Absent radial pulse • Presence of AV fistula for hemodialysis • Serum creatinine ≥ 2.0 (relative contraindication)

11 Complication & Resolution

Bleeding & hematoma

Manual compression으로 조절하며 혈종은 1-2주 이내에 흡수된다. 드물게 혈종 흡수가 수주 내지 수개월이 걸리는 경우가 있으며 큰 혈종은 수혈이 필요하다.

Retroperitoneal hematoma

Inguinal ligament 위에서 천자되는 경우 혈종이 후복부 공간으로 퍼져나가 발생한다. 피부면에 출혈의 증거가 없으므로 시술 후 설명할 수 없는 저혈압, 빈맥, 창백, hematocrit이 급격히 저하하면서 하복부나 등쪽에 통증이 있을 때 의심한다. 치료는 수혈과 안정이다.

Pseudoaneurysm

혈종과 대퇴동맥의 천자 부위가 연결되고 개통됨으로써 발생한다. 맥박이 촉지되고 bruits가 청진된다. 원인은 superficial or profunda femoral artery에서 천자되는 경우에 발생하며, 치료는 sono probe로 오랫동안 압박하거나 소량의 thrombin을 pseudoaneurysm에 주사한다.

AV fistula

계속되는 대퇴동맥의 출혈이 정맥으로 배출되어 발생한다. 청진에서 continuous bruits가 들리며, 2-4주 이내에 막히지 않으면 수술한다. 원인은 낮은 천자위치, 즉 superficial or profunda femoral artery에서 천자되는 경우에 발생한다.

12 Catheter

Use	
Diagnostic catheter: 4–6 Fr (Standard: 5 Fr)	
Guiding catheter: 5–9 Fr (6–8 Fr)	
Coronary catheter	
Judkins	JL3.5, JL4, JL5, JR3.5, JR4
Amplatz	AL1, AL2, AL3, AR1, AR2
Multipurpose	MPA1, MPA2
Radial or Brachial	Nobuyoshi, Mitsudo, Kimney, Fajadet
Guiding only	XB3.5, XB4, EBU3.5, EBU4, Q3.5, Q4

13 Guiding Catheter (TRI)

Left side guiding catheter	Right side guiding catheter
• Smaller guiding catheter (ex, JL3.5 rather than JL4.0) • Extra-backup support (ex, XB3.5 or EBU3.75) • XB curve rather than Amplatz	• Usually ordinary JR4.0 curve • Sometimes RCB or LCB • For better backup: AL1, SAL1, XBR, XB (EBU) → 1 Fr = 0.33 mm → 1 inch = 2.54 cm → 1 Fr = 0.013" (inch) → Internal diameter of guiding catheter 5 Fr 0.056", 0.058" (Zuma) 6 Fr 0.066", 0.068" (Zuma) 7 Fr 0.076", 0.081" (Zuma) 8 Fr 0.086", 0.090" (Zuma)

14 Curve Shape of Guiding Catheter

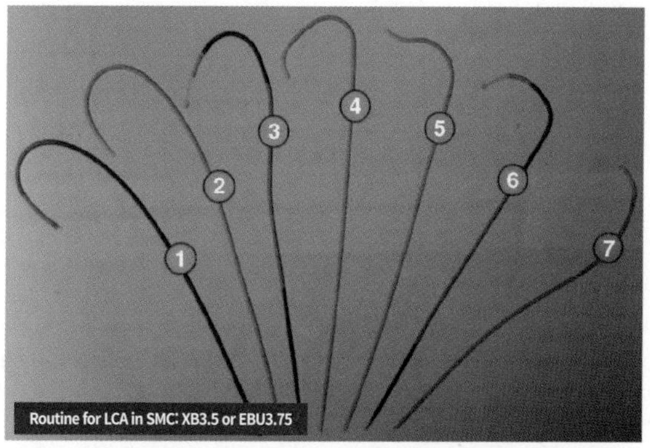

(1) EBU (2) XB (3) Voda (4) JL (5) AL (6) Patel Rt (7) JR

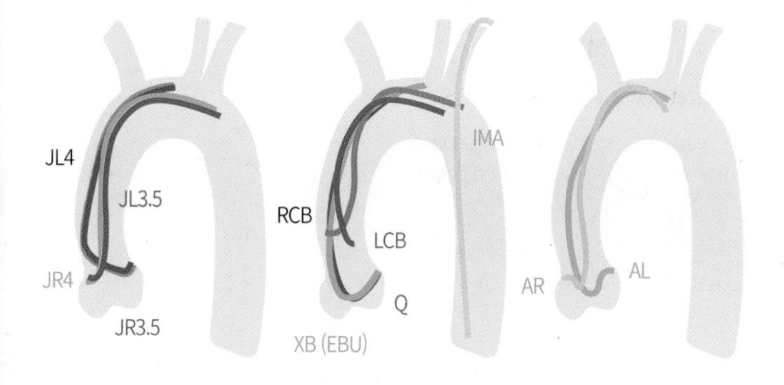

Selection of Guiding Catheter

Right coronary artery

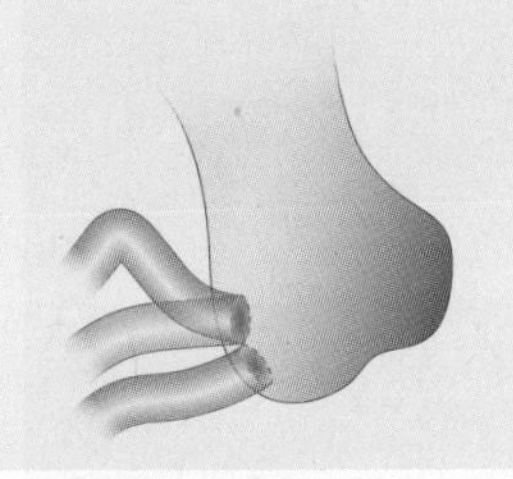

A. Normal origin
- Standard choice
  Judkins Right
- Poor back up
  Amplatz Left 1, 2
  or
  Amplatz Right 1, 2

B. Shepherd's crook origin
- Standard choice
  Internal Mammary
  or
  Amplatz Left 1, 2

C. Low origin with horizontal course
- Standard choice
  Judkins Right
  or
  Amplatz Right 1, 2

Left Coronary Artery

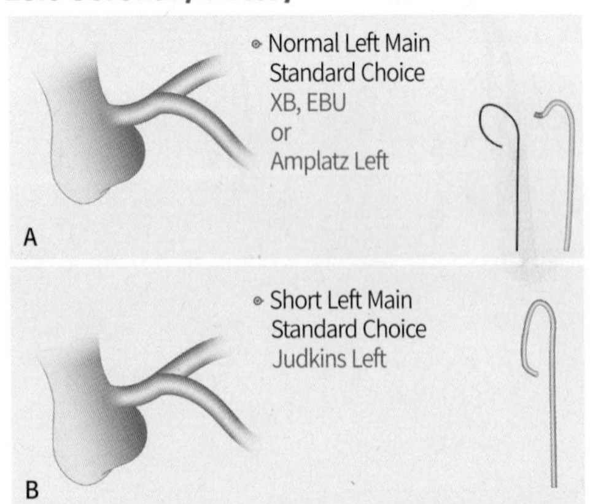

출처: Branislav G. What Should We Know About Prevented, Diagnostic, and Interventional Therapy in Coronary Artery Disease, Ch. 20, InTech, 2013.

Manipulation of Catheter for CAG

LCA with Left Judkins	◦ Clockwise rotation ◦ Counter-clockwise rotation
RCA with Right Judkins	◦ Touch the aortic valve ◦ Clockwise rotation and pull back ◦ Reverse torque when deeply intubated
Cautions	No injection when damped pressure Don't over-rotation only in one direction

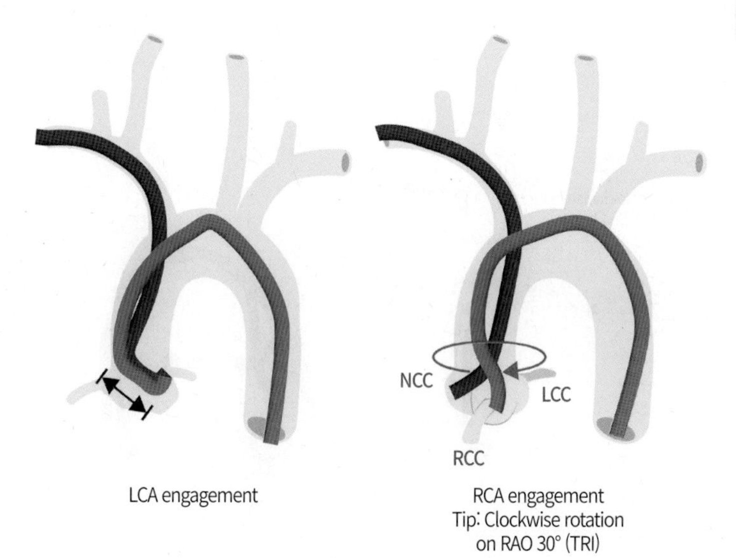

LCA engagement

RCA engagement
Tip: Clockwise rotation on RAO 30° (TRI)

17 Manipulation of Catheter for Bypass Graft Angiography

Left Internal mammary artery (LIMA)	• Use left radial access or femoral access • Engagement with Right Judkins (JR) or IM catheter (prefer)
Saphenous vein graft (SVG)	• Difficult to find SVG ostia • Find graft markers placed by surgeons (clips or rings) • Engagement with Right Judkins (1st choice), AL, AR, RCB, LCB, Multi-purpose
RIMA (not usually used as graft vessel)	• Use right radial access (easiest way) or femoral access • Engagement with IM catheter

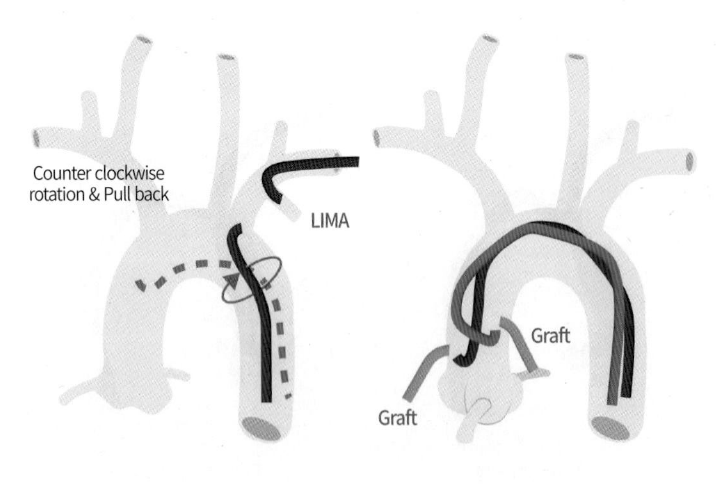

Manipulation of Pigtail Catheter

Catheter Technique for LVG

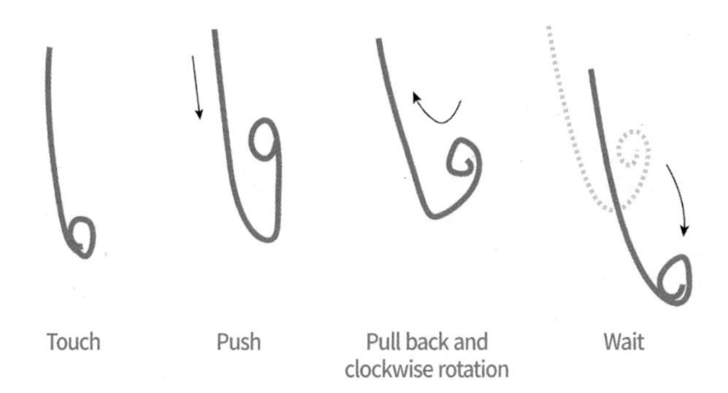

Catheter Position

Left Ventriculography (LVG)
Center of the LV cavity (adjust the catheter position during angiogram to avoid VPBs)
Coiled loop is in the inflow tract of the mitral valve
Aortogram
2 cm above aortic valve (carina level에 pigtail tip을 위치)
DSA (digital subtraction angiography)로 촬영 시, 더 선명한 이미지를 얻을 수 있다.

19 PCI Guidewire

Tip load (Stiffness of tip)	Force needed to bend for 1 cm from tip
Floppy (< 0.5 g, When trauma is concern)	Suoh 3, Sion blue
Blanced or Workhorse (0.5–0.9 g, defalt)	Runthrough, Sion
Stiff (> 0.9 g, for lesion penetration)	Gaia, Ultimate, Conquest
Stiff shaft (for extra–support)	ATW, Choice PT support wire
Polymer jacket (for tractability)	Fielder series
PTCA wires for special purpose	Rotawire (0.009" shaft with 0.014" tip)

Structure of guidewire	
Core shaft	Device support portion (sleeve)
Distal shapable portion	Coating (hydrophilic or hydrophobic)

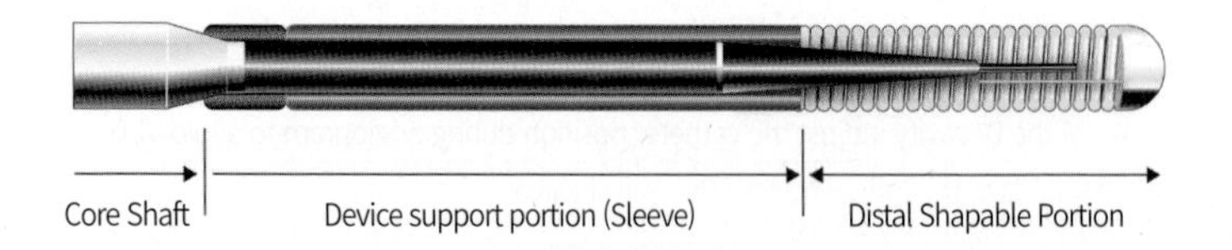

Characteristics of Guidewire

Torque–control (maneuverability and steerability), shapability, shape retainment, tip flexibility, device support, radio–opacity, pushability, crossibility, tip durability.

20 Balloon & Other Devices

Classification of balloon	
Semi-compliant or Non compliant (NC)	
Lesion modification balloon	Angiosculpt (scoring balloon), Cutting balloon
Drug eluting balloon (DEB)	
Delivery system of balloon	Over the wire (OTW), Monorail
Inflation pressure of balloon	
Nominal pressure (NP)	Inflation pressure required to reach specified diameter
Rated burst pressure (RBP)	Pressure at which 99.9% of balloon can survive with 95% confidence

Classification of balloon

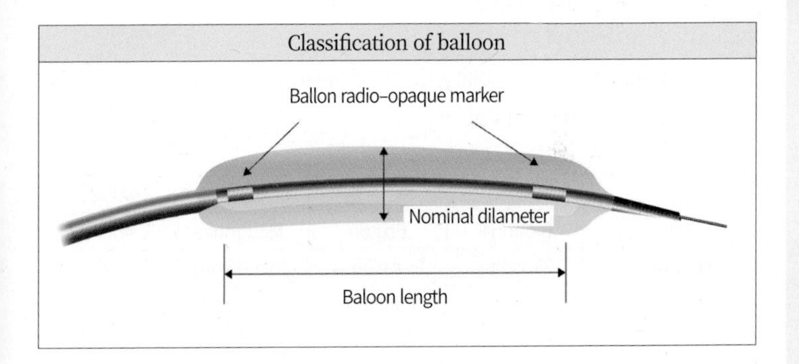

Other devices for special purpose	
Guiding catheter extension	Guidezilla, Guideliner
Microcatheter	Caravel, Finecross, Corsair, Turnpike
Atherectomy device	Rotational atherectomy, Laser atherectomy

21 Stent

Stent classification	
Bare metal stent (BMS)	Used in past, high restenosis rate (20–40%)
Drug eluting stent (DES)	1st generation, 2nd generation (used in now)
Bioabsorbable stent (BVS)	Usage prohibited, further development needed
Components of DES (2nd generation)	
Pharmacologic agent	Sirolimus, Everolimus, Zotarolimus
Stent design and delivery system	Strut thickness, Number of connectors, Stent platform
Drug carrier vehicle	Bioabsorbable polymer (BP)

Characteristics of Stents

Radiographic visibility, flexibility, device deliverability, conformability, low elastic recoil, longitudinal stability

Stent	Orsiro	Synergy	Onyx	Xience
Company	Biotronik	Boston	Medtronic	Abbott
Eluted drug	Sirolimus	Everolimus	Zotarolimus	Everolimus
Stent platform	Cobalt chromium	Platinum chromium	Cobalt chromium	Cobalt chromium
Strut thickness (um)	60	74	81	81
Connectors	2–3	2	2	3
Time of polymer degradation (months)	7–15	3–4	Permanent (Non–BP)	Permanent (Non–BP)
Drug release (months)	3	3	6	4

22 Intravascular Imaging in CAD

Intravascular Ultrasound (IVUS)	Optical Coherence Tomography (OCT)
Use for stent optimization Left main disease severity evaluation To guide complex procedure Plaque morphology evaluation Better clinical outcomes than angiography only guided PCI	
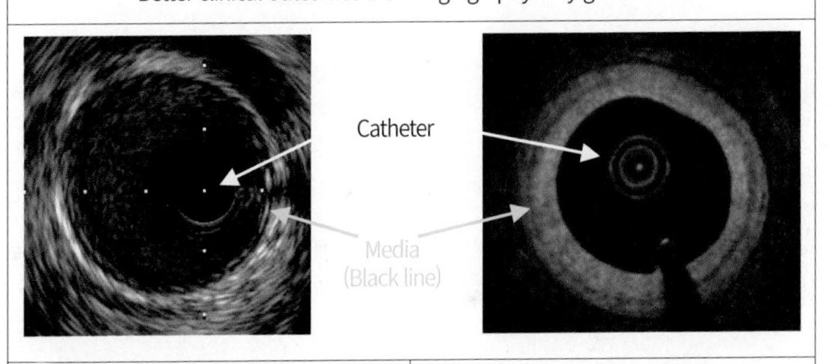	
Excellent penetration Enable estimation of vessel dimension Remodeling, Plaque burden Without contrast use	Excellent resolution (10–20 um) More accurate lumen evaluation Strut and plaque morphology
Limited soft tissue contrast Limited resolution (80–100 um)	Limited penetration Additional contrast injection Need blood clearing before imaging acquisition
Preferred in Left main lesion, Ostial lesion, Intramural hematoma, Kidney disease, CTO lesion, Extreme long lesion (> 75 mm)	Preferred in Acute coronary syndrome, Stent failure, Coronary dissection

23 Role of Assistant

- 항상 다음의 procedure를 미리 생각하고 준비한다.
- Operator가 무엇을 원하는지 파악한다.
- Work table은 가능한 깨끗이 한다.
- 사용한 device는 깨끗이 닦아 잘 찾을 수 있는 곳에 둔다.
- 모든 기구는 heparin mix saline으로 닦고 flushing한다.

24 Caution

- **Contamination**

대부분의 device가 잘 튀어 오르기 때문에 주의해서 다루어야 한다. Procedure field 밖으로 device가 나가지 않도록 항상 유의해야 한다.

- **Air embolism**

Angiography 시행 시 contrast media injection하기 전에 back flushing을 충분히 하여 catheter 안에 air가 없게 주의해야 한다. Control syringe는 세워서 (45°) injection한다.

- **Vessel injury**

Guide wire를 넣을 때 저항이 있으면 절대 힘으로 밀어 넣지 말아야 한다(혈관이 tortuous하여 일반 wire가 걸릴 때는 terumo wire를 사용한다.).

- **BP and pressure wave monitoring**

Catheter가 engage되었을 때 항상 pressure wave 확인한다(pressure damping 시 절대 contrast media injection하면 안 된다. Pressure damping 시 injection하면 ventricular tachycardia or dissection이 발생할 위험이 있다).

25 Spasm Provocation Test

Protocol
관동맥 조영술 후 시술자의 임상적 판단에 의해 시행한다.
Baseline angiography: normal saline 5 cc 주입 후 시행한다.
Ergonovine Provocation
용량 단계별(E1, E2, E3)로 각각 우측 관동맥에 10, 20 ug, 좌측 관동맥에 20, 40, 80 ug (10 ug/1 cc)의 ergonovine을 각 단계마다 90초간 관동맥 내 주입(intra-coronary injection)한다. 각 단계 사이의 간격(interval)은 2분으로 하며, 해당 용량의 단계에서 혈관 연축이 유발된 경우에는 다음 단계를 생략할 수 있다.
검사 선행 혈관이나 영상의 각도는 개별 연구자가 임상적 판단에 기초하여 선택한다.
관동맥 운동에 영향을 줄 수 있는 장기형 혈관 확장제는 최소 검사 48시간 전 사용을 중지한다.

Report Form

Ergonovin provocation test

1. Positive study
   - Total (subtotal) occlusion with TIMI (0, 1, 2, 3) flow at ____ (location) after IC ergonovine injection
     → chest pain (+/–) and ST change at ___ (location)
     → relieved after IC NTG injection
2. Negative study
   - Negative spasm provocation test after IC ergonovine injection
     → no chest pain and no ECG change

26 Ergonovine Provocation Test 판정 기준

1) "Definite" Variant Angina

관동맥 조영술에서 자발적인 혈관 연축(spontaneous vasospasm)*을 보이거나 ergonovine을 이용한 관동맥 연축 유발 검사에서 유의한 혈관 연축**을 보이면서

(1) 허혈성 증상이 동반되거나,

(2) 허혈성 심전도 변화가 동반되는 경우

(3) 또는 (1) & (2)가 함께 동반되는 경우

단 연구자에 의해 도관 유발 연축(catheter-induced spasm)으로 판단되는 경우는 제외함

- 자발적인 혈관 연축*

  연축 유발 검사 전 관동맥 조영술(baseline coronary angiography)에서, 90% 이상의 혈관 내경 감소(수축)를 보이나, 관동맥 내 nitrates 주입으로 정상적인 혈관 확장을 보이는 경우

- 유의한 혈관 연축**

  관동맥 내 Ergonovine 주입에 의해, 90% 이상의 일시적 혈관 내경 감소 ("transient total or subtotal occlusion")를 나타내는 혈관 수축을 보이는 경우

2) "Possible" Variant Angina

- Ergonovine을 이용한 관동맥 연축 유발 검사에서 상기 "유의한 혈관 연축"을 보이지만, 허혈성 증상이나 허혈성 심전도 변화가 동반되지 않는 경우
- Ergonovine을 이용한 관동맥 연축 유발 검사에서 상기한 "유의한 혈관 연축"을 보이지 않지만, 허혈성 증상이나 허혈성 심전도 변화가 발생하는 경우

3) "Probable" Variant Angina

- Ergonovine을 이용한 관동맥 연축 유발 검사에서 50-90%의 혈관 내경 감소를 보이지만, 허혈성 증상이나 허혈성 심전도 변화가 동반되지 않는 경우

4) "Negative"

- Ergonovine을 이용한 관동맥 연축 유발 검사에서 50% 미만의 혈관 내경 감소를 보이면서, 허혈 증상이나 허혈성 심전도 변화가 관찰되지 않는 경우

Physiologic Study in CAD

Schematic of Physiological Assessment

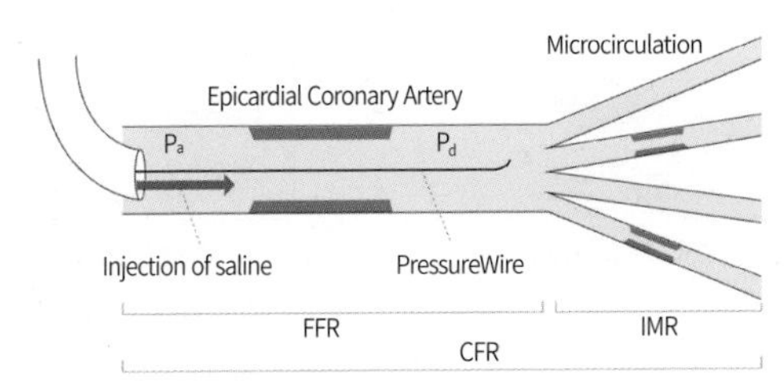

- FFR = P_d/P_a at maximal hyperemia
- CFR = hyperemic coronary flow ÷ resting coronary flow
  = 1/hyoeremic T_{mn} ÷ 1/resting T_{mn}
  = resting T_{mn}/hyperemic T_{mn}
- IMR = P_d at maximal hyperemia ÷ 1/hyperemic T_{mn}
  = P_d at maximal hyperemia × hyperemic T_{mn}
  (T_{mn}: an inverse correlate to absolute coronary flow)

Description of physiologic study

- Resting P_d/P_a: ____
- FFR (Nicorandil): ____
  → Major step-up at ____ (or gradual step-up throughout ___)
  (pressure wire의 pull-back 시의 pressure curve를 참조하여 기술)
- Resting T_{mn}: ___(__/__/__)
- Hyperemic T_{mn}: ___(__/__/__)
- CFR: ___, IMR: ___

출처: Yuhei Kobayashi et al. Circ J 2014;78:1021-8.

Instent Restenosis

Type of Restenosis

ISR Pattern I: Focal

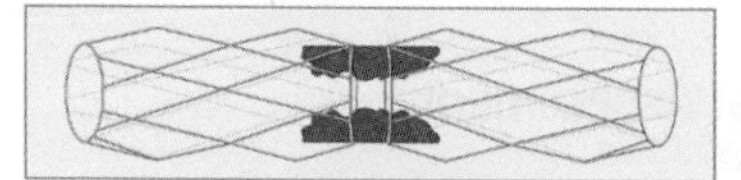

Type IA: Articulation or Gap

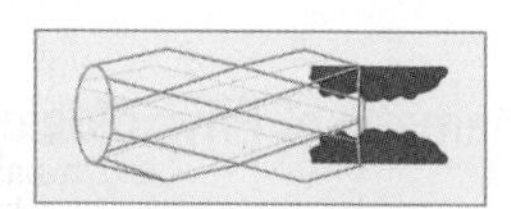

Type IB: Margin

Type IC: Focal Body

Type ID: Multifocal

ISR Pattern II, III, IV: Diffuse

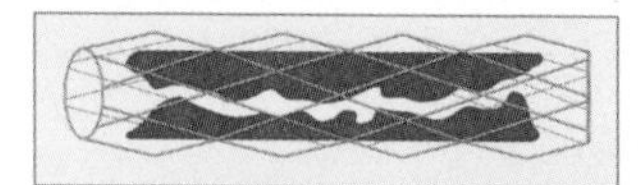

ISR Pattern II: Intra-stent

ISR Pattern III: Proliferative

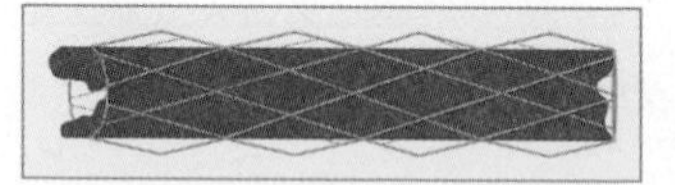

ISR Pattern IV: Total Occlusion

→ 50% 이상 진행되면 ISR (+)

출처: Roxana Mehran et al. Circulation 1999;100:1872-8.

Stent Thrombosis

Definite Stent Thrombosis
Angiographic or pathologic confirmation of partial or total thrombotic occlusion in the stent or in the segment 5 mm proximal or distal to the stent
AND at least ONE of the following, additional criteria → Acute ischemic symptoms → Ischemic ECG changes → Elevated cardiac biomarkers
Probable Stent Thrombosis
Any unexplained death within 30 days of stent implantation
Any myocardial infarction, which is related to documented acute ischemia in the territory of the implanted stent without angiographic confirmation of stent thrombosis and in the absence of any other obvious cause
Possible Stent Thrombosis
Any unexplained death beyond 30 days of stent implantation

출처: Cutlip D et al. Circulation 2007;115:2344-51.

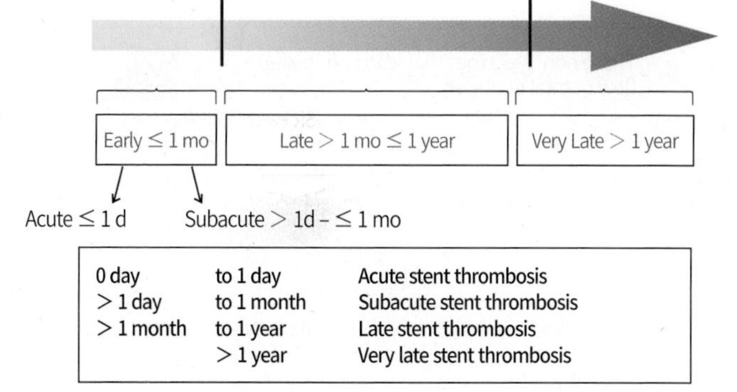

0 day	to 1 day	Acute stent thrombosis
> 1 day	to 1 month	Subacute stent thrombosis
> 1 month	to 1 year	Late stent thrombosis
	> 1 year	Very late stent thrombosis

Time 0 is defined as the time after the guiding catheter has been removed and the patient has left the cath. Lab.

출처: Cutlip D et al. Circulation 2007;115:2344-51.

30 Coronary Dissection

Coronary Artery Dissection: NHLBI Classfication System

Dissection Type	Description	Angiographic Appearance
A	Minor radiolucencies within the coronary lumen during contrast injection with minimal or no persistence after dye clearance	
B	Parallel tracts or double lumen separated by a radiolucent area during contrast injection with minimal or no persistence after dye clearance	
C	Extraluminal cap with persistence of contrast after dye clearance from the coronary lumen	
D	Spiral luminal filling defects	
E+	New persistent filling defects	
F+	Those non-A-E types that lead to impaired flow or total occlusion	

Dissection type	A	B	C	D	E	F
Risk of vessel closure (%)	<2	2-4	10	30	9	69
	Close observation		Recommend deploy stent			Deploy stent

출처: Rogers JH at el. J Invasive Cardiol 2004;16:493-9.

31 Coronary Perforation

	Ellis Perforation Classification	Angiographic Appearance
Type Ⅰ	Extraluminal crater without extravasation	
Type Ⅱ	Pericardial or myocardial blush without contrast jet extravasation	
Type Ⅲ	Extravasation through frank (≥ 1 mm) perforation	
Type Ⅲc Cavity spilling	Perforation into an anatomic cavity chamber, coronary sinus, etc.	

Protamine dose (mg)

- Heparin dose (units)/100 (within 60 minutes of heparin)
- Heparin dose/200 (60 to 120 minutes of heparin)
- Heparin dose/400 (more than 120 minutes of heparin)

출처: SG Ellis et al. Circulation 1994;90:2725-30.

32 Right Heart Catheterization and Pulmonary Artery Angiography

Example <Right Cardiac Catheterization>	Example <Pulmonary angiography>
Right femoral vein were punctured 1. Right cardiac catheterization was done 1) PCWP: 10/0(4) mmHg 2) LPA: 80/35(53) mmHg 3) MPA: 81/35(53) mmHg, SaO_2: 72.4% 4) RVA: 78/3/10 mmHg 5) RA: 8/0(4) mmHg, SaO_2: 71.5% 6) CO (Thermodilution): 6.1 L/min 2. Calculated parameters by Fick method 1) CO (Fick method): 3.82 L/min 2) CI (cardiac index): 2.65 L/min/m^2 3) Rp (pulmonary R): 1026 dyne.sec.cm–5 4) Rs (systemic R): 2555 dyne.sec.cm–5 5) PAPi (pulmonary artery pulsatility index): 3.5 3. Vasodilator study 1) NO gas - LPA: 75/33 (53) mmHg - MPA: 76/33 (50) mmHg, SaO_2: 73.5% - BP: 93/54 (67) mmHg, SaO_2: 95% - CO (Fick method): 4.37 L/min 2) O_2 - MPA: 72/30 (47) mmHg, SaO_2: 83.9% - BP: 93/54 (67) mmHg, SaO_2: 100% - RA: 8/0 (3) mmHg, SaO_2: 84.6% - CO (Fick method): 5.84 L/min 4. Result - Pulmonary HTN - Negative pulmonary vasodilator test 5. Cath diagnosis; severe pulmonary hypertension 6. REC.; medical follow-up * Vasodilator study 결과는 optional.	Rt. Internal jugular vein were punctured 1-4. Right cath data는 좌측과 동일 5. Pulmonary angiography: 5F Pigtail catheter was used. 1) Rt. pulmonary artery - A1 & A2: total occlusion - A3: segmental stenosis up to 70% at distal portion suspicious thrombus at proximal - A4: organized thrombus at proximal - A5: normal - A6: no definite thrombus - A8, 9, 10: total occlusion 2) Lt. pulmonary artery - A1: suspicious thrombus at proximal - A2: segmental stenosis up to 70% at proximal portion - A6: no definite thrombus - A8: subtotal occlusion - A9: organized thrombus at proximal - A10: diffuse stenosis up to 50% at proximal to distal portion 6. Result - Normal LVEDP (10 mmHg) - Elevated pulmonary artery pressure 7. Cath diagnosis; Severe pulmonary hypertension 8. Clinical diagnosis; CTEPH 9. REC.; Surgical consultation * Balloon pulmonary angioplasty (BPA)를 시행한 경우 PCI와 같은 형식으로 추가 기술.

33 Right Heart Catheterization

Measurement tool: Swan-Ganz Catheter

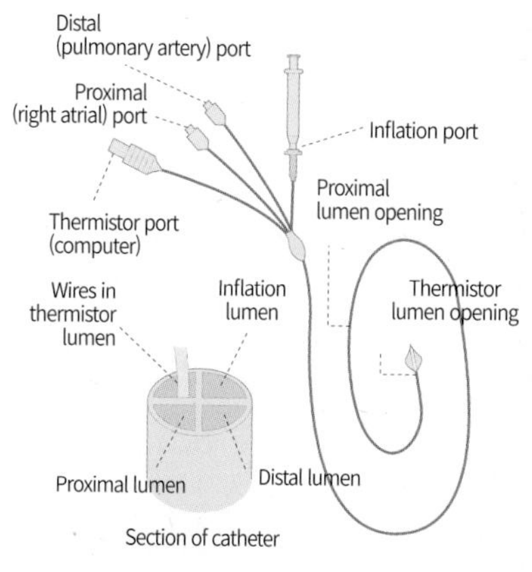

Quadruple lumen system	
4 Port	Distal port
	Proximal port
	Thermistor
	Balloon inflation port
Measuring pressure by distal & proximal port	
Cardiac output is measured using thermistor (Thermodilution method)	
Balloon inflation (1–1.5 cc) for wedging and catheter guiding	

Right Heart Catheterization Indication

Cardiogenic shock	• Differential diagnosis • Management of guidance
Heart failure	• Heart failure etiology evaluation • Advanced disease with refractory symptoms despite optimal medical therapy or requiring inotropics • Pre–Heart transplantation or durable MCS evaluation • Assessment of RV failure • LVAD optimization (RAMP test)
Pulmonary hypertension	• Diagnosis and Differential diagnosis • Guidance of vasodilator therapy and monitor effect of therapy

Right Heart Catheterization: Schematic assessment

Assess Site

Right internal jugular vein or Both femoral vein

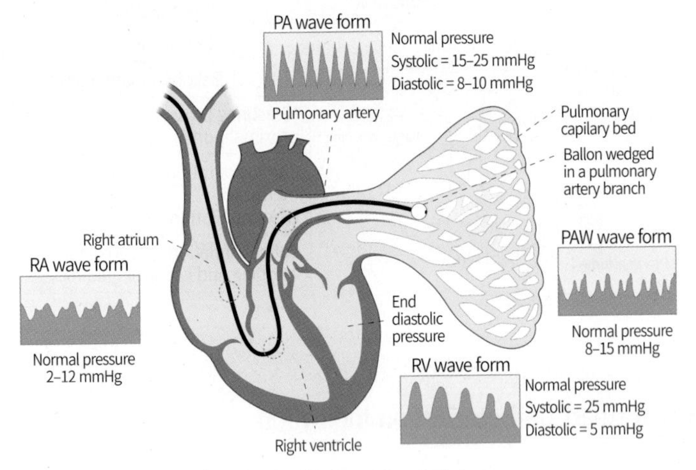

Positioning the Swan-Ganz Catheter

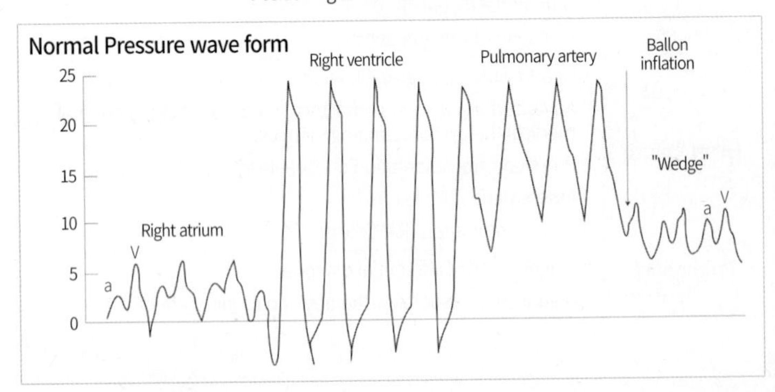

Right Heart Catheterization: Measurements

Normal O_2 saturation and Pressure (mmHg) in cardiac chambers and great vessels, S: systole, D: diastole, EDP: end-diastolic pressure

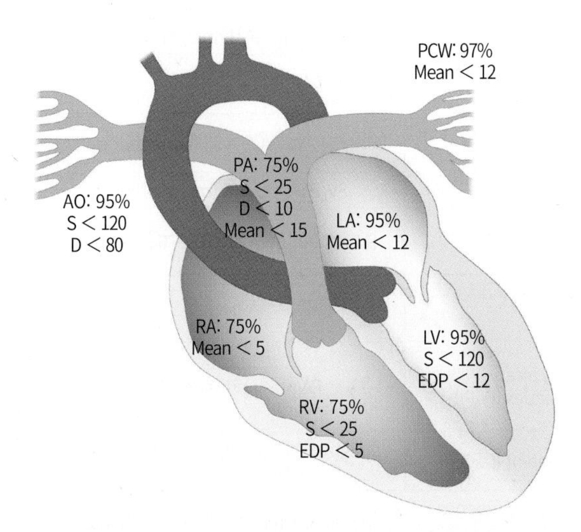

Direct Measurements profile using swan-ganz catheter	
Cardiac output	By Thermodilution or Fick method
Pulmonary artery wedge pressure (PAWP)	Mean PAWP > 15 mmHg: increased Represents LV filling pressure
Pulmonary artery pressure	Mean PAP ≥ 25 mmHg: Pulmonary hypertension
Right ventricle pressure	-
Right atrium pressure	Represents central venous pressure
O_2 saturation in pulmonary artery, right atrium	Mixed venous O_2 saturation = O_2 saturation in pulmonary artery MvO_2 65-80%: normal

Right Heart Catheterization: Derived indices & Hemodynamics

Derived index	Calculation	Normal range
Cardiac index (CI)	CO/BSA ($L/min/m^2$)	2.5–4.0
Systemic vascular resistance (SVR)	(MAP–RAP)/CO×80 ($Dyne·sec·cm^{-5}$)	900–1,400
Pulmonary vascular resistance (PVR)	(MPAP–PAWP)/CO×80 ($Dyne·sec·cm^{-5}$)	150–250
Stroke volume index (SVI)	SV/BSA = CI/HR ($mL/min/m^2$)	30–65
LV stroke work index (LVSVI)	SVI×(MAP–PAWP)×0.0136 ($g·m/m^2$)	43–61
RV stroke work index (RVSVI)	SVI×(MPAP–RAP)×0.0136 ($g·m/m^2$)	7–12
Pulmonary artery pulsatility index (PAPi)	PA pulse pressure/RAP	$>$ 0.9 in MI $>$ 1.8 in HF with LVAD
Oxygen content (CaO_2)	Hgb×SaO_2×1.36+(PO_2×0.0003) (mL/dL blood)	About 19.5
AV O_2 content difference ($avDO_2$)	Oxygen content–CvO_2 (mL/dL blood)	3–5
Oxygen delivery	CO×CaO_2×10 (mL/min)	800–1,200
Oxygen consumption (VO_2)	CO×(CaO_2–CvO_2)×10 (mL/min)	180–280

CO: cardiac output, BSA: body surface area, MAP: mean arterial pressure, RAP: RA pressure, MPAP: mean pulmonary arterial pressure, PAWP: pulmonary arterial wedge pressure, Hgb: serum hemoglobin, SaO_2: arterial O_2 saturation, CvO_2: mixed venous O_2 saturation

Hemodynamics of heart

Stroke volume ← contractility, preload, afterload

- Cardiac output: by direct or indirect Fick method or thermodilution method
- Contractility: LVSWI
- Preload: mean PAWP
- Afterload: SVR

37 Pulmonary Artery Anatomy

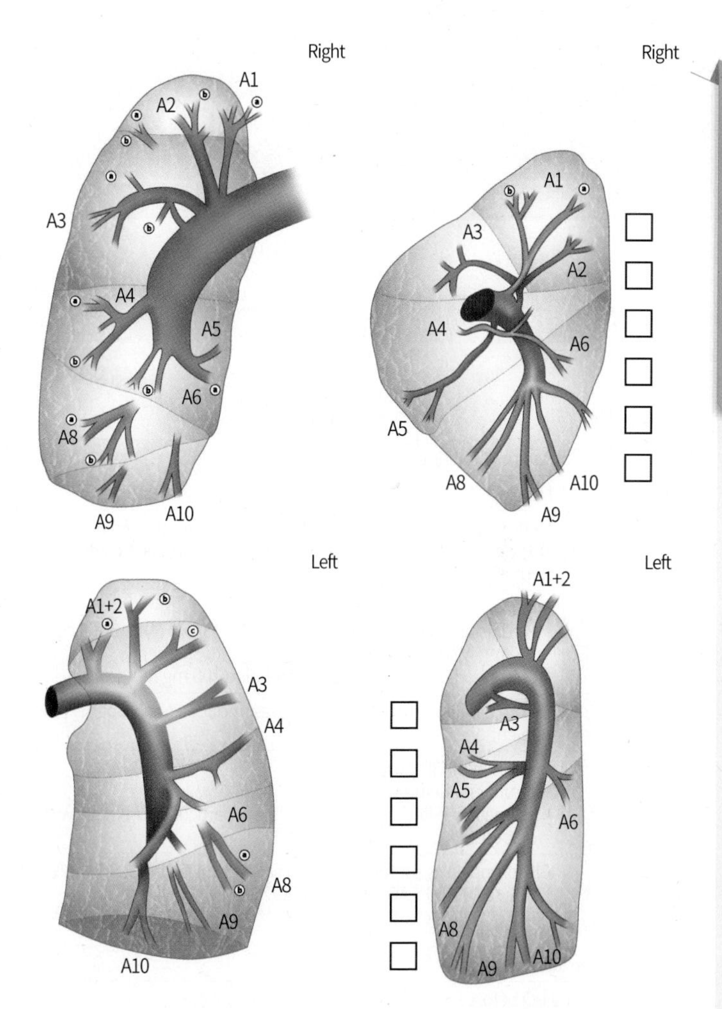

04 Clinical Pathway for CAD

1 Elective PCI

1) Pre-PCI

Medication	Aspirin, Clopidogrel
	No vasodilators for 48 hours for coronary spasm test
	Metformin should be withheld for 48 hours after the radiologic study and restarted only after renal function has been confirmed as normal.
	In patients with history of dye allergy, • Prednisolone 40 mg PO q 6 hrs(시술 12-18시간 전) or Solu-cortef 100 mg IVS(응급시술) • Chlorpheniramine 4 mg IVS, Cimetidine 200 mg IV
Lab	Serum creatinine level 확인 및 contrast induced nephropathy (CIN) prevention
	Indication of CIN prophylaxis • serum creatinine ≥ 1.5 mg/dL • estimated GFR < 60 mL/min/1.73 m^2, particularly in those with diabetes
	CIN prophylaxis protocol: Normal saline 1 mL/kg/hr or 0.5 mL/kg/hr (LVEF < 40%)을 CAG 12시간 전후로 24시간 동안 IV injection
Get formal informed consent	
18 G IV in the left arm	
Diazepam 5 mg PO before sending patients to cath lab (prn)	

2) Post-PCI

Bed rest and Hemostasis

3) At discharge

Medication	
Aspirin 100 mg QD	Must given for dual antiplatelet therapy in case of intervention
Clopidogrel 75 mg QD	Must given for dual antiplatelet therapy in case of intervention
Statin QD ± Ezetimibe 10 mg QD	• Atorvastatin, Rosuvastatin • Target: LDL < 70 mg/dL (optimal target 55 mg/dL with high intensity statin dose) • Not necessarily given at night
Angiotensin receptor blocker (ARB)	• Losartan, Valsartan, Olmesartan, Azilsartan • BP lowering effect: Losartan, Valsartan < Olmesartan, Azilsartan
Calcium channel blocker (CCB)	• Dihydropyridine CCB (Diltiazem, Verapamil): for residual ischemia • Non-dihydropyridine CCB (Amlodipine, Nifedipine): for hypertension
Beta-blocker	• Bisoprolol, Carvedilol, Nebivolol • For residual ischemia or hypertension • Contraindicated for vasospasm
Long acting nitrate Nicorandil Trimetazidine	• For residual ischemia • Education for possible headache, palpitation, and facial flushing
Lab and Image at first out-patient department follow-up after discharge	
Routine CBC, Chemistry and Lipid battery	
Glucose and HbA1C for diabetics	
Abnormal lab during admission	
Electrocardiography	
Clopidogrel resistance or Treadmill test (selective choice)	
Echocardiography: if not checked during admission after PCI	
사지혈압검사(for the first time)	

출처: 2019 ESC CCS guideline

2 Myocardial Infarction

1) Pre-PCI

Oxygen, only with oxygen saturation < 90% or respiratory distress	
Nitroglycerin (NTG)	• Sublingual 0.4 mg q 5 min for a total of 3 doses • IV nitroglycerin: ongoing ischemic discomfort, control of hypertension, or management of pulmonary congestion
Contraindication of NTG	• Systolic BP < 90 mmHg or ≤ 30 mm Hg below baseline • Severe bradycardia (< 50 bpm) or tachycardia (> 100 bpm) • Suspected RV infarction • Received a PDE inhibitor for erectile dysfunction within 24 hours
Morphine sulfate	2 to 4 mg IV bolus with increments of 2 to 8 mg IV q5 to 30 min
Aspirin	Initial loading dose: 300 mg loading as soon as possible
P2Y12 inhibitor	Prasugrel or Ticagrelor (loading after diagnostic CAG, first choice if not contraindicated), Clopidogrel (loading as soon as possible)
Clopidogrel	Loading dose 600 mg, should be used in anticoagulated patient or patient with anticipating anticoagulation
Prasugrel	Loading dose 60mg, contraindicated in CVA history or age > 75 years or body weight < 60 kg
Ticagrelor	Loading dose 180 mg, contraindicated in history of intracranial hemorrhage
Statin	High intensity statin
Heparin	Enoxaparin 1 mg/kg BID or heparin CIV in UA/NSTEMI
Beta Blockers	Oral beta-blocker therapy should be initiated in the first 24 hours for patients who do not have any of the following: • Signs of heart failure • Evidence of a low output state • Increased risk for cardiogenic shock • Contraindications to beta blockade (PR interval greater than 0.24 seconds, second or third-degree heart block, active asthma, or reactive airway disease).

출처: 2020 ESC ACS guideline

Reperfusion in STEMI	
within 12 hours with below findings → Call for emergent CAG	
Chest pain	• Typical chest pain more than 30 minutes and less than 12 hours • Stuttering ischemic chest pain after 12 hours and less than 48 hours from onset
ECG change	• ECG acquired within 10 minutes of first medical contact • ST elevation more than 1 mm in 2 contiguous leads • ST depression with prominent R wave in leads V2 and V3 (post MI) New or presumably new LBBB, RBBB
after 12 hours → CAG at least 2–3 days after the onset	
Reperfusion in UA/NSTEMI	
Risk stratification, scoring system	GRACE risk model (Age, heart rate, systolic BP, serum creatinine, cardiac arrest at admission, ST-segment deviation, abnormal cardiac enzyme, Killip class)

Killip Class	Points	SBP, mmHg	Points	Heart Rate, Beats/min	Points	Age, y	Points	Creatinine Level, mg/dL	Points
I	0	≤ 80	58	≤ 50	0	≤ 30	0	0–0.39	1
II	20	80–99	53	50–69	3	30–39	8	0.40–0.79	4
III	39	100–119	43	70–89	9	40–49	25	0.80–1.19	7
IV	59	120–139	34	90–109	15	50–59	41	1.20–1.59	10
IV		140–159	24	110–149	24	60–69	58	1.60–1.99	13
		160–199	10	150–199	38	70–79	75	2.00–3.99	21
		≥ 200	0	≥ 200	46	80–89	91	> 4.0	28
						≥ 90	100		

Other Risk Factors	Points
Cardiac Arrest at Admission	39
ST-Segment Deviation	28
Elecated Cardiac Enzyme Levels	14

Killip classification	
I	Absent crackles and S3
II	Crackles in the lower half of the lung fields and possible S3
III	Crackles more than half of the lung fields and frequent pulmonary edema
IV	Cardiogenic shock

출처: 2020 ESC ACS guideline, http://www.gracescore.org/WebSite/WebVersion.aspx

Appropriate strategy selection in UA/NSTEMI patients			
	Very high risk	High risk	Low risk
Risk category	- Hemodynamic instability - Cardiogenic shock - Recurrent/refractory chest pain - Life-threating arrhytmias - Mechanical complications of myocardial infarction - Acute heart failure clearly related to NSTEMI - ST depression > 1 mm/6 leads + ST elevation aVR and/or V1	- Established NSTEMI diagnosis - Dynamic ST-T change - Resuscitated cardiac arrest without ST elevation or cardiogenic shock - GRACE risk score > 140	Others
Therapeutic strategy	Immediate invasive (< 2 hours)	Early invasive (< 24 hours)	Selective invasive

2) Post-PCI

Bed rest and hemostasis	
Medication	
Aspirin 100 mg QD	
Clopidogrel 75 mg QD or Prasugrel 10 mg QD or Ticagrelor 90 mg BID	
Statin QD ± Ezetimibe 10mg QD	Atorvastatin, Rosuvastatin LDL-C target < 55 mg/dL
Beta-blocker	Carvedilol, Bisoprolol, Nebivolol
For patients with hypotension or HF, start with carvedilol 3.125 bid and valsartan 20 mg bid (lowest dose)	
Beta-blocker should avoid it in the patients with severe bradycardia or uncompensated HF and the reason for not prescribing beta blocker should be written in note.	

출처: 2020 ESC ACS guideline

3 Variant Angina

History taking	Resting or exertional chest pain with variable threshold
	Duration: 1–10 minutes
	Aggravated in the morning, particularly after drinking at night and by cold exposure
CAG with provocation test	Usual pre-CAG routine
	Aspirin and clopidogrel as usual
	No vasodilators for 48 hours
Medication	
Diltiazem	• 90 mg MHS must given • 180 mg MHS for patients with severe spasm or hypertension • Night dose must given before sleeping (around 11–12 pm)
Long acting nitrate Nicorandil Molsidomine Sarpogrelate	• For patients with severe spasm • Education for possible headache, palpitation, and flushing
Other cardiovascular risk factor management as guideline	

4 CT angiography at ER (Chest Pain Work-up)

Indication	24시간 이내 흉통 환자
Exclusion	Acute coronary syndrome
	CRF (Cr > 2.0)
	임신했거나 임신 가능성이 있는 환자
	조영제 알레르기 병력이 있는 환자
	Unstable vital sign
	Atrial fibrillation with poor rate control

출처: 2019 ESC CCS guideline

5 Chest Pain Work-Up Protocol (SMC)

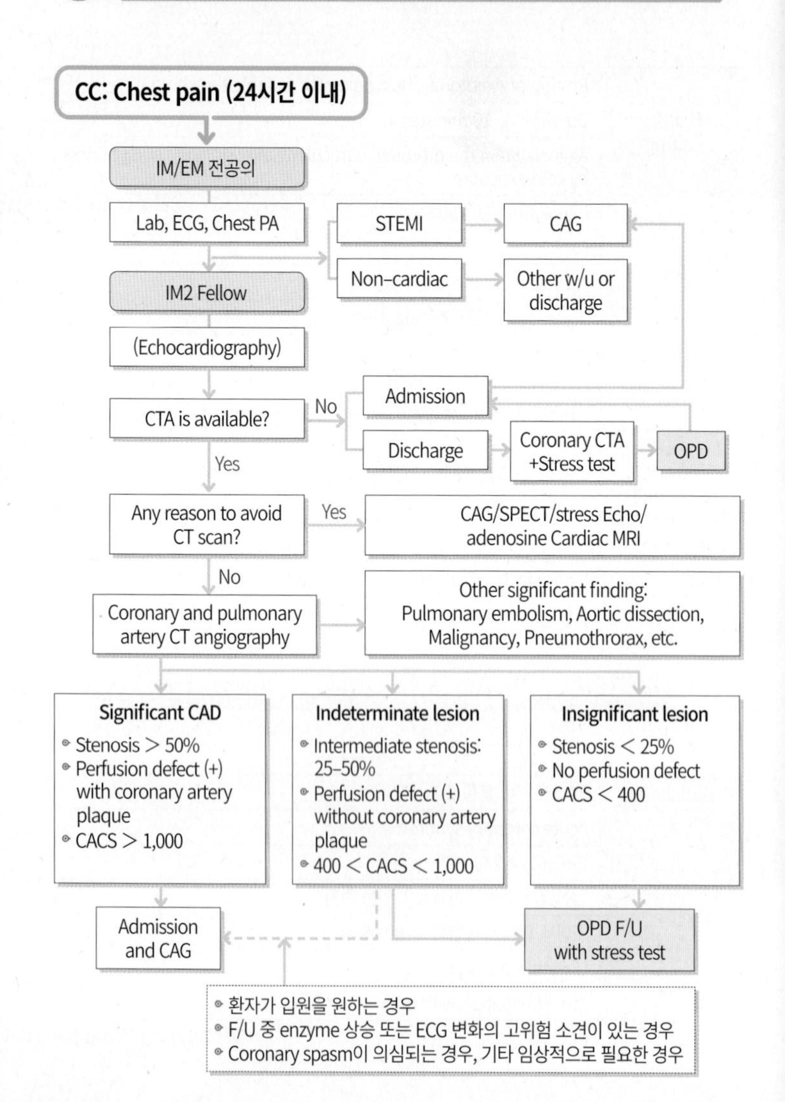

05 IABP and ECMO

Intra-Aortic Balloon Pump, IABP

1 IABP의 적응증 및 금기증

- 심인성 쇼크 환자에서 일괄적 대동맥내 풍선 펌프의 사용은 권장하지 않고 (Class III, LOE B) 급성심근경색과 동반된 급성 승모판부전증 혹은 심실중격 결손에 한해 사용하는 것이 타당하다(Class IIa, LOE C).
- 전통적인 적응증과 금기증은 아래와 같다.

Indications	
급성심근경색	불응성 심실 부정맥
심인성 쇼크	심근병증
급성 승모판 폐쇄 부전 및 중격결손	패혈증
고위험 관상동맥중재술	선천성 심질환
심장 수술전 혈역학적 불안정	심폐 우회술 이탈 과정 중 필요시
심한 좌심실 부전	

Contraindications	
Absolute	Relative
대동맥 폐쇄 부전	조절되지 않는 패혈증
대동맥 박리	복부 대동맥류
말기 심부전	빈맥
대동맥 스텐트 삽입	심각한 말초 혈관 질환
중심 동맥 재건수술	

출처: Continuing Education in Anaesthesia Critical Care & Pain, Volume 9, Issue 1, February.

2 IABP의 혈역학적 효과

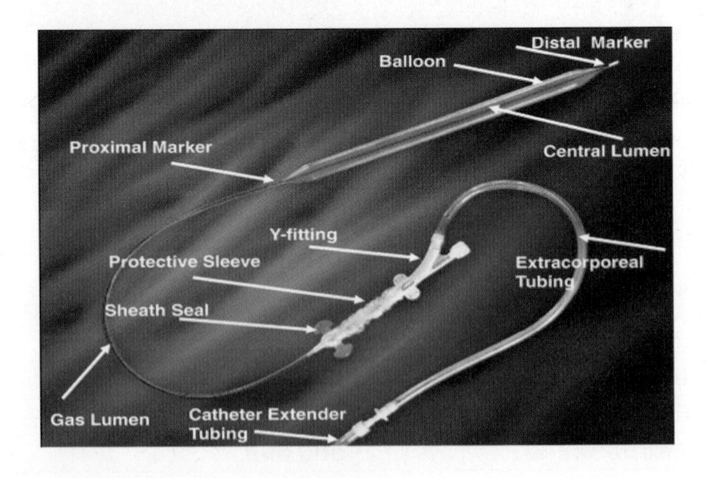

대동맥	↓수축기 혈압, ↑이완기 혈압
좌심실	↓수축기 혈압, ↓이완기말 압력, ↓volume, ↓wall tension
심장	↓후부하, ↓전부하, ↑심박출량
혈류	↑→ 관상동맥 혈류

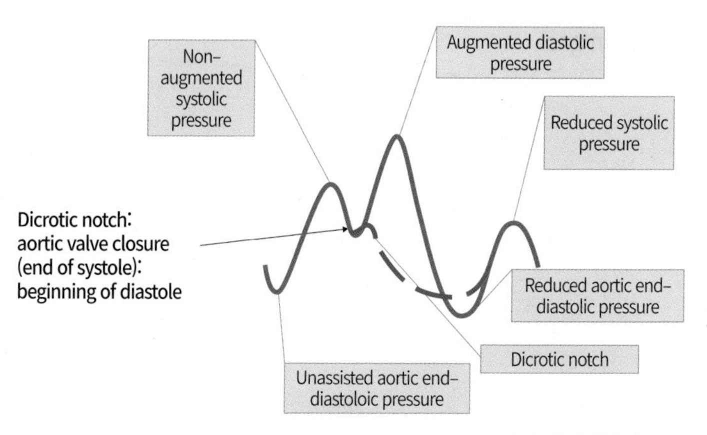

출처: 대한내과학회지 2015;88:2

3 IABP 시술의 실제

1) IABP 카테터의 위치

- Catheter tip: 풍선의 끝은 왼쪽 쇄골 하동맥 직하부에 위치, 2-3번째 늑간
- Proximal part of balloon: 신동맥의 직상부가 풍선의 끝

2) Balloon displacement volume

좌심실 stroke volume과 비슷한 30-40 mL

3) Inflation gas

Helium > CO_2, 더 빠른 inflation and deflation

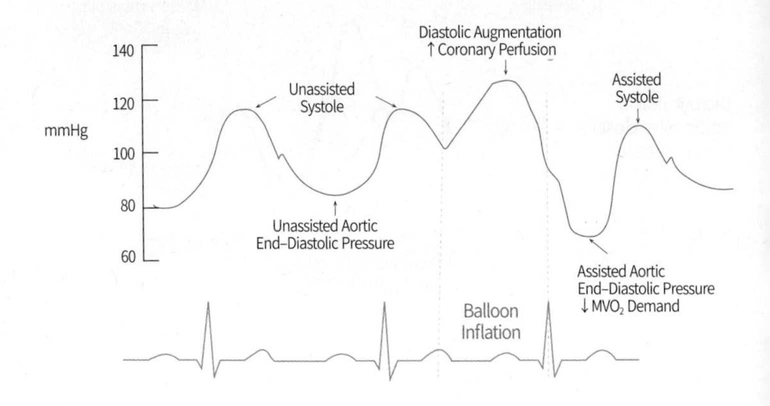

4) IABP 삽입 후

우선 1:2 counterpulsation을 실시하여 팽창 및 감압 시기(inflation-deflation timing)가 적절하게 설정되었는지 확인이 필요하다. 이후 필요에 따라 counter-pulsation setting을 1:1-1:4까지 적용한다.

- IABP augmentation에 의한 peak diastolic pressure (PDP)는 peak systolic pressure (PSP)보다 높게 유지되는 지 확인
- 1:2 setting에서 non-augmentation 시 보이는 dicrotic notch가 IABP augmentation 시 보일 듯 말 듯 한지를 확인
- Augmentation 시 balloon aortic end diastolic pressure는 non-augmentation 시 patient aortic end diastolic pressure보다 낮게 유지
- Augmentation 직후의 assisted peak systolic pressure (APSP)는 non-augmentation 시의 patient PSP보다 낮아야 augmentation이 효과적

Early inflation

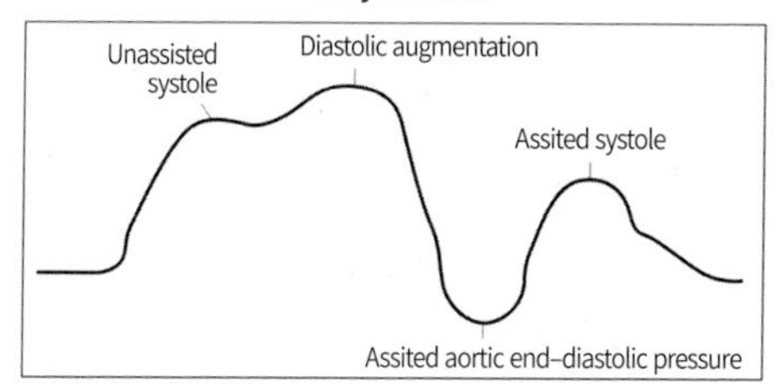

Late Inflation

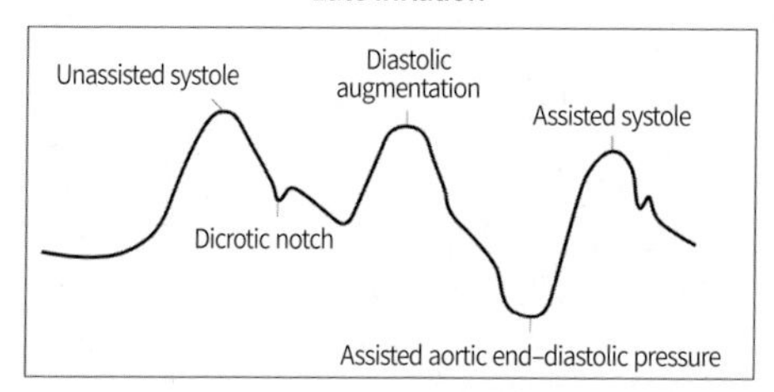

Early deflation

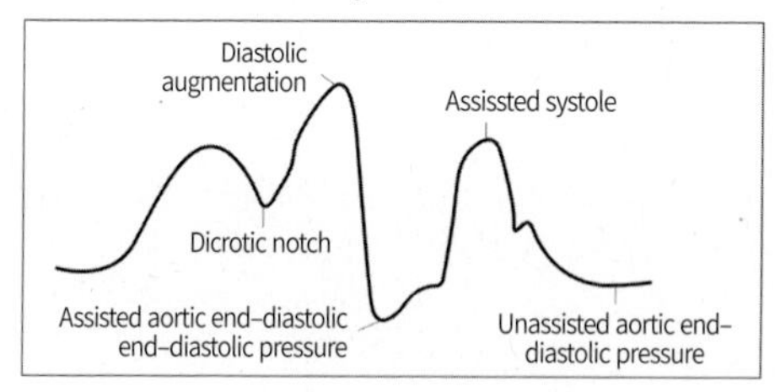

Late deflation

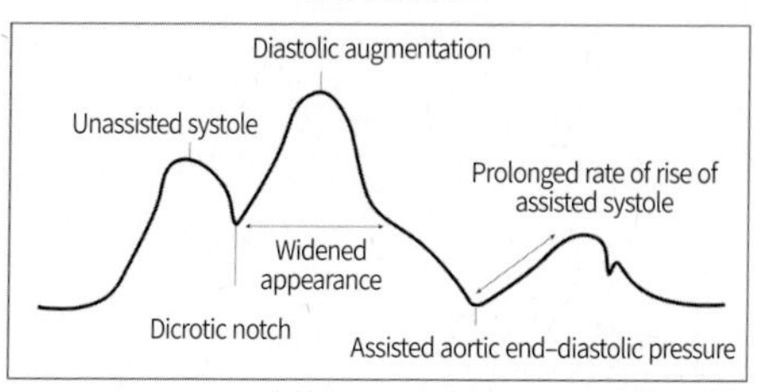

출처: Liverpool Hospital Intensive Care. Learning Package. 2016.

IABP 합병증

일시적 말초 혈관 맥압 소실
사지 허혈
혈전 색전증
구획 증후군
대동맥 박리
혈관 손상 – 동맥류, 혈종, 출혈
감염
풍선 파열로 인한 가스 색전증
혈소판 감소 및 용혈
풍선의 mal position으로 인한 대뇌 및 신장의 손상
심낭 압전

Modified Continuing Education in Anaesthesia Critical Care & Pain, Volume 9, Issue 1, February.

5 IABP 유지 및 제거

<table>
<tr><th colspan="2">IABP 유지</th></tr>
<tr><td colspan="2">◦ 흉부 엑스레이
① Balloon and catheter 위치 확인
◦ Heparin
① 5,000 unit bolus
② 1,000 u/hr 유지
③ aPTT 1.5–2.5 times, ACT > 250 sec
◦ 사지 허혈
① Dorsalis pedis flow Doppler 확인
② 다리 skin color and coldness 확인</td></tr>
<tr><th colspan="2">IABP weaning</th></tr>
<tr><td>Weaning 기준
◦ SBP > 90mmHg
◦ MAP > 70mmHg
◦ C.I > 2.0 L/min/m²</td><td>◦ SVR < 2,100 dynes/sec/cm⁻⁵
◦ PCWP < 18 mmHg
◦ 1–6 hours Frequency 비율 감량</td></tr>
<tr><th colspan="2">IABP 제거</th></tr>
<tr><td colspan="2">◦ IABP 제거 4시간 전 heparin 중단
◦ 기계 stop
◦ 50 cc syringe로 balloon deflation
◦ Balloon과 sheath를 동시 제거
◦ Sheath 제거 지점 위 아래 방향으로 일시적 출혈 허용
◦ 6시간 절대 안정
◦ Doppler를 이용하여 사지 허혈 여부 확인</td></tr>
</table>

Extracorporeal Membrane Oxygenation, ECMO

1 VA ECMO의 개념 및 형태

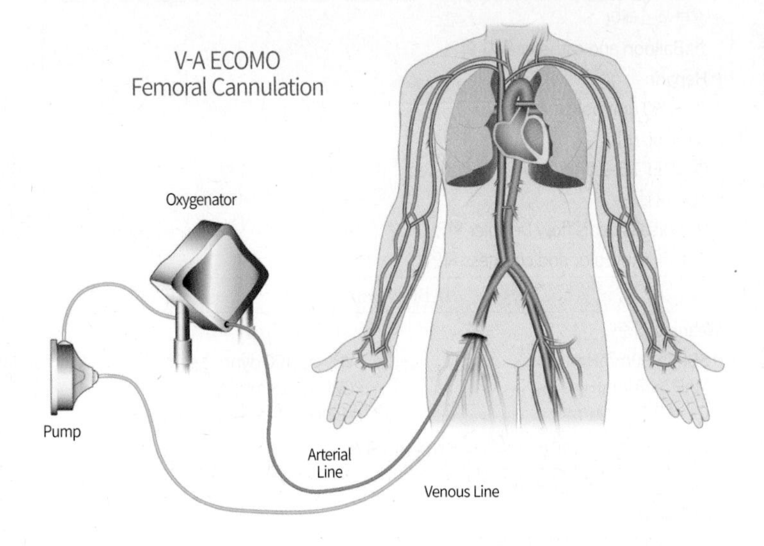

Venoarterial ECMO (VA ECMO):

우심방과 상대정맥 사이에 위치시킨 배액관을 통해 배액된 혈액을 펌프와 산화기를 거쳐서 말초 혹은 중심 동맥으로 공급하는 체외순환 방법으로 심인성 쇼크 및 심정지 등의 혈역학적으로 불안전한 경우에 일차적으로 적용될 수 있다.

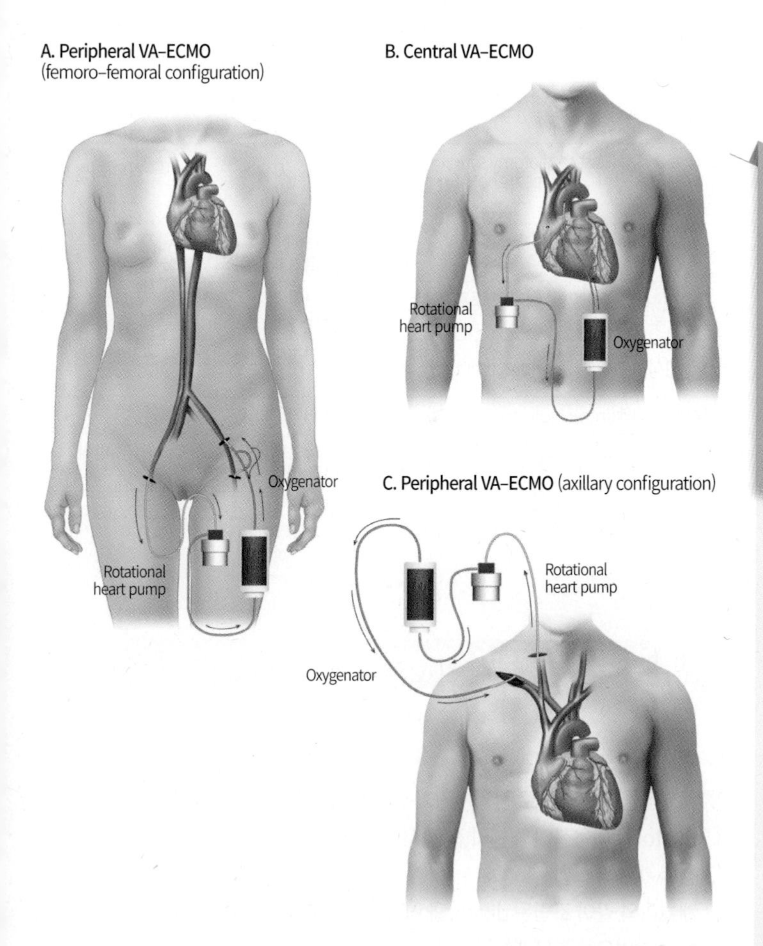

출처: Heart Failure. Circulation 2018;11:e004905.

2 ECMO 적응증과 금기증

적응증	금기증
심인성 쇼크: 약물치료, IABP 등의 고전적인 치료에도 반응이 없을 경우	ECMO의 이득을 상쇄하는 의학적 상태나 장기 기능부전(중증의 비가역적인 뇌손상 또는 치료가 불가능한 전이성 암)
가역적 원인의 심정지	환자의 평소 치료 목표에 부합하지 않거나 가족이 동의하지 않는 경우
심장 수술 이후(Post cardiotomy syndrome): 고전적 보조 수단으로 심폐기의 이탈이 불가능한 경우	항응고제의 사용에 금기가 있는 경우(다발성 외상, 현성 출혈, 응고장애)
급성 심근염	심장 또는 폐 이식이 필요한 환자에서 이식 치료가 고려 대상이 되지 않을 경우
심장이식 또는 심폐이식 이후에 조기 이식 심기능 부전	혈관 접근이 불가능한 경우(femoral artery, axillary artery, iliac artery 등의 손상)
심장 이식의 가교 치료(bridge therapy)	진행성 간질환(전격성 간염 또는 비보상성 간부전)
난치성 부정맥(intractable arrhythmia)	중증의 면역결핍, 진행성 혈액암
폐고혈압(폐동맥 혈전 제거술 시행 이후)	중증의 대동맥판막역류증 및 대동맥 박리, 대동맥류 파열

Modified Venoarterial support (VA ECMO) (Crit Care 2017;21:45, Ann Thorac Surg 2021;111:327–69, ASAIO J 2020;66:472–4, J Am Coll Cardiol 2020;76:1001–2, ASAIO J 2020;66:1–74)

3 ECMO 시술의 실제 예

1. 초음파 유도하에 혈관 확보
2. 캐뉼라를 안정적으로 진입시키기 위해 hard wire 삽입
3. Dilator를 이용하여 캐뉼라 삽입 저항 감소
4. 정맥 캐뉼라 삽입
5. 캐뉼라와 같이 조립된 dilator와 wire를 제거하고 캐뉼라 clamping
6. 동일 방법으로 동맥캐뉼라 삽입

7. ECMO circuit clamping
8. Circuit을 동정맥 캐뉼라와 연결을 위해 cutting
9. 50 cc syringe로 생리식염수를 흘리며 공기를 제거하면서 circuit과 캐뉼라 연결
10. 캐뉼라와 circuit declamping 후 pump-on

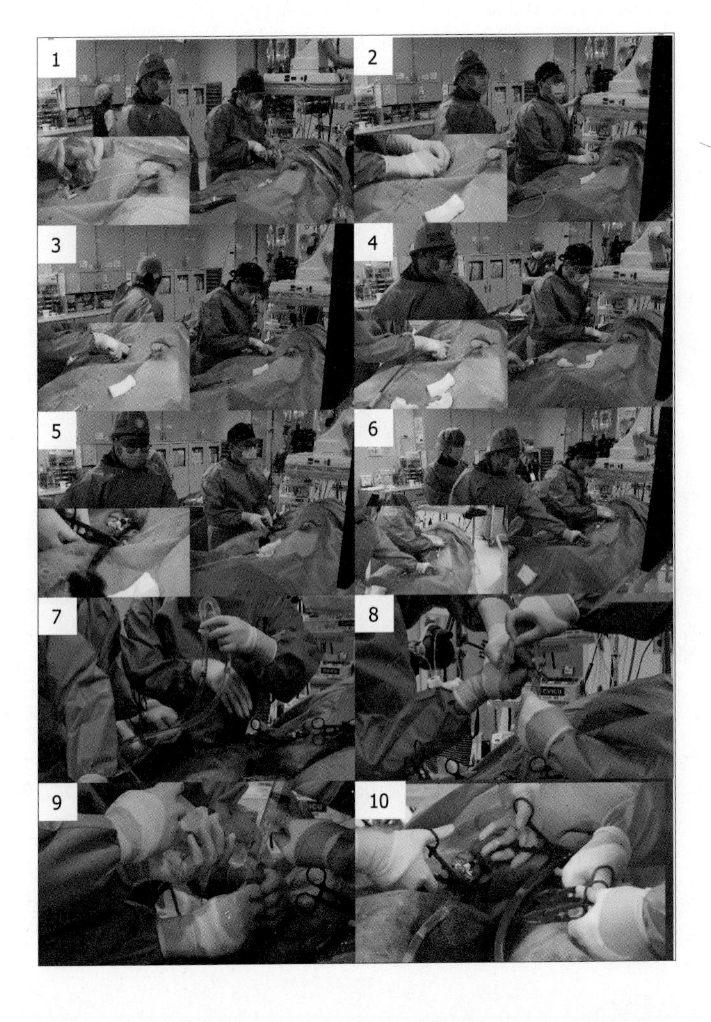

4 하지 허혈 예방법

- ECMO 삽입 후 하지 허혈 예방목적의 원위부 카테터 삽입이 추천
- ECMO 삽입 후 dorsalis pedis의 도플러 혈류 감소 시에는 적극적 삽입
- 초음파 유도 원위 카테터 삽입과 투시조영술하에 삽입하는 방법이 있음

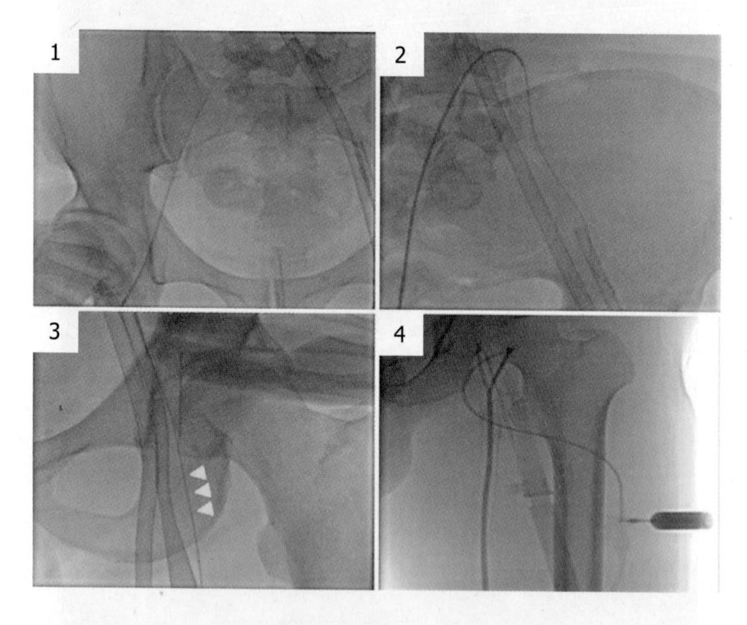

1. 동맥캐뉼라 반대편에 동맥 sheath 삽입
2. Aortic bifurcation을 거쳐 ECMO 동맥 캐뉼라 방향으로 wire 진입
3. Wire를 동맥 캐뉼라 하방에 superficial femoral artery (SFA)에 거치하고 이를 목표로 micropuncture needle로 SFA를 천자함
4. 6 Fr 이상의 sheath를 SFA에 삽입
5. 원유관류 카테터의 extension tube를 연결한 후 ECMO 동맥 캐뉼라 side port에 연결시킴

5 항응고 치료

- IV heparin을 주로 사용한다.
  ACT = 150–180 sec가 목표(정상인의 ACT= 90–150 sec)
- 출혈경향이 있는 경우 보통 한 단계 낮은 target으로 조절하거나 현성 출혈이 있는 경우에는 항응고제를 중단한다.

ECMO 유지 치료 중 Heparin 정주 프로토콜(삼성서울병원)

1) 시술 직후 ACT가 200 이하로 감소하면 heparin을 시작
2) 시작 용량은 10 unit/kg/hr
3) 첫 12시간은 2시간마다 ACT를 시행하고 12–24시간 후에는 6시간마다 aPTT로 용량 조절하는 것을 권장
4) 약 2일간 heparin 주입 속도를 조절할 필요가 없고 환자가 안정된 상태인 경우 aPTT를 12–24시간마다 시행
5) 환자의 출혈 혹은 응고 성향에 따라 유지 목표 수치를 조정

표 헤파린 유발 혈소판감소증이 의심되는 경우 Argatroban 정주

ACT	aPTT	Rate change
< 130	< 45	주입속도 0.1 μg/kg/min 증량
130–150	45–55	주입속도 0.05 μg/kg/min 증량
150–180	55–75	그대로 사용
180–200	75–85	주입속도 0.05 μg/kg/min 감량
200–250	85–105	주입속도 0.1 μg/kg/min 감량
> 250	> 105	중단하고 ACT가 < 200 s에 도달할 때까지 한 시간마다 검사, ACT < 200 s 도달하면 이전 용량의 절반으로 시작

6 좌심실 팽창

그림 좌심실 팽창에 따른 혈역학적 변화

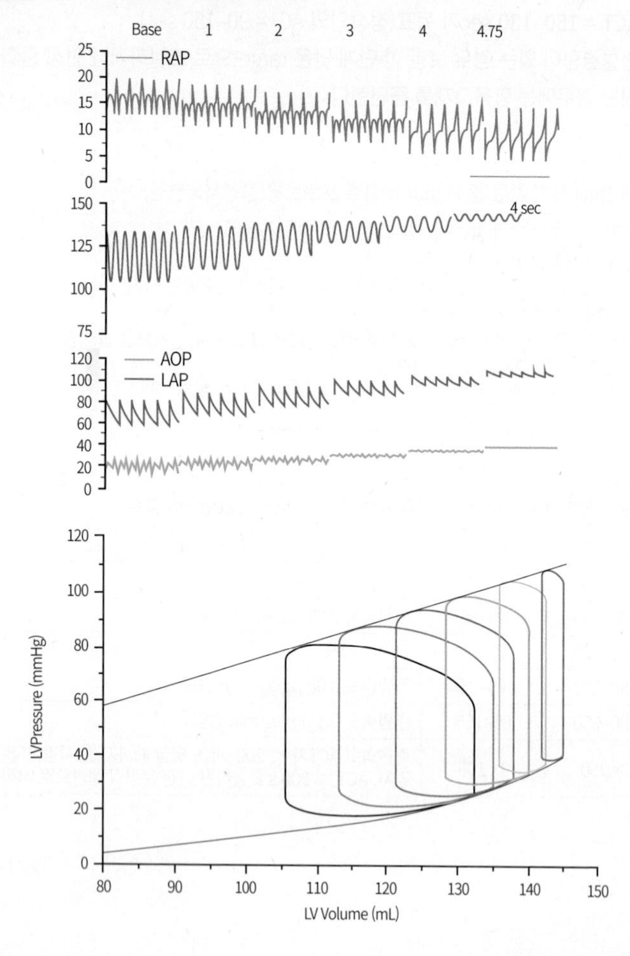

출처: Circ Heart Fail. 2018;11:e004905.

표 내과적 치료

	효과	제한점
ECMO 유속감량	좌심실 후부하 감소	총심박출량 감소
		조직관류 위한 불충분한 혈압
		제한적인 좌심실감압 혹은 폐울혈
이뇨제	전부하 감소	제한적인 좌심실감압
강심제 (Inotropes)	심근수축력 증가	제한적인 좌심실감압
	→ 대동맥 판막 열림 증가	심근산소소모량 증가
혈관확장제	전신혈관저항 감소 → 혈압 감소 → 대동맥판막 열림 증가	제한적인 좌심실감압
		조직관류위한 불충분한 혈압

그림 다양한 좌심실 감압법

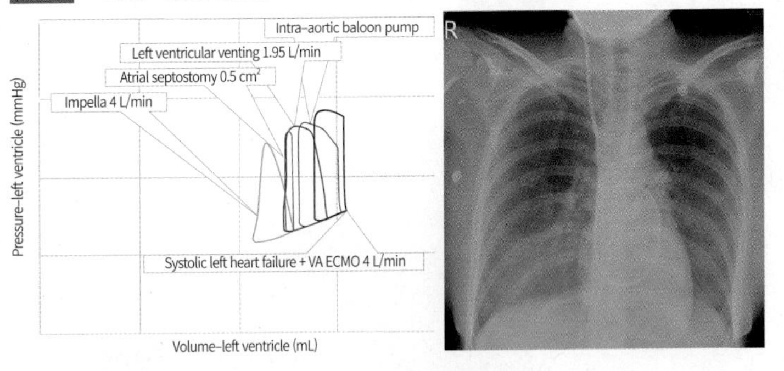

국내에서는 위 그림과 같이 심방중격천자 후 좌심방 캐뉼라를 추가로 삽입하는 방법을 주로 사용한다.

출처: Dirk W Donker et al. Perfusion 2019;34:98-105.

7 신경학적 평가 및 Harlequin Syndrome

A

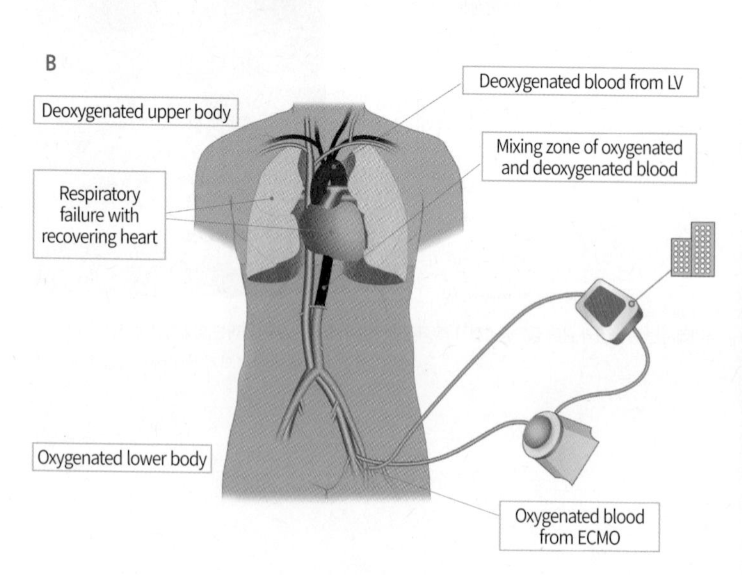

- 뇌혈류의 산소화 정도는 ECMO flow와 본인 심장의 회복력에 따라 결정된다.
- 초기 심각한 심기능 저하 시에는 산소화가 잘된 ECMO flow가 뇌로 이동한다.
- A에서 폐부종이 호전되기 전에 심기능이 빠르게 회복되는 경우 폐순환을 하고 나온 혈류와 ECMO 혈류와의 만나는 점이 하행 대동맥에서 형성된다.
- 이 때 B와 같은 upper body hypoxia가 발생할 수 있다.
- 이를 조기에 발견하기 위해서는 우측 요골동맥에서 ABGA를 시행하여 산소포화도가 급격히 낮아지는 시점을 발견하는 것이 중요하다.
- 더불어, 심기능 회복 속도를 예측하기 어려운 경우 ABGA상 산소분압과 포화도만으로 기계환기 세팅을 너무 낮추지 않은 것이 중요하다.

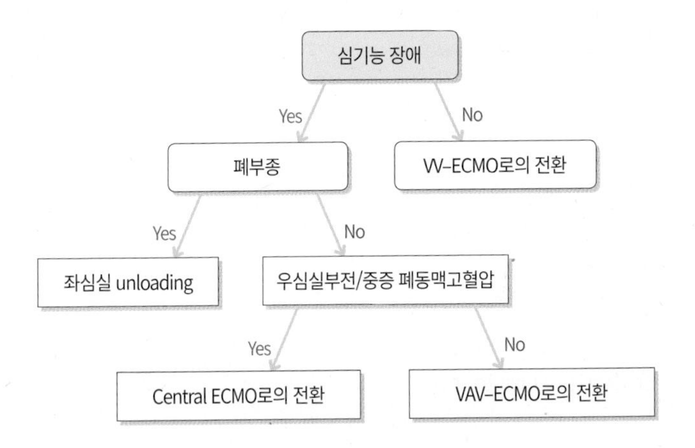

Modified from Circulation. 2019;140:2019–37.

8 기타 ECMO 합병증

1) Hemolysis: hematuria가 나타난다.

- Mechanisms
  - → Catheter malposition
  - → Excessive negative pressure
  - → Small cannula
  - → Clots in line or in patient
  - → Oxygenator malfunction
  - → Unnecessary high flow

2) Decreased flow

- Mechanisms
  - → Hypovolemia
  - → Catheter malposition or kinking
  - → Catheter too small
  - → Circuit clotting
  - → Cardiac tamponade
  - → Tension pneumothorax

3) Insertion sites complication including bleeding
4) Thromboembolic events, intracranial hemorrhage
5) Infection

6) Problems related to circuit

- Sick circuit syndrome (Circuit DIC): 오래된 ECMO에서 DIC 양상을 보임 → Circuit 교체
- Oxygenator failure: Saturation이 저하되고 oxygenator 아래쪽 GAS OUT에서 물이 나온다 → Circuit 교체

9 ECMO 이탈 및 이탈 방법

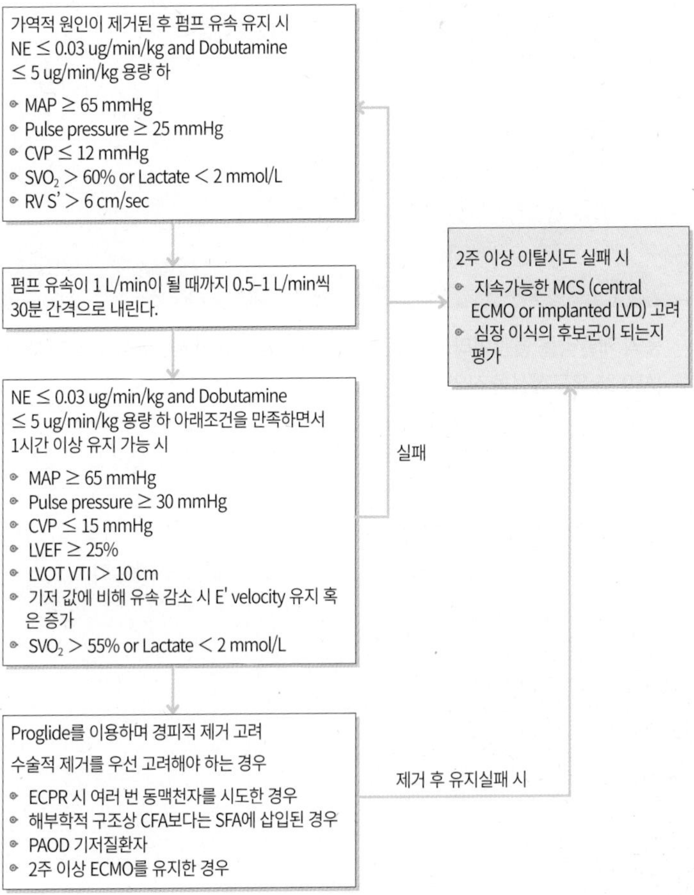

가역적 원인이 제거된 후 펌프 유속 유지 시
NE ≤ 0.03 ug/min/kg and Dobutamine ≤ 5 ug/min/kg 용량 하

- MAP ≥ 65 mmHg
- Pulse pressure ≥ 25 mmHg
- CVP ≤ 12 mmHg
- SVO_2 > 60% or Lactate < 2 mmol/L
- RV S' > 6 cm/sec

↓

펌프 유속이 1 L/min이 될 때까지 0.5–1 L/min씩 30분 간격으로 내린다.

↓

NE ≤ 0.03 ug/min/kg and Dobutamine ≤ 5 ug/min/kg 용량 하 아래조건을 만족하면서 1시간 이상 유지 가능 시

- MAP ≥ 65 mmHg
- Pulse pressure ≥ 30 mmHg
- CVP ≤ 15 mmHg
- LVEF ≥ 25%
- LVOT VTI > 10 cm
- 기저 값에 비해 유속 감소 시 E' velocity 유지 혹은 증가
- SVO_2 > 55% or Lactate < 2 mmol/L

실패 → 2주 이상 이탈시도 실패 시

↓

Proglide를 이용하며 경피적 제거 고려

수술적 제거를 우선 고려해야 하는 경우

- ECPR 시 여러 번 동맥천자를 시도한 경우
- 해부학적 구조상 CFA보다는 SFA에 삽입된 경우
- PAOD 기저질환자
- 2주 이상 ECMO를 유지한 경우

제거 후 유지실패 시 → 2주 이상 이탈시도 실패 시

2주 이상 이탈시도 실패 시

- 지속가능한 MCS (central ECMO or implanted LVD) 고려
- 심장 이식의 후보군이 되는지 평가

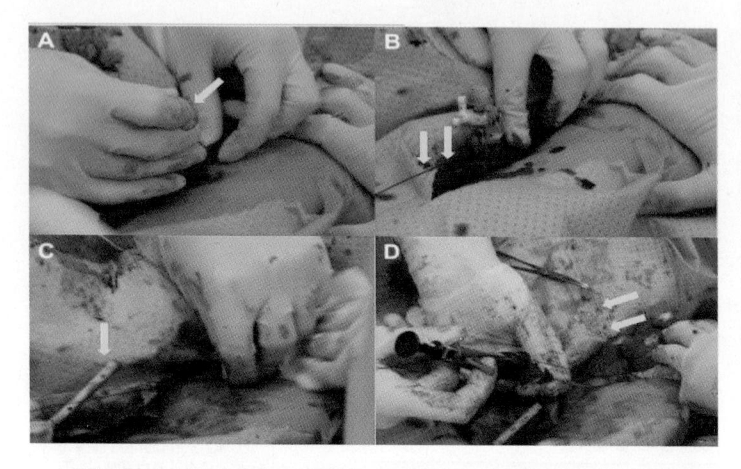

- 동맥 캐뉼라를 혈관이라고 가정하고 Seldinger needle로 캐뉼라를 천자 후 (A) 0.35 유도철선을 진입시킨다(B).
- 유도철선을 남겨둔 채 동맥캐뉼라를 제거(C)한 후 유도철선을 따라 첫 번째 Proglide를 진입시킨 후 suture를 시행하고 모스키토로 두 실을 잡고 고정한다(D).
- 첫 번째 Proglide의 유도철선 홀에 유도철선을 다시 진입시킨 후 두 번째 Proglide로 두 번째 suture를 시행한 후 각각 실의 매듭을 시행한다.

06 CPR

1 Adult Cardiac Arrest Chains of Survival

2020 AHA Guideline

병원 안 심정지

병원 밖 심정지

2 성인 심정지 알고리듬

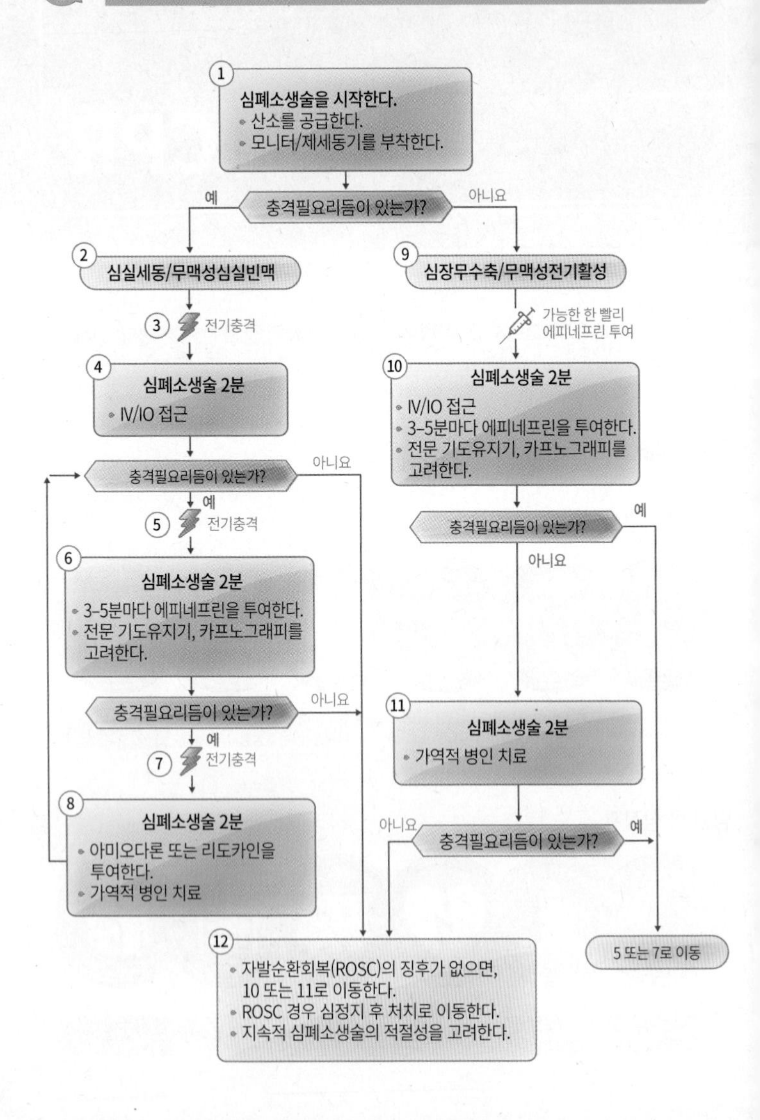
1
심폐소생술을 시작한다.
산소를 공급한다.
모니터/제세동기를 부착한다.
충격필요리듬이 있는가?
예
아니요
2
심실세동/무맥성심실빈맥
3
전기충격
4
심폐소생술 2분
IV/IO 접근
충격필요리듬이 있는가?
아니요
예
5
전기충격
6
심폐소생술 2분
3-5분마다 에피네프린을 투여한다.
전문 기도유지기, 카프노그래피를 고려한다.
충격필요리듬이 있는가?
아니요
예
7
전기충격
8
심폐소생술 2분
아미오다론 또는 리도카인을 투여한다.
가역적 병인 치료
9
심장무수축/무맥성전기활성
가능한 한 빨리 에피네프린 투여
10
심폐소생술 2분
IV/IO 접근
3-5분마다 에피네프린을 투여한다.
전문 기도유지기, 카프노그래피를 고려한다.
충격필요리듬이 있는가?
예
아니요
11
심폐소생술 2분
가역적 병인 치료
충격필요리듬이 있는가?
아니요
예
12
자발순환회복(ROSC)의 징후가 없으면, 10 또는 11로 이동한다.
ROSC 경우 심정지 후 처치로 이동한다.
지속적 심폐소생술의 적절성을 고려한다.
5 또는 7로 이동

심폐소생술 능숙도	DCCV charge J	약물요법
• 5 cm (2인치) 100–120회/분 • 2분마다 압박자 교체 • 전문 기도유지기가 없는 경우 흉부압박 대 인공호흡비 30:2 유지 • $ETCO_2$가 낮거나 감소한 경우 심폐소생술 품질 재평가	• Biphasic 120–200 j • Monophasic 360 j • 두 번째 에너지량은 더 높은 에너지량을 고려할 수 있다.	• 에피네프린 IV/IO 3–5분 • 아미오다론 IV/IO • 최초 투여량 300 mg bolus 2차 투여량 150 mg 또는 리도케인 IV/IO 최초투여량 1–1.5 mg/kg 2차 투여량 0.5–0.75 mg/kg
전문기도유지기	**자발순환(ROSC)**	**가역적 병인**
• 전문기도가 유지되어 있는 상황에서 지속적인 가슴압박과 함께 6초마다 인공호흡을 1회 실시한다(10회 인공호흡/분).	• 맥박 및 혈압 • $ETCO_2 > 40$ mmHg • 자발적 동맥 압력 파형	• Hypovolemia/Hypoxia • Hydrogen (acidosis) • Hypo-/Hyperkalemia • Hypothermia • Tension pneumothorax • Tamponade, cardiac • Thrombosis, pulmonary • Thrombosis, coronary • Toxin

Modified 2020 AHA GUIDELINE

3 성인 심정지 후 처치 알고리듬

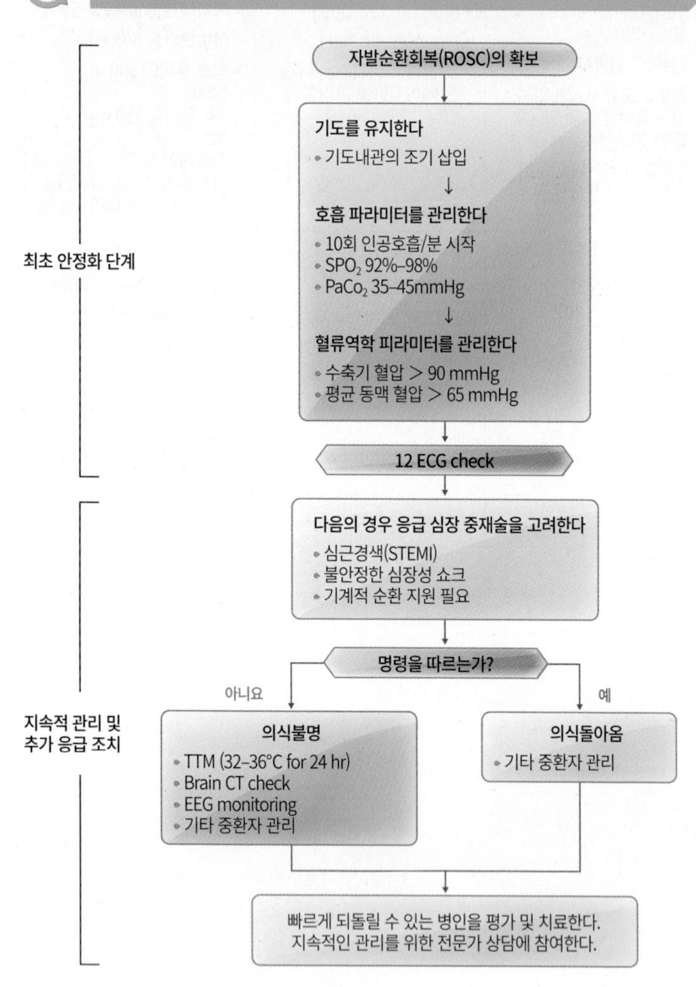
자발순환회복(ROSC)의 확보
기도를 유지한다
• 기도내관의 조기 삽입
호흡 파라미터를 관리한다
• 10회 인공호흡/분 시작
• SPO2 92%–98%
• PaCo2 35–45mmHg
혈류역학 피라미터를 관리한다
• 수축기 혈압 > 90 mmHg
• 평균 동맥 혈압 > 65 mmHg
최초 안정화 단계
12 ECG check
다음의 경우 응급 심장 중재술을 고려한다
• 심근경색(STEMI)
• 불안정한 심장성 쇼크
• 기계적 순환 지원 필요
명령을 따르는가?
아니요
예
지속적 관리 및 추가 응급 조치
의식불명
• TTM (32–36°C for 24 hr)
• Brain CT check
• EEG monitoring
• 기타 중환자 관리
의식돌아옴
• 기타 중환자 관리
빠르게 되돌릴 수 있는 병인을 평가 및 치료한다.
지속적인 관리를 위한 전문가 상담에 참여한다.

4 심정지 후 성인 환자에서 다중방식 신경학적 예후에 대한 권장된 접근

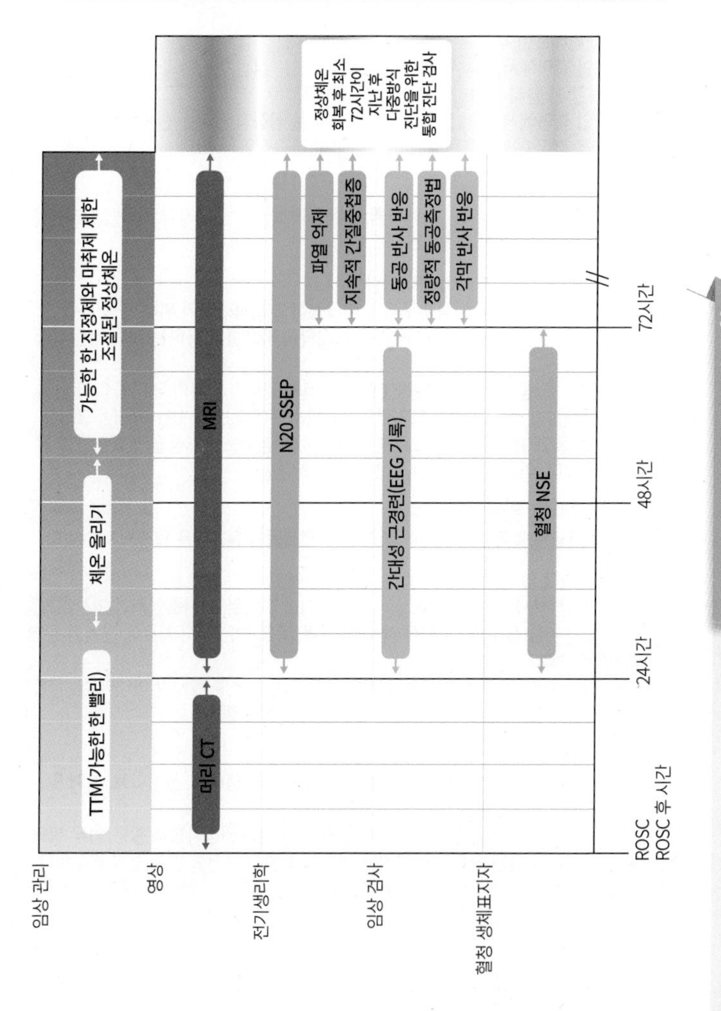

Modified 2020 AHA GUIDELINE

일반구조자에 의한 신속한 심폐소생술 시작

- 환자가 심정지 상태가 아닌 경우라도 위해 위험이 낮으므로 심정지가 의심되는 환자에게 일반구조자가 심폐소생술을 시작할 것을 권장한다.

신속한 에피네프린 투여

- 시간적인 측면에서, 제세동 불필요리듬을 보이는 심정지 환자의 경우 에피네프린을 가능한 한 빨리 투여하는 것이 바람직하다.
- 시간적인 측면에서, 제세동 필요리듬을 보이는 심정지 환자는 신속한 제세동이 실패했을 경우 에피네프린을 투여하는 것이 바람직할 수 있다.

실시간 시청각 피드백

- 심폐소생술 수행의 실시간 최적화를 위해 심폐소생술 중 시청각 피드백 장치를 사용하는 것이 바람직할 수 있다.

심폐소생술 능숙도의 생리적 모니터링

- 가능할 경우 심폐소생술 능숙도를 모니터링하고 최적화하기 위해 동맥 혈압 또는 호기말이산화탄소($ETCO_2$)와 같은 생리학적 지표를 사용하는 것이 바람직할 수 있다.
- 이러한 모니터링은 기관내삽관(ETT) 또는 동맥 경로의 각각의 유무에 따라 달라진다. 가슴압박 목표를 최소 호기말이산화탄소($ETCO_2$)값을 10 mmHg, 그리고 이상적으로 20 mmHg 이상으로 설정하는 것이 심폐소생술 품질의 표지자로 유용할 수 있다. 이상적인 목표는 확인되지 않았다.

이중 연속 제세동은 지지하지 않음

- 불응성 제세동 필요리듬에 대한 이중 연속 제세동의 유용함은 입증되지 않았다.

심정지 후 치료 및 신경학적 예후

- 지침에는 심정지 후 시기의 최적의 치료에 저혈압 치료, 저산소혈증과 고산소혈증을 피하기 위한 산소 적정, 발작 감지 및 치료, 목표 체온 유지 치료에 근거를 통해 재확인되었다.
- 신뢰성을 위해 신경학적 예후는 정상체온으로 돌아간 후 72시간 이내에 실시하고 예후 결정은 환자 평가의 다중 모드를 기반으로 해야 한다.

회복 중 치료 및 지원

- 심정지 생존자는 퇴원 전에 다중방식의 재활 평가와 생리적, 신경학적, 심폐 및 인지장애에 대한 치료를 받는 것이 권장된다.
- 심정지 생존자와 그 간병인은 의료치료 및 재활 치료 권장사항과 활동/업무 복귀 예상 내용이 포함된 종합적인 다전문 영역의 퇴원 계획서를 받는 것이 권장된다.
- 심정지 생존자와 그 간병인들에게 불안, 우울, 외상후 스트레스, 피로에 대한 구조화된 평가가 권장된다.

-계속-

임신 중 심정지

- 임신한 환자는 저산소혈증에 빠지기 쉬우므로, 임신 중 심정지 환자의 소생술에서는 산소공급과 기도 관리가 우선시되어야 한다.
- 태아 모니터링은 임신부 소생술에 잠재적 방해가 되기에 임신 중 심정지 시 모니터링을 진행하지 않아야 한다.
- 심정지로 인한 소생술 후 의식불명인 임신부는 목표 체온 유지 치료가 권장된다.
- 임신한 환자의 목표 체온 유지 치료 중에는 잠재적 합병증인 태아의 서맥에 대해 지속적으로 모니터링하고 산과 및 신생아 상담을 받을 것을 권장한다.

Modified 2020 AHA GUIDELINE

5 Extracorporeal Cardiopulmonary Resuscitation

체외심폐소생술(Extracorporeal Cardiopulmonary Resuscitation, E-CPR)

Inclusion Criteria for E-CPR
70세 미만
Wirnessed arrest
No-flow interval (arrest to CPR time)이 5분 미만인 경우(bystander CPR)
초기 심장 리듬이 VF/pulseless VT/PEA인 경우
심정지-ECMO 시간(low flow interval) 60분 이내로 예상되는 경우
CPR 중에 $EtCO_2 \geq 10$ mmHg (1.3 kPa) (ECMO cannulation 전) - High quality CPR을 시사
간헐적 ROSC 또는 반복되는 VF
CPR 중 sign of life(헐떡임이나 자발호흡반응, 동공반응, 자발적 움직임 등)를 보이는 경우
알려진 중증의 기저 질환(말기 심부전/만성폐쇄성폐질환/신부전/간부전 등의 말기 질환)이 없으며 환자의 평소 치료 목표에 부합하는 경우
알려진 대동맥 판막 역류증이 없는 경우(moderate AR 이상은 배제)

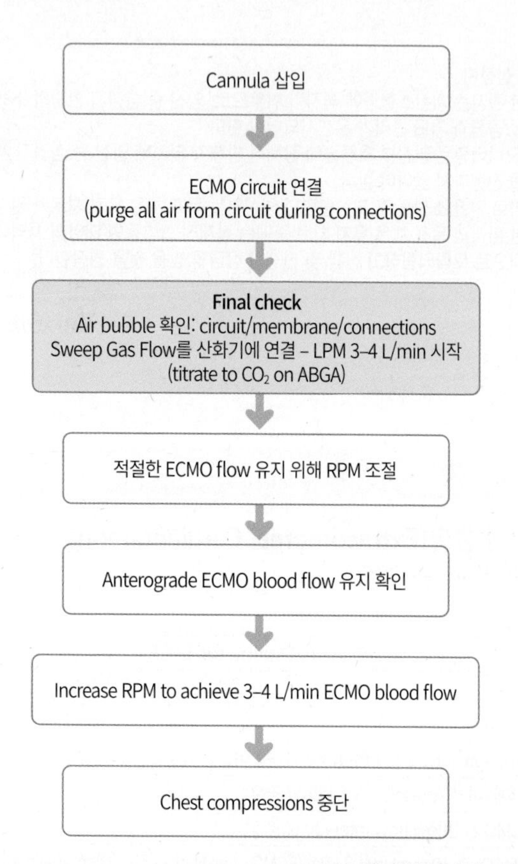
Cannula 삽입
ECMO circuit 연결
(purge all air from circuit during connections)
Final check
Air bubble 확인: circuit/membrane/connections
Sweep Gas Flow를 산화기에 연결 – LPM 3–4 L/min 시작
(titrate to CO_2 on ABGA)
적절한 ECMO flow 유지 위해 RPM 조절
Anterograde ECMO blood flow 유지 확인
Increase RPM to achieve 3–4 L/min ECMO blood flow
Chest compressions 중단

Modified ELSO Guidelines for ECPR 2020

07

Electrophysiology and Arrhythmia

1 EP Procedure

1) EPS

(1) 보통 HRA (high RA), His, RV, CS (coronary sinus)의 intra-cardiac electrogram을 기록, 분석함

(2) HRA, CS의 경우, duodecapolar catheter를 사용

(3) His, RV의 경우, 각각 quadripolar catheter 사용 혹은 동시에 His-RV catheter를 사용

(4) Programmed electrical stimulation을 통해 automaticity, conduction time, refractory period를 측정

(5) Sinus node recovery time (SNRT): 심방 박동 조율에 의하여 overdrive suppression된 동방 결절이 정상 기능으로 돌아오는 데 걸리는 시간(대개 < 1,500 ms)

(6) Corrected SNRT (cSNRT) = SNRT – BCL (< 525 ms)

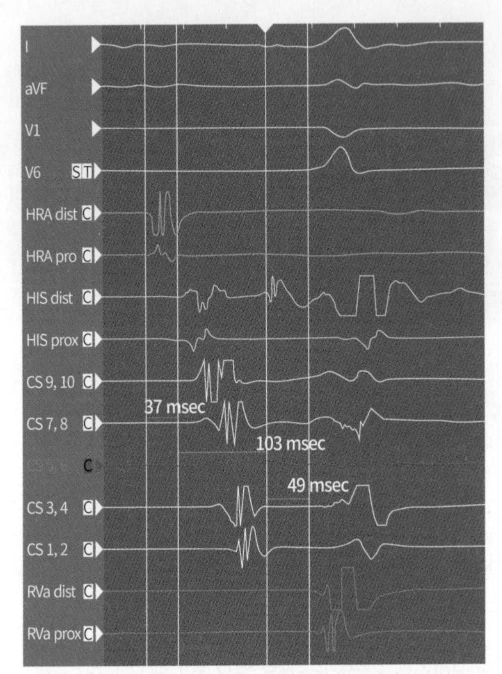

- 정상범위
  - → IACT: 20–60 ms
  - → AH: 50–130 ms
  - → His: 10–25 ms
  - → HV: 35–55 ms

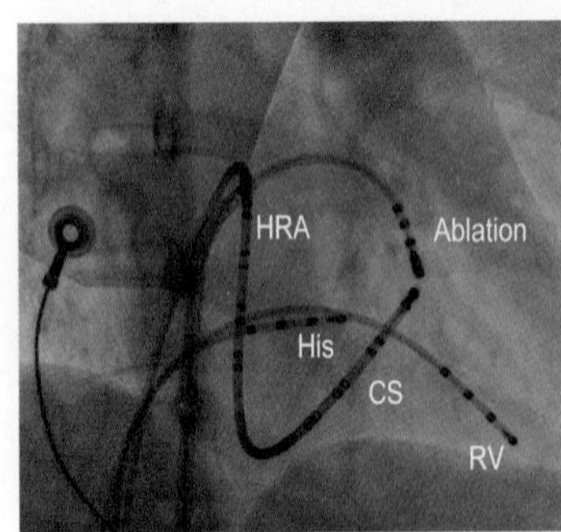

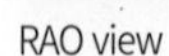
RAO view

LAO view

2) AVNRT, AVRT의 RF ablation

(1) Diagnostic maneuver 등을 시행하여 AVNRT vs. AVRT를 구별하고 induction 시킨다.

- AVNRT의 특징: VA conduction with VA prolongation, concentric atrial activation sequence, tachycardia induction with AH jump (slow/fast type)
- AVRT의 특징: VA conduction without VA prolongation, eccentric atrial activation sequence (septal pathway는 예외)

(2) AVNRT의 경우, anatomical approach로 slow pathway를 ablation하며 주로 P2, M1 area에서 successful ablation이 이루어지고 비특이적이나 ablation 중 junctional beat이 나타나는 경우 적절한 위치로 생각한다. Ablation 중 AV block이나 impedance 증가 등에 유의하여 필요시 ablation을 중단한다.

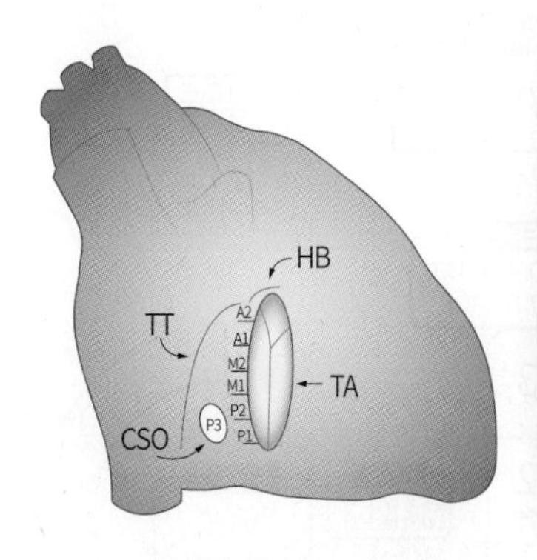

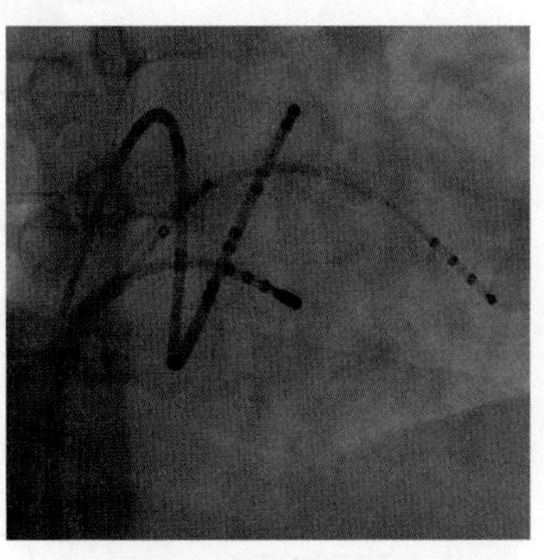

(3) AVRT: 보통 TV or MV annulus에서 PSVT 혹은 RV pacing 동안 shortest V-A site를 위치를 찾아 ablation한다. Left side accessory pathway의 경우 septal puncture가 필요하며 long sheath (Swartz Left sheath) and Brockenbrough needle을 이용한다.

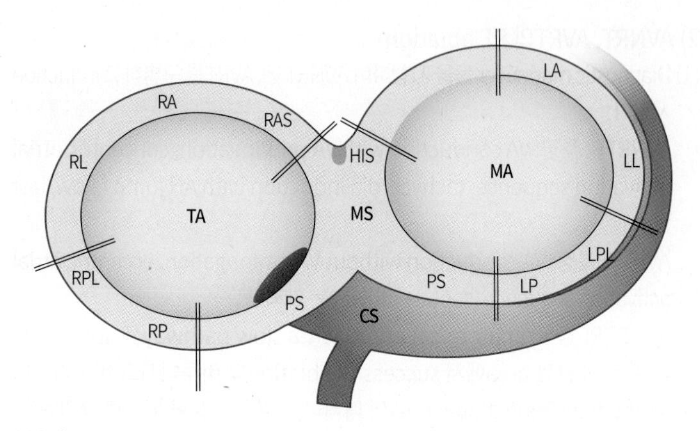

LAO view

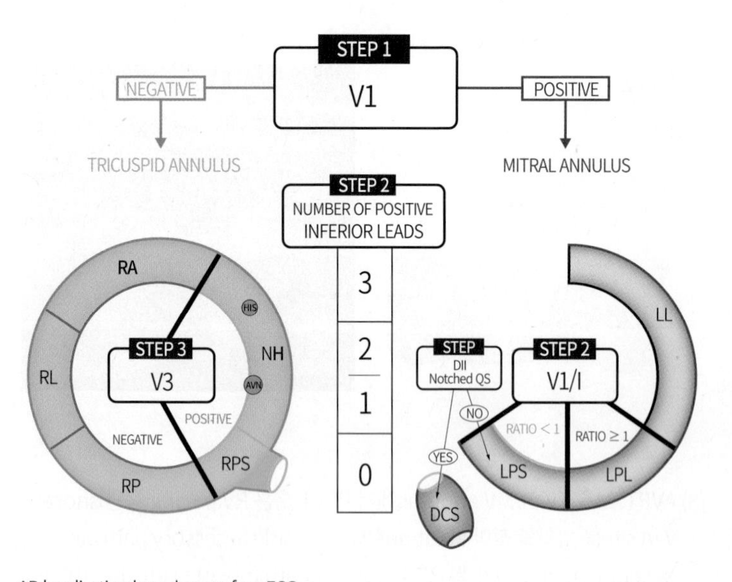

AP localization based on surface ECG

출처: Thomas Pambrun et al. JACC Clin Electrophysiol 2018;4:1052-61.

3) AF의 3D mapping & RF ablation

(1) Sheaths & electrode catheter insertion

- Rt femoral vein: 7.5 Fr (ablation catheter), 7.5 Fr (Lasso catheter), 8 Fr (ICE catheter)
- Lt femoral vein: 6.5 Fr (His–RV), 7.5 Fr (HRA and CS, duodecapolar)

(2) ICE catheter를 이용하여 LA delineation 후 Carto Univu system으로 CT image와 merge한다.

(3) SL1 sheath & Brockenbrough needle을 이용하여 septal puncture한 뒤 4 PV isolation을 시행한다.

(4) 필요시 roof, perimitral, septal, inferior, endocardial CS line 등 추가 ablation line을 만들 수 있다.

(5) 시술 후에도 AF이 지속되는 경우 intracardiac DC cardioversion 후 frequent APC나 early recurred AF의 earliest activation의 위치를 파악한다(trigger).

(6) 시술 중 30분마다 ACT를 check하여 300 sec 이상을 target으로 heparin을 투여한다.

(7) PV isolation 후 Lasso catheter를 이용하여 isolation되었음을 confirm하며 AFL가 이전에 확인되었거나 시술 중 typical AFL가 확인되는 경우 CTI ablation도 시행하며 필요에 따라 SL1 sheath를 Ramp sheath로 교체한다.

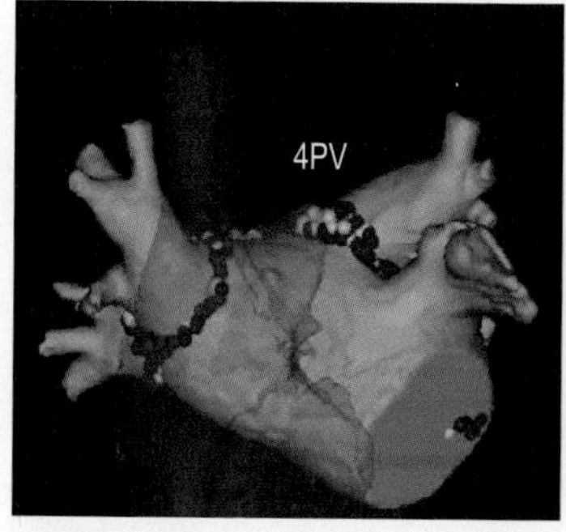

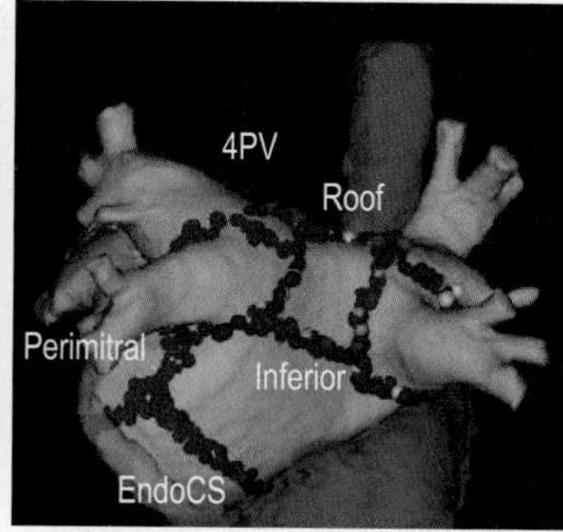

AP view

PA view

4) AF cryoablation

(1) Sheaths & electrode catheter insertion

- Rt femoral vein: 7.5 Fr (FlexCath), 8 Fr (ICE catheter)
- Lt femoral vein: 7.5 Fr (HRA and CS, duodecapolar), 6.5 Fr (deflectable)

(2) SL1 sheath & Brockenbrough needle을 이용하여 septal puncture를 시행한다.

(3) SL1 sheath를 통해 radiocontrast를 주입하여 pulmonary vein angiogram을 시행한다.

(4) SL1 sheath는 FlexCath로 교체 후 cryoballoon catheter를 진입시키고 이어서 Achieve mapping catheter를 삽입한다. 이때 cryoballoon catheter와 Cryo consol을 연결하는 케이블 및 N_2O gas 선은 연결부위에 물이 닿지 않도록 주의해야 한다.

(5) Achieve mapping catheter로 PV signal을 확인하고 PV antrum에서 ballooning한 뒤 잘 밀착되었는지 확인하기 위해 radiocontrast를 injection한다.

(6) Radiocontrast가 새지 않는 걸 확인하면 Cryo consol에 연결된 N_2O gas가 delivery되면서 cryoablation을 시행한다.

(7) Lt. side PV ablation 시, esophagus temperature monitoring을 시행한다.

(8) Rt. side PV ablation 시, deflectable decapolar catheter를 Rt. Subclavian vein으로 위치시켜 phrenic nerve stimulation 시행하면서 ablation을 진행한다(phrenic nerve palsy 발생 가능성).

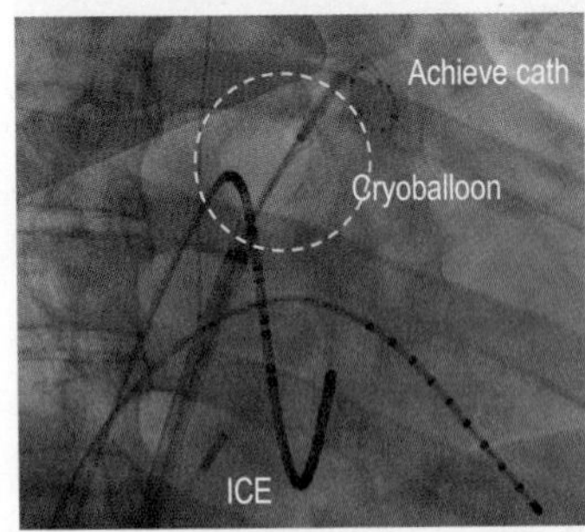

RAO view, LSPV ablation

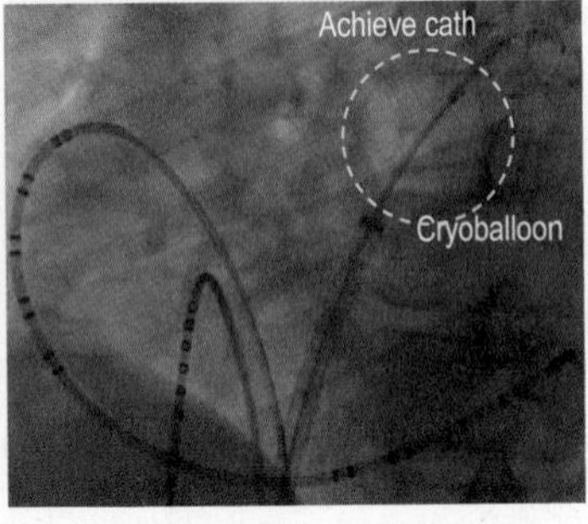

LAO view, LSPV ablation

5) A.flutter (typical, CTI dependent)의 ablation

(1) Sheaths & electrode catheter insertion

- Rt femoral vein: 2개의 7.5 Fr (duodecaploar and ablation)
- Lt femoral vein: 1개의 6.5 Fr (His–RV catheter)

(2) Long sheath (SL1 or Ramp)로 Rt. femoral sheath를 change한 후 cavo-tricuspid isthmus를 ablation한다.

(3) Ablation 후, bidirectional block across CTI를 확인한다.

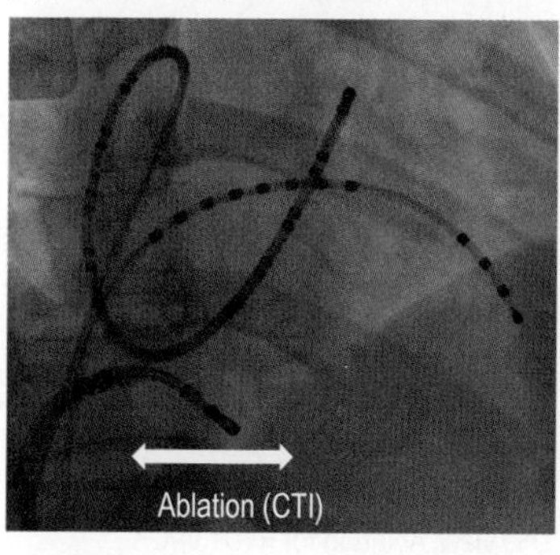

RAO view

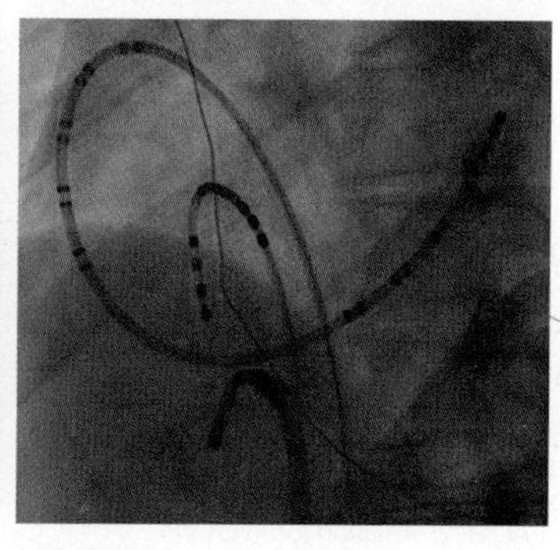
LAO view

6) VPC/VT의 ablation

(1) Sheaths & electrode catheter insertion

- Rt. femoral vein: 6.5 Fr (His-RV catheter) ± 8.0 Fr (ICE catheter: aortic valve cusp, LV cavity, papillary muscle mapping)
- Ablation catheter는 VPC/ VT suspected origin(Clinical VPC/VT의 12 lead ECG로 예측)에 따라 다르게 준비한다.
  - → Right side origin (e.g. RVOT): Rt. femoral vein 1개의 7.5 Fr
  - → Long sheath(SL1)로 change, 필요시 Septal puncture 및 Arterial approach를 추가로 고려
  - → Left side origin (e.g. LVOT, Left fascicle, papillary muscle): Rt. femoral artery 1개의 8.0 Fr
    필요시 Venous approach (Right side via Rt. femoral vein with long

sheath) 고려

(2) Idiopathic OT VPC/VT의 경우 activation map (the earliest site), pace map을 통해 clinical VPC/VT origin을 찾아 ablation을 시행한다(pace map: origin으로 의심되는 위치를 pacing 하여 Clinical VPC/VT와 12lead-ECG morphology유사 정도를 확인).

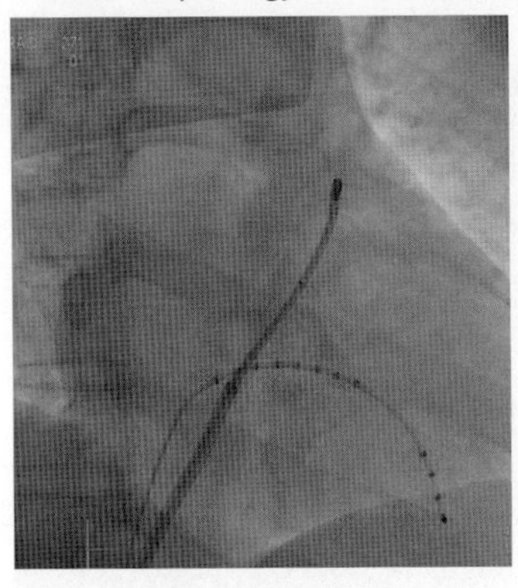

RAO view, Ablation for RVOT VPC

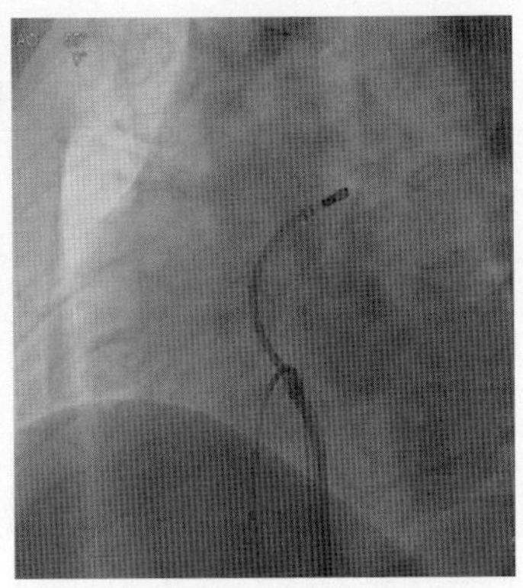

LAO view, Ablation for RVOT VPC

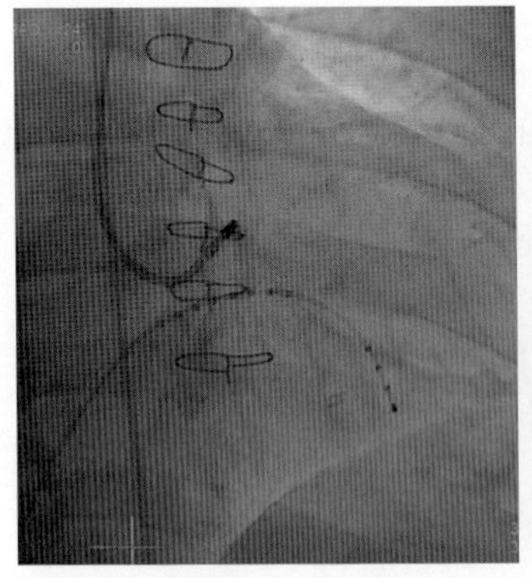

RAO view, Ablation for LV summit VPC

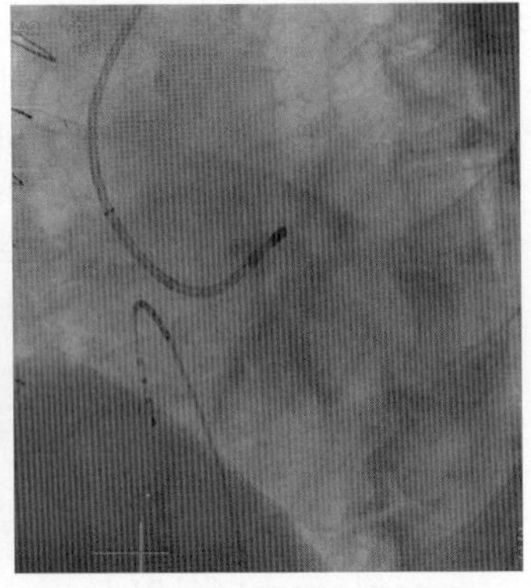

LAO view, Ablation for LV summit VPC

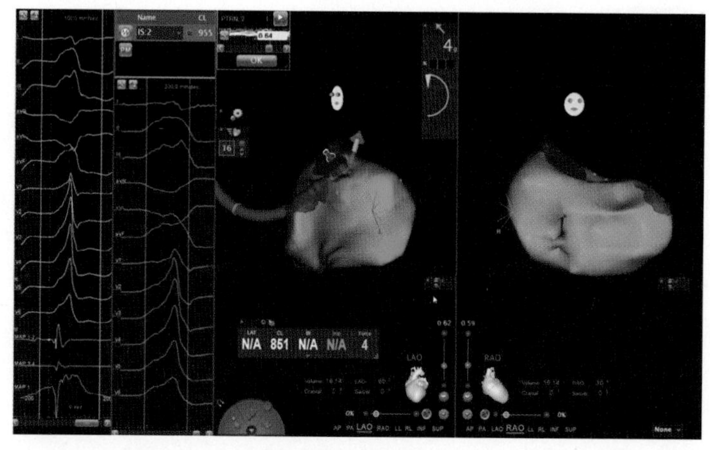

3D mapping with pace map for VPC, LV summit origin

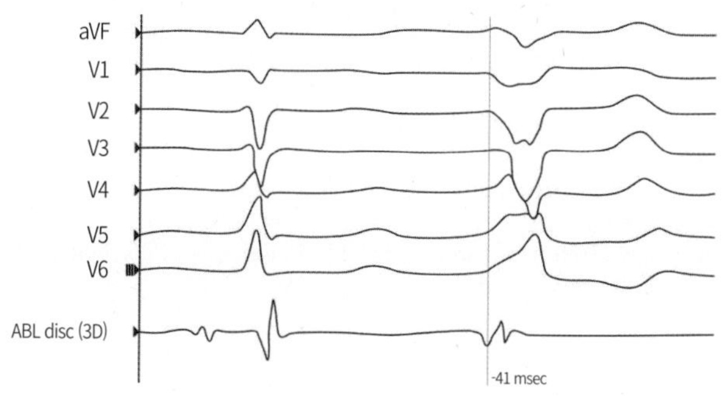

EGM, the earliest activation site for VPC, originating from RV septal (para-hisian)

7) Temporary pacemaker implantation

(1) Approach: femoral, internal jugular or subclavian vein

(2) 단기간 back-up support를 요할 경우, femoral vein approach를 고려하나, 유지기간이 어느정도 예상될 때는, 환자 불편을 고려해 internal jugular vein approach를 시행

(3) AP, lateral, RAO, LAO에서 RV lead 위치 확인(대개 stability를 고려해 RV apex에 위치시킴)
(4) Lead를 고정하고, 환자 deep inspiration에도 Lead 위치가 안정적인지 확인
(5) Sheath를 suture하여 고정

Femoral vein approach

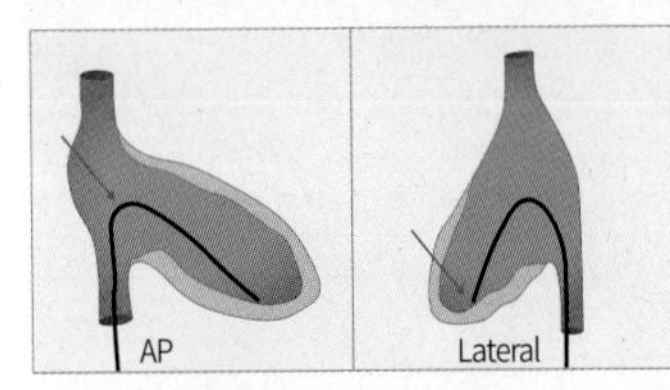

Internal jugular or subclavian vein approach

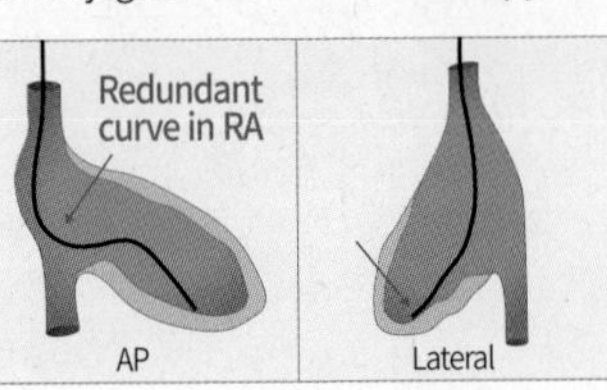

Temporary pacemaker 설정

- Rate 설정: 환자의 맥박수보다 빠르게 pacing
- Energy output
  - → 4–5 mA부터 서서히 줄이며 capture failure 직전 전류 크기(threshold)를 확인
  - → 최종 output은 threshold 값의 2배 정도로 setting
- Sensitivity
  - → Demand mode(숫자가 작아짐)에서 more sensitive
  - → Asynchronous mode(숫자가 커짐)에서 less sensitive
  - → AMI인 경우 electrogram amplitude가 급속히 감소할 수 있으므로 demand mode에 맞춰놓음

8) Permanent pacemaker

(1) 소독

- 턱 아래 목, nipple line, 어깨를 포함하여 소독한다. 특히 심전도 electrode의 접착제 등 이물이 남아 있지 않도록 소독 전 확인하는 것도 필요하다. 소독 시 incision 및 소독포 노출 부위를 중심으로 닦고 소독 후 바깥 장갑을 새것으로 바꾸어 낀다. 소독포를 깔고 나면, 작동 여부를 확인한 뒤 Bovie를 잘 고정해 두고, 파란 소독천을 가로로 하나 덮어 curved mosquito 두 개 정도를 물

어 놓는다.

- Skin incision 전, venography를 시행하여 vein patency를 확인하는 것이 도움이 된다(특히, 이전 vein procedure 있는 환자).

(2) Incision site에 lidocaine 국소마취

(3) Pocket 만들기

- 대부분 left side에 pocket을 만드나, prior chest radiotherapy, treatment of breast cancer, hemodialysis 등의 경우 contralateral implantation 고려한다.
- Sub-fascia plane까지 dissection한 후, subcutaneous (subfascial prepectoral) pocket을 만든다. Pocket erosion risk가 높거나, 미용적 이유로, submuscular pocket (pectoralis major와 minor 사이)을 만들기도 한다.

(4) Venous access

- Pneumothorax, subclavian crush 등의 문제로 최근 extra-thoracic subclavian or axillary vein puncture를 주로 시행한다. Puncture 시행 전, venogram을 시행하여 vein 주행을 확인한다.

(5) Lead insertion and position

- Wire를 통해 peel-away sheath를 넣고 wire를 빼면 다량의 피가 나오므로 즉시 해당 lead를 건네 insertion하도록 준비한다. 보통 V-lead를 먼저 넣으며 lead insertion 후 내부의 stylet은 제거하고 manual로 stylet의 커브를 만들어 사용하게 된다. A-lead의 경우에는 pre-formed J curve stylet을 건네면 된다. 대부분 screw type, active fixation을 이용하므로 lead positioning 후에는 screw로 고정하고 sheath는 양 끝을 잡고 peel away하게 되는데 lead가 같이 나오지 않도록 잡는다.
- 가능한 bloody glove로 stylet을 다루지 않는다(lead lumen clogging 가능성).
- V-lead를 Apex에 삽입할 경우, pacing induced HF, perforation risk가 있으므로 가능하면 RV mid septum에 위치시킨다.
- A-lead는 RA appendage에 위치시키며, lateral side는 perforation risk가 있으므로 가능한 anterior side에 위치시킨다. '자동차 와이퍼' 움직임과 비슷하게 좌우로 움직이는 lead를 확인할 수 있다.

- Fixation 후, current of injury로 인해 capture threshold가 높고, sensing amplitude가 낮게 측정될 수 있으므로 바로 lead를 reposition하지 말고 기다려본다.
- High voltage pacing으로 phrenic nerve capture 여부를 확인한다.
- Acute capture threshold < 1.5 V @ 0.5 ms
  → Sensing amplitudes > 1.5 mV (A-lead), > 4 mV (V-lead)
  → Lead impedance 400–1,200 Ohms

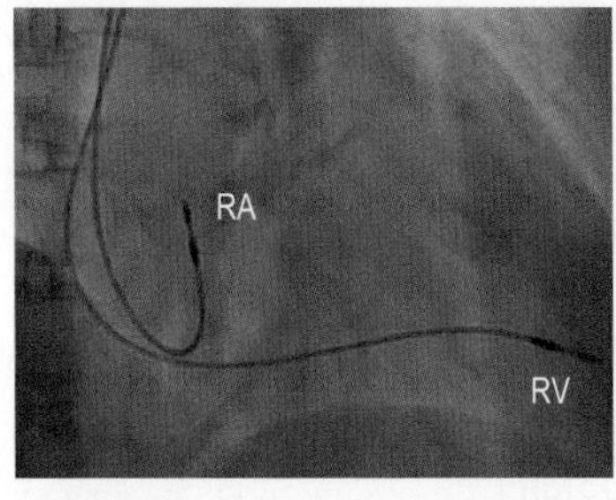

RAO view

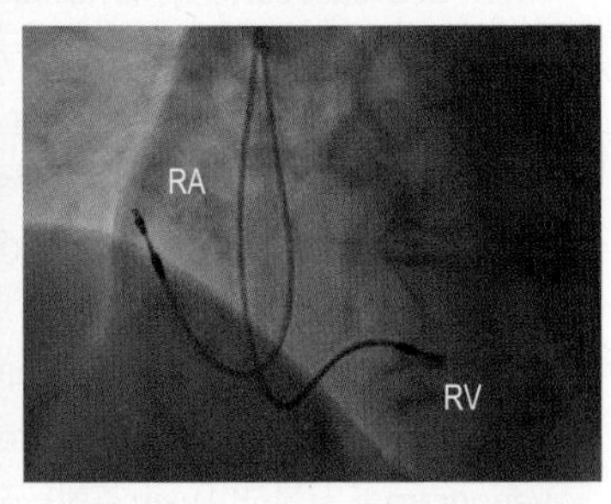

LAO view

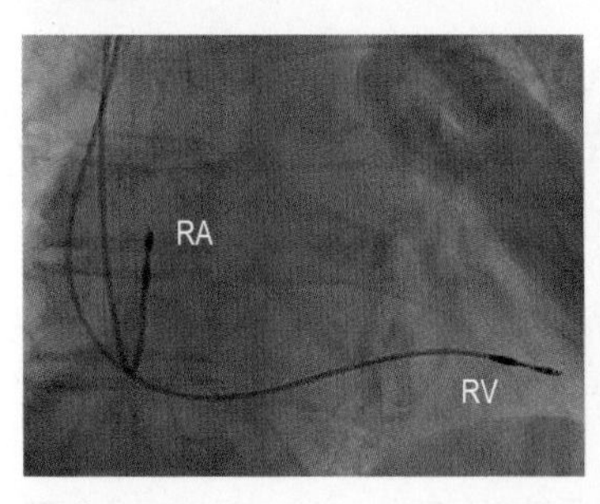

AP view

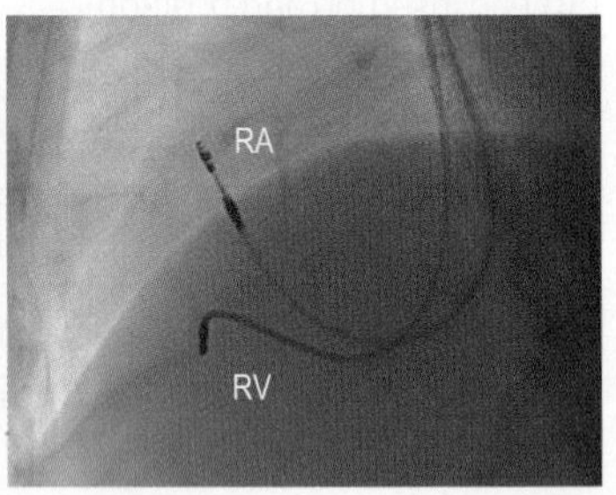

Lateral view

(6) Lead sleeve suture, generator 연결, anchoring

- Non-absorbable suture로 lead를 pocket 바닥에 고정한다.
- 고정된 lead 끝을 generator head에 꽂고 screw로 고정하며 generator 본체를 pocket 바닥에 anchoring한다.
- Generator 삽입 전 혹은 후에 항생제 용액 혹은 과산화수소로 pocket 내를

수회 세척하고 active bleeding focus를 확인한다.

(7) Incision closure

9) ICD

- Shock coil이 있는 lead라는 점과 generator 크기가 약간 크다는 점만 제외하면 PPM procedure와 다른 점은 없다. 필요시 dual chamber 혹은 VDD lead로 삽입한다.

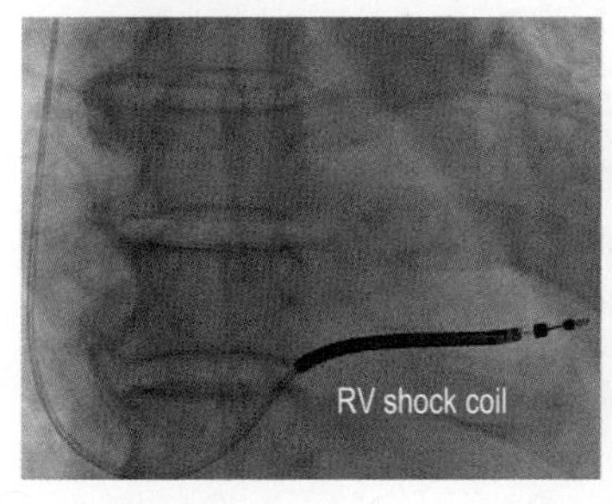

Single chamber ICD

VDD type ICD

10) CRT

(1) PPM procedure와 대동소이 하나 LV lead를 coronary sinus로 추가로 넣는다. 보통 lead는 back-up 목적으로 RV lead를 먼저 넣게 된다(→ LV → RA 순).

(2) LV lead 삽입 시에는 long sheath를 RA coronary sinus 근처에 위치시키고 Terumo wire를 coronary sinus로 진입시킨다.

(3) Vein selector를 이용해 venogram을 시행하고 적절한 위치가 확인되면 014 wire를 이용해 wiring 후 LV lead를 positioning 한다(적절한 LV lead의 위치는 LV에서 가장 늦게 activation이 일어나는 곳이며, 대개 base, lateral에 위치시킨다).

(4) Sheath를 특수 cutter로 자르며 빼낸다.

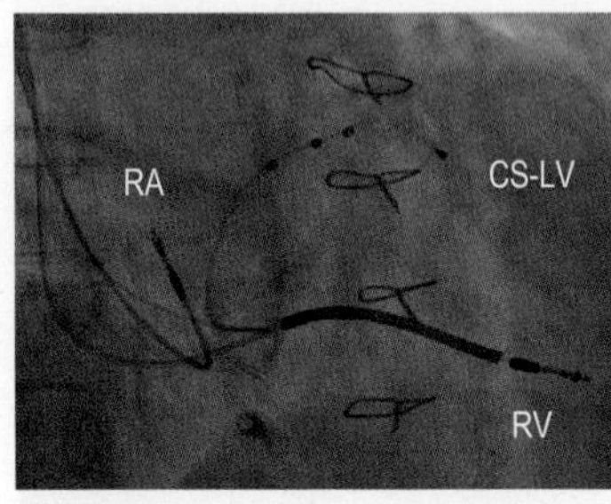

RAO view

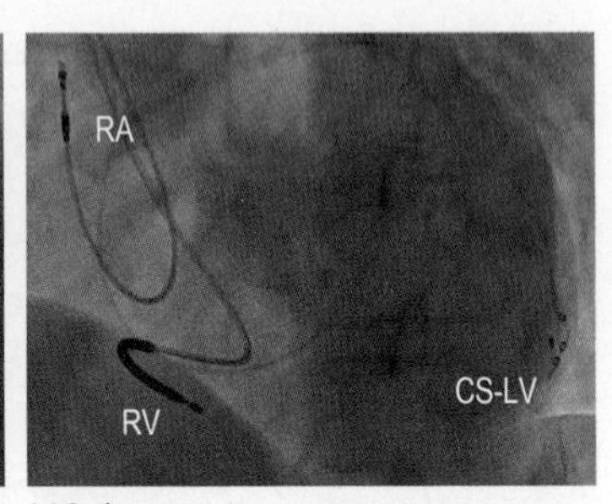

LAO view

11) His bundle pacing (HBP)/Left bundle branch area pacing (LBBAP)

(1) His bundle과 left bundle branch area를 직접 pacing하는 방법으로, 기존 PPM의 RV pacing으로 인한 dyssynchrony, pacemaker induced CMP의 risk를 줄이고 physiologic pacing을 제공할 수 있다.

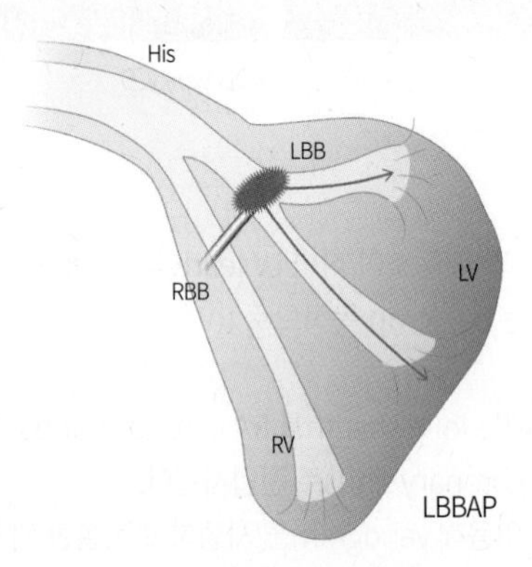

(2) PPM RV lead 대신, CRT LV lead 대신, 혹은 CRT RV lead 대신 implantation 할 수 있다.

(3) Recommended Indications (from 2021 ESC guideline on cardiac pacing and CRT)

- CRT candidate이나, CS-LV lead implantation fail한 경우

- Supraventricular arrhythmia에서 rate control 위해 AV nodal ablation 시행하는 경우
- PPM candidate에서 AV block이 있고, ventricular pacing > 20%로 예측되는 경우

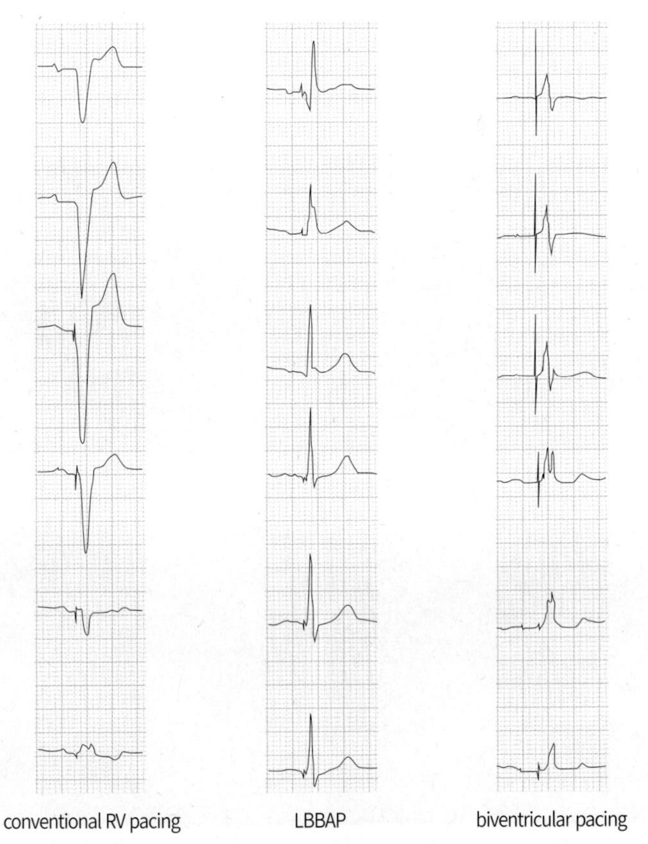

(4) HBP의 경우, block site 이후를 capture하기 위해 high threshold가 필요하고, 지속적으로 안정적인 pacing 유지가 어려워, 최근 LBBAP가 주로 시행되고 있다.

(5) RV septum 방향으로 휘어진 특수 sheath를 RV high-mid septum 부위에 위치시킨 후, contrast injection하여 RV septum에 수직으로 sheath lumen이 위치하였는지 확인한다.

(6) Pacing lead의 screw를 미리 빼놓은 상태에서 sheath에 삽입하고, RV septum에 밀착시킨 후, lead 전체를 manual로 돌리며 RV septum에 고정시킨다. V1 lead의 distal R wave, QRS duration, V6 lead의 LV activation time을 확인하며 lead의 최종 위치를 결정한다. 잘 고정되면 Fulcrum sign을 확인할 수 있다.

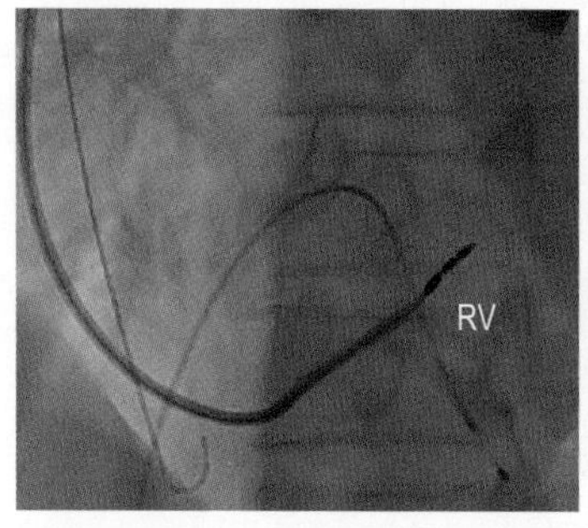

Fulcrum sign

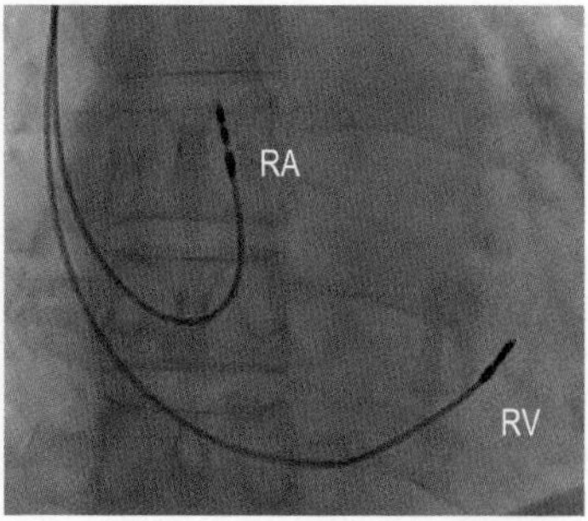

RAO view

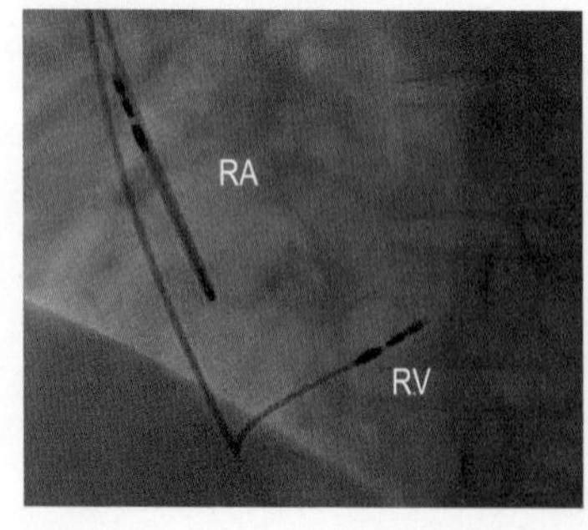

LAO view

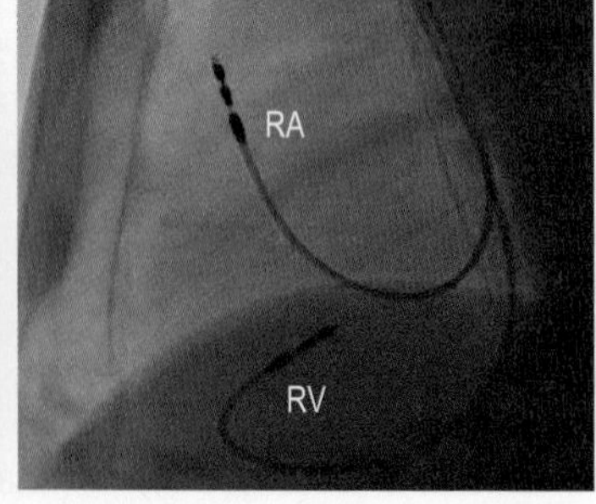

Lateral view

12) Leadless Pacemaker

(1) Recommended Indications (from 2021 ESC guideline on cardiac pacing and CRT)

- Venous access가 없는 경우
- Pocket infection의 risk가 높은 경우
- Life expectancy를 고려하여 삽입 가능
- 그 외 guideline에는 없지만 tricuspid valve 문제가 있는 경우, 미용상의 문제, 환자 선호에 따라 시행 가능

(2) Rt.femoral vein으로 23 Fr introducer를 삽입한 후, Micra delivery catheter를 introducer를 통하여 RV mid septum에 위치시킨다(inferior wall은 피하는 것이 좋다).

(3) Ventriculography를 시행하여 RV septum에 수직으로 위치해 있는지 확인한다.

(4) Micra를 deploy하고 Tug test (Micra를 살짝 잡아당겨, 4개의 tine 중, 2개 이상이 벌어지는지 확인)를 진행한다.

(5) Device와 연결된 실을 자르고 tether를 천천히 빼낸다.

(6) VVI pacing만 가능하며, longevity는 8–13년이다.

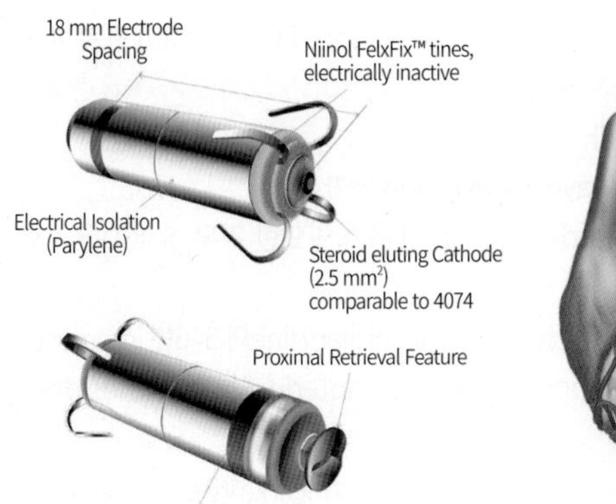

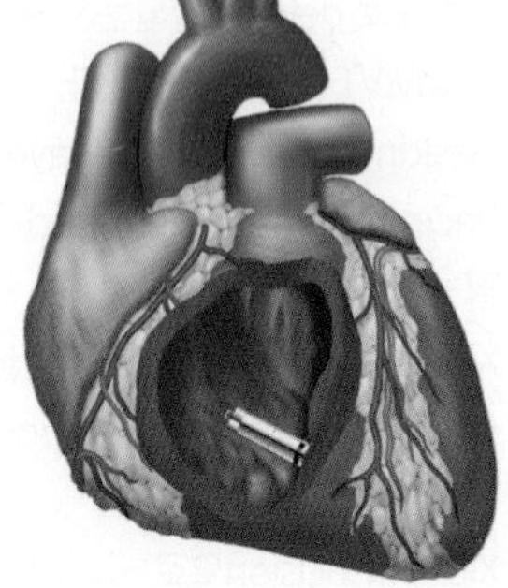

출처: Medtronic MICRA brochure

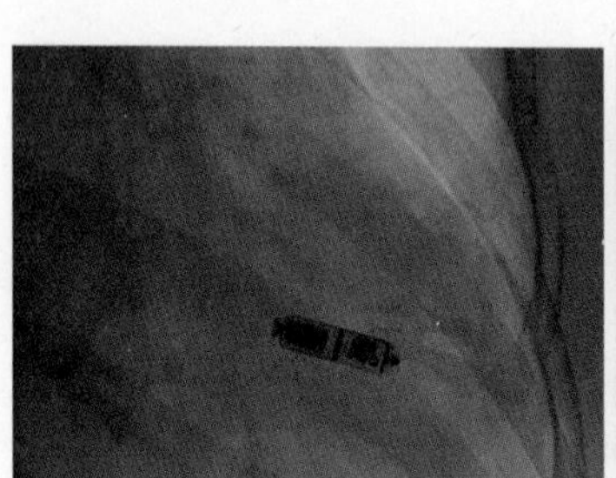

RAO view

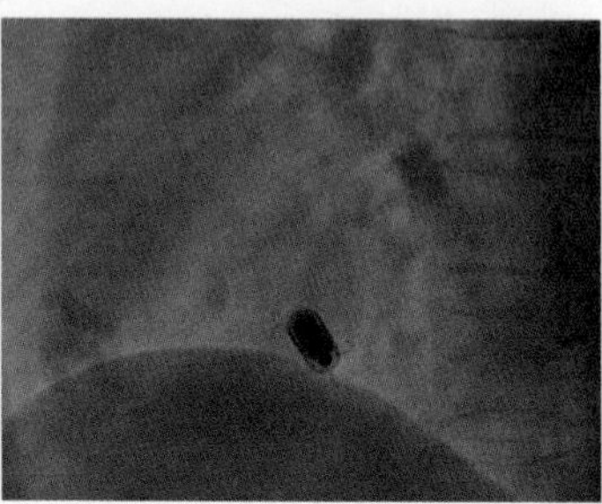

LAO view

13) Subcutaneous-ICD (S-ICD)

(1) 다음의 경우에 S-ICD 삽입을 고려할 수 있다.

- Venous access가 없는 경우
- Tricuspid valve 문제가 있는 경우
- Endocarditis or device infection history가 있는 경우
- Endovascular lead 삽입 시 infection risk가 높은 경우
- 상대적으로 젊은 환자

(2) 삽입 전, screening test가 필요하다.

- 여러 자세(supine, standing, sitting)에서 surface ECG signal이 충분히 안정적으로 detection 되는지 평가
- R wave/T wave ratio 평가
- Treadmill test를 하여 R wave/T wave ratio 평가

(3) Pacing이나 anti-tachycardia pacing (ATP)가 필요한 경우, S-ICD를 시행할 수 없다.

(4) Xiphoid area에 incision을 만들고, left mid axillary line의 5-6번 intercostal space에 inter muscular pocket (serratus anterior와 latissimus dorsi 사이)을 만든다.

(5) Xiphoid incision으로부터 lateral pocket까지 tunneling하여, lead proximal을 pocket에 위치시킨다.

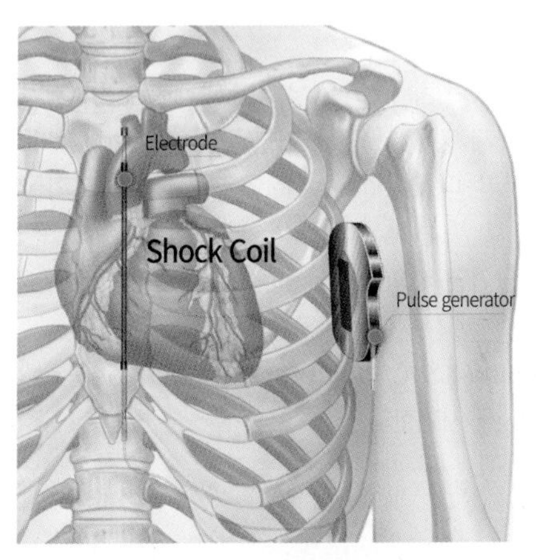

출처: Boston Scientific S-ICD (EMBLEM) brochure

(6) Xiphoid incision으로부터 수직 위 방향으로 sternum 좌측 margin을 따라 tunneling한 후, lead distal을 삽입한다(이때 subcutaneous area의 air를 충분히 제거해야 한다).
(7) Lead를 generator에 연결하고, defibrillation threshold (DFT) testing을 시행한다.

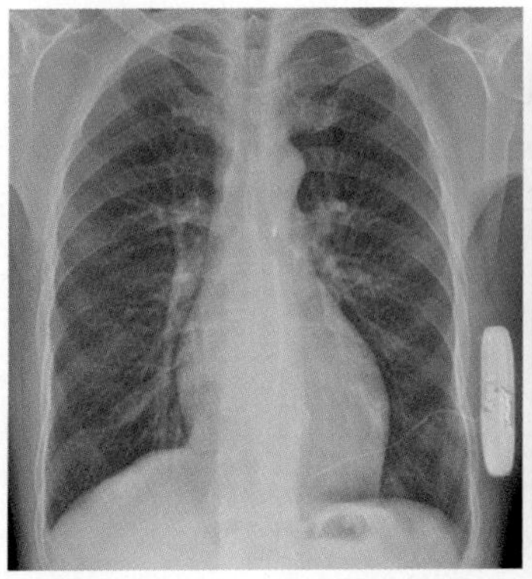

AP view

Lateral view

14) Lead extraction

(1) CIED infection, lead failure의 경우, 기존의 old lead를 제거한다.

(2) Pocket을 열고, 제거가 필요한 lead를 자른 후, lead locking stylet을 lead의 lumen으로 넣는다. Locking stylet을 부풀려 lead가 확실히 stylet에 잡히도록 한다.

(3) Stylet을 뒤로 당기면서, Rotating dilator sheath (TightRail)을 조금씩 진입시킨다.

(4) Lead extraction 시, SVC/RA rupture, tamponade의 risk가 높아 A-line, ICE monitoring을 시행한다.

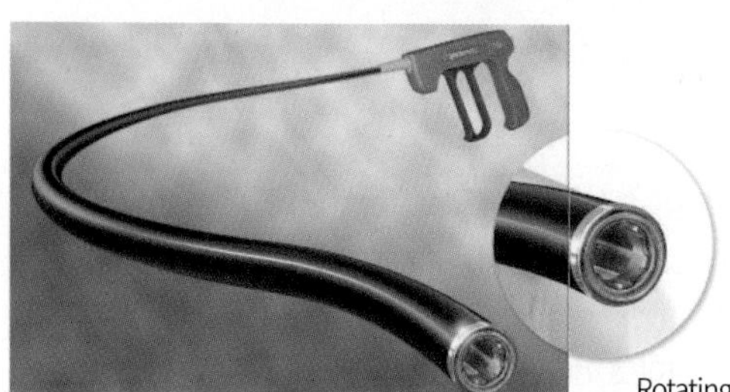

Rotating dilator sheath
출처: Spectranetics, TightRail brochure

15) Implantable loop recorder (ILR)

- 좌측 4번째 intercostal space, sternum으로부터 2-3 cm 정도 떨어진 위치에 incision을 만든 후, ILR을 삽입한다.

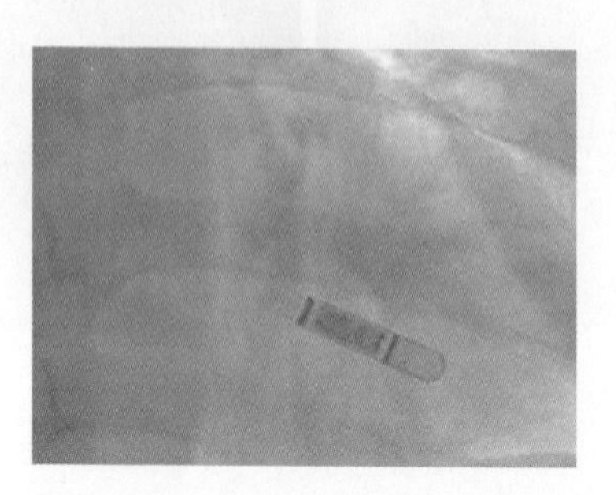

② Intracardiac Echocardiography

1) ICE guide로 septal puncture를 시행할 수 있다.

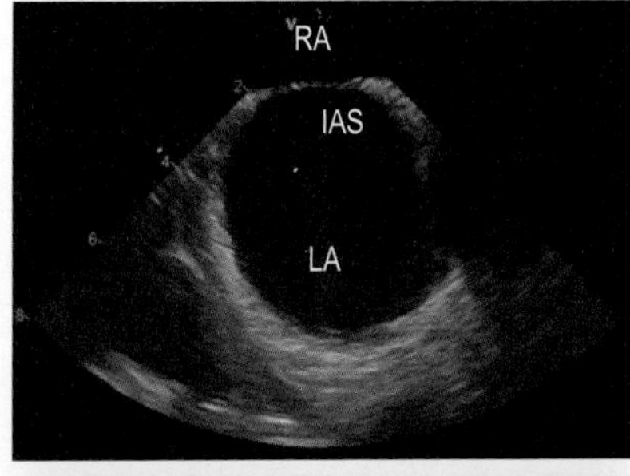

ICE image from RA

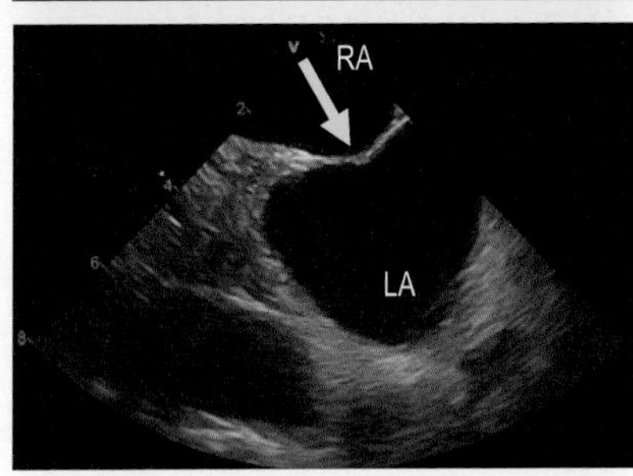

Brockenbrough needle에 의한 IAS tenting

2) RFCA 후, pericardial effusion 발생 여부를 확인할 수 있다.

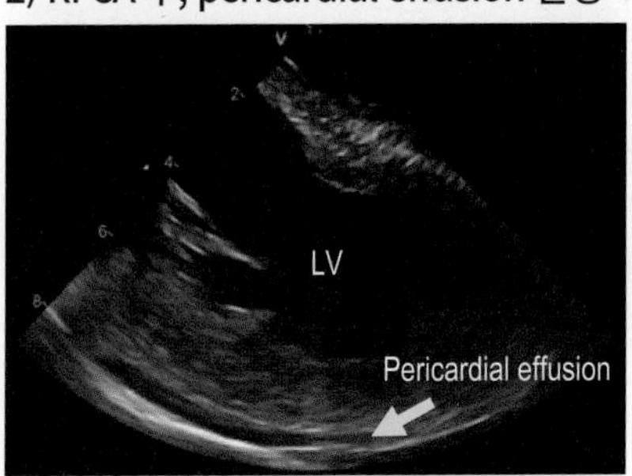

ICE image from RV

3 부정맥의 고주파절제술(RFA) 및 냉각절제술의 급여기준

1) 심방빈맥(Atrial tachycardia)

(1) 증상이 있거나 지속성(incessant form)의 경우

2) 심실빈맥(Ventricular tachycardia)

(1) 증상이 있는 지속성의 경우
(2) 증상이 있는 비지속성에서 약물에 반응하지 않거나 환자가 약물치료에 적응을 못한 경우

3) 심방세동(Atrial fibrillation)

(1) 항부정맥 약제(class I 또는 class III) 중 1가지 이상을 6주 이상 충분한 용량으로 투여한 이후에도 증상이 조절되지 않는 심방세동으로, 약제 투여 전·후 심전도검사에서 심방세동이 증명된 경우
(2) 약물치료에 실패하여 약제를 투여하지 못하거나, 항부정맥약제에 대한 부작용 또는 동결절 기능부전을 동반한 빈맥-서맥 증후군(TachycardiaBradycardia syndrome)에서와 같이 약제유지가 불가능한 심방세동으로서 심전도에 의해 확인된 경우
(3) 재시술은 이전 시술 후 3개월이 경과된 이후에 실시하되, 심전도상 심방세동 또는 심방빈맥의 재발이 증명된 경우
(4) 심방세동고주파절제술 시 cavotricuspid isthmus dependent 심방조동이 유도된 경우

4) 심실조기수축(Ventricular premature complexes)

(1) 심실조기수축으로 인한 좌심실기능부전 환자로서 심구혈률(EF)이 50% 이하이고, 2개월 이상의 약물치료에도 불구하고, 2개월 이상의 간격을 두고 시행한 24시간 홀터기록상 심실기 외수축의 부담이 15% 이상인 경우

(2) 심장재동기화치료(cardiac resynchronization therapy, CRT)를 받은 환자에서 2개월 이상의 약물치료에도 불구하고, 24시간 홀터기록상 심실기외수축의 부담이 10% 이상인 경우
(3) 증상을 일으키는 빈번한 심실조기수축 환자로서 24시간 홀터기록상 심실기외수축의 부담이 15% 이상인 아래와 같은 경우
- 2개월 이상의 약물치료 후
- 약물치료에 실패하여 약제투여를 못하는 경우

(4) 심실조기수축(ventricular premature complexes, VPC)이 다형성 심실 빈맥이나 심실세동을 유발하는 경우

5) 심방조동(Atrial Flutter)
- 증상이 있거나 지속성(incessant form)의 경우

6) 증상이 있는 부전도로(Accessory pathway)에 의한 빈맥 또는 방실결절재진입빈맥(Atrioventricular nodal reentry tachycardia, AVNRT)
(1) 방실결절재진입빈맥은 임상전기생리학적검사(electrophysiology study, EPS)상 다음과 같은 소견 중 하나 이상이 확인된 경우에 적용함
- 방실결절재진입 빈맥이 유발된 경우
- AH jump와 echo beat가 동시에 확인된 경우

7) 무증상의 조기흥분(pre-excitation)
(1) 심방세동시 심실조기 흥분된 RR 간격이 250 ms 이하인 경우
(2) 다수의 부전도로가 존재하는 경우
(3) 부전도로의 불응기가 240 ms 미만인 경우
(4) 타인의 생명을 책임지는 직업(비행기 조종사, 대중교통 운전사 등), 운동선수

4 심박기 거치술 급여기준

1) 굴기능 부전(Sinus node dysfunction)

(1) 증상을 동반한 서맥이나 증상을 동반한 동휴지가 각성상태에서 입증된 경우
(2) 증상을 동반한 심박수변동 부전(chronotropic incompetence)이 있는 경우
(3) 의학적 상태로 인하여 투여가 필요한 약물에 의해 증상을 동반한 서맥이 각성상태에서 입증된 경우
(4) 서맥과 관련된 임상적으로 의미있는 증상은 있지만 증상과 서맥과의 관련성이 검사에서 입증되지 않았을 때 각성상태에서 심박수가 40회/분 미만인 경우
(5) 원인을 알 수 없는 실신 환자에서 임상전기생리학적검사 시 유의한 동기능 이상이 발견되거나 유발된 경우

2) 방실차단(Atrioventricular block)

(1) 3도 또는 2도 2형 방실차단
(2) 각성상태에서 증상이 없는 심방세동에서 5초 이상의 무수축 심정지가 증명된 경우
(3) 방실차단 부위와 관계 없이 서맥으로 인한 증상이 있는 2도 방실차단
(4) 심근허혈 소견이 없이 운동 중 발생한 2도 또는 3도 방실차단
(5) 긴(long) PR 간격을 보이는 1도 또는 2도 방실차단으로 방실 부조화로 인한 심박동기 증후군이나 혈역학적 증상이 있는 경우
(6) 무증상의 2도 방실차단에서 임상전기 생리학적검사 결과 차단부위가 His속 내부 또는 그 아래인 경우

3) 만성 2섬유속차단(Chronic bifascicular block)

(1) 만성 2섬유속차단에서 각차단이 교대로 발생하는 경우
(2) 만성 2섬유속차단에서 실신, 현기증의 원인이 임상전기생리학적검사를 포함한 진단적 검사로도 심실빈맥과 같은 다른 원인은 배제되고 방실차단에 의한 것으로 판단되는 경우

(3) 만성 2섬유속차단에서 증상이 없더라도 임상전기생리학적 검사에서 HV간격이 100 ms 이상이거나, pacing에 의해 His속 아래 부분의 방실차단이 유도되는 경우

4) 급성 심근경색과 관련된 방실차단(AV block in acute phase of myocardial infarction)

(1) 급성 심근경색 이후 3도 방실차단이 지속되는 경우
(2) 급성 심근경색 이후 각차단을 수반한 2도 2형 방실차단이 지속되는 경우
(3) 급성 심근경색 이후 2도 2형 방실차단 또는 3도 방실차단이 일시적으로 발생하더라도 각차단이 새로 발생한 경우

5) 목동맥굴 과민증후군(Hypersensitive carotid syndrome)

- 목동맥굴 압박을 하는 특정 상황에서 실신이 재발한 병력이 있고 목동맥굴 압박에 의해 3초 이상의 심실 무수축과 함께 실신이 유발된 경우

6) 긴 QT 증후군(Long QT syndrome)

- QT 간격이 연장되었거나 또는 연장되지 않았더라도 심전도상 동휴지–의존성 지속성 심실빈맥이 발생한 경우

(일부 생략)

7) 원인 불명 실신

(1) 40세 이상의 반복적이고 예상하기 어려운 반사성 무수축성 실신환자(reflex asystolic syncope)에서, 증상을 동반한 유의한 동휴지나 방실차단이 기록된 경우. 다만, 기립경사 테이블검사(tilt table test)에서 유발된 경우는 제외함
(2) 실신의 병력이 있는 환자에서 증상과 상관없어도 6초 이상의 심실 휴지기가 발견된 경우
(3) 각 차단이 있으며, 임상전기생리학적검사에서 HV간격이 70 ms 이상 또는 2도 이상의 방실차단이 증명된 경우

(4) 원인이 불분명한 실신이 재발한 병력이 있고 목동맥굴 압박에 의해 6초 이상의 심실 휴지가 유발된 경우

5 심율동 전환 제세동기 거치술(ICD) 급여기준

1) 일시적이거나 가역적인 원인에 의한 것이 아닌 심실세동이나 심실빈맥에 의한 심정지가 발생한 경우

2) 구조적 심질환이 있는 환자에서 자발성 지속성 심실빈맥이 발생한 경우

3) 구조적 심질환이 없는 자발성 지속성 심실빈맥 환자에서 다른 치료 방법으로 조절되지 않는 경우

4) 원인을 알 수 없는 실신 환자에서 임상적으로 연관되고 혈역동학적으로 의미있는 지속성 심실빈맥이나 심실세동이 임상전기생리학적검사에 의해 유발되는 경우

5) 급성 심근경색 48시간 이후

(1) 가역적인 원인에 의한 것이 아닌 심실 세동 또는 혈역동학적으로 불안정한 심실빈맥이 발생한 경우

(2) 재발성 지속성 심실빈맥이 발생한 경우

6) 심부전(Heart failure)

(1) 심근경색 발생 후 40일이 경과한 허혈성 심부전으로 적절한 약물치료에도 불구하고 아래에 해당하며 1년 이상 생존이 예상되는 경우

- 심구혈률(EF) ≦ 30%
- 심구혈률(EF) 31–35%로 NYHA class II, III의 증상을 보이는 경우
- 심구혈률(EF) ≦ 40% 환자로 비지속성 심실빈맥이 있으며 임상전기생리학

적검사에서 혈역동학적으로 의미있는 심실세동이나 지속성 심실빈맥이 유발되는 경우

(2) 비허혈성 심부전으로 3개월 이상의 적절한 약물치료에도 불구하고 NYHA class II, III의 증상을 보이는 심구혈률(EF) ≦ 35%인 환자에서 1년 이상 생존이 예상되는 경우

7) 실신이 있고 Type 1 ECG pattern을 보이는 브루가다 증후군(Brugada syndrome) 환자에서 충분한 평가(evaluation)로도 실신의 원인을 알 수 없는 경우

8) 비후성 심근병증

(1) 아래의 급성 심장사(sudden cardiac death)의 위험인자가 1개 이상인 경우

- 좌심실 벽두께 30 mm 이상(단, 16세 미만 환자는 Z-score ≥ 6을 포함)
- 비후성심근병증에 의한 급사의 가족력
- 6개월 내에 한 번 이상의 원인미상의 실신

(2) 아래의 급성 심장사의 부가적 위험인자 중 1개 이상을 동반한 비지속성 심실빈맥(non-sustained ventricular tachycardia, NSVT) 또는 비정상적인 운동혈압반응(abnormal blood pressure response with exercise)이 있는 경우

- 30세 미만
- 자기공명영상에서 지연조영증강
- 좌심실유출로 폐색
- 과거의 실신
- 좌심실류
- 좌심실구혈률 50% 미만

9) Long QT syndrome 환자에서 충분한 베타차단제 치료에도 불구하고 (약물치료를 지속할 수 없는 경우 포함) 실신이 재발하거나 지속성 심실빈맥이 발생한 경우

10) 생략

11) 카테콜라민성 다형성 심실빈맥(Catecholaminergic polymorphic ventricular tachycardia, CPVT) 환자에서 베타차단제 복용 중에 실신을 하였거나 지속성 심실빈맥을 보이는 경우

12) Cardiac sarcoidosis, Giant cell myocarditis, Chagas disease가 진단된 환자에서 급성 심장사의 예방목적인 경우

- 심율동전환제세동기 거치술 급여기준 및 심장재동기화치료 급여기준의 '심부전에서 적절한 약물치료'에는 레닌-안지오텐신계 차단제와 베타차단제가 모두 포함하여야 함
- 다만, 환자상태가 상기 약물을 사용할 수 없는 임상적 소견이 확인되는 경우 예외적으로 인정함

6 이식형 사건 기록기 검사 급여기준

이식형 사건 기록기(implantable loop recorder, ILR) 검사는 다른 검사로 원인이 진단되지 않는 다음의 경우에 요양급여함

1) 재발성 실신. 다만, 구조적 심장질환을 가진 환자의 경우에는 실신이 1회 발생한 경우에도 요양급여함

2) 재발성 두근거림(palpitations)

3) 심방세동이 의심되는 원인불명의 뇌졸중(cryptogenic stroke)으로 아래의 (1)-(4)를 모두 만족하는 경우

(1) 비열공성 뇌경색

(2) 심전도 검사와 24시간 홀터기록 등의 비침습적 심전도 검사를 통해 심방세동이 발견되지 않은 경우

(3) 뇌혈관의 뇌경색을 유발할 수 있는 의미있는 협착이나 폐색이 없는 경우
(4) 신경과(또는 신경외과) 전문의의 진료 소견에 따라 기타 색전성 뇌경색의 원인이 없는 경우

7 심장재동기화치료(CRT) 급여기준

1) CRT-P (CRT-pacemaker)

3개월 이상의 적절한 약물치료에도 불구하고 증상이 지속되는 아래의 심부전 환자

(1) 동율동(sinus rhythm)의 경우
- QRS duration ≧ 130 ms인 좌각차단(LBBB)으로 심구혈률(EF) ≦ 35%이고, NYHA class II, III 또는 거동이 가능한 class IV에 해당되는 경우
- QRS duration ≧ 150 ms인 비좌각차단(NON-LBBB)으로 심구혈률(EF) ≦ 35%이고 NYHAclass III 또는 거동이 가능한 class IV에 해당되는 경우

(2) 영구형 심방세동(permanent atrial fibrillation)의 경우
- QRS duration ≧ 130 ms으로 심구혈률(EF) ≦35%이고 NYHA class III 또는 거동이 가능한 class IV에 해당되는 경우
- 심구혈률(EF) ≦ 35%인 환자에서 심박수 조절을 위해 방실결절차단술(AV junction ablation)이 필요한 경우

(3) 기존의 심박동기(pacemaker)나 심율동 전환제세동기(ICD)의 기능 향상이 필요한 경우
- 심구혈률(EF) ≦ 35%이고 NYHA class III 또는 거동이 가능한 class IV 환자에서 심조율의 비율이 40% 이상인 경우

(4) 심박동기(pacemaker)의 적응증에 해당하는 경우
- 심구혈률(EF) ≦ 40%인 환자에서 심조율의 비율이 40% 이상으로 예상되는 경우(3개월 이상의 적절한 약물치료가 없는 경우에도 인정 가능함)

2) CRT-D (CRT-defibrillator)

CRT-P와 ICD 기준에 모두 적합한 경우에 인정하되, 상기 1)(1)에 해당되면서 NYHA class II인 경우에는 QRS duration ≧ 130 ms인 좌각차단(LBBB)이고 심구혈률(EF) ≦ 30%인 경우에 인정함

3) 상기 1), 2)항의 적응증 이외 심장재동기화치료가 반드시 필요한 경우 진료내역 및 담당의사의 소견서 등을 참조하여 사례별로 인정함

8 수술 전 박동기 관리

1) Electromagnetic interference (EMI, 전자파 간섭)

- 수술 중에 전자파 간섭에 노출되면 잠재적으로 기기손상, 내부회로, 유도전선이 매립된 장소에 손상을 일으켜 기기 고장을 초래
- 기기 오작동(oversensing, reprogramming)을 일으킬 수 있으며 이러한 오작동은 치명적일 수 있음
- PPM의 경우, EMI를 intrinsic cardiac depolarization으로 인식해 pacing이 들어가지 않을 수 있음
- ICD의 경우, Inappropriate shock이 발생할 수 있음
- ICM의 경우, EMI가 arrhythmia로 recording될 수 있음

2) Potential sources of EMI

- Diathermy (poses greatest risk)
- Evoked potential monitors
- Nerve stimulators
- Radiofrequency ablation
- Extracorporeal shockwave lithotripsy

3) 일반적 사항

- Bipolar cautery를 추천, unipolar 사용 시, diathermy plate를 가능한 device로부터 멀리 붙여야 한다.
- Op site와 plate의 사이에 device가 위치되는 것을 피해야 한다(보통 device가 left upper chest에 있는데, 이럴 경우 가슴 아래 특히 오른쪽 다리에 plate를 위치하도록).
- 수술하는 동안 peripheral pulse를 계속 monitor해야 한다.
- 특히 generator와 같은 쪽의 upper anterior chest wall, shoulder or neck area가 op site인 경우, unipolar를 사용해서는 안 된다. 꼭 diathermy를 사용해야 한다면, bipolar를 사용하도록 권고한다.
- Defibrillation machine과 pad를 준비하며, 기계는 pacing function이 잘 되는지 미리 확인한다. Pad는 anterior–posterior로 부착한다(at least 5 cm from the generator).

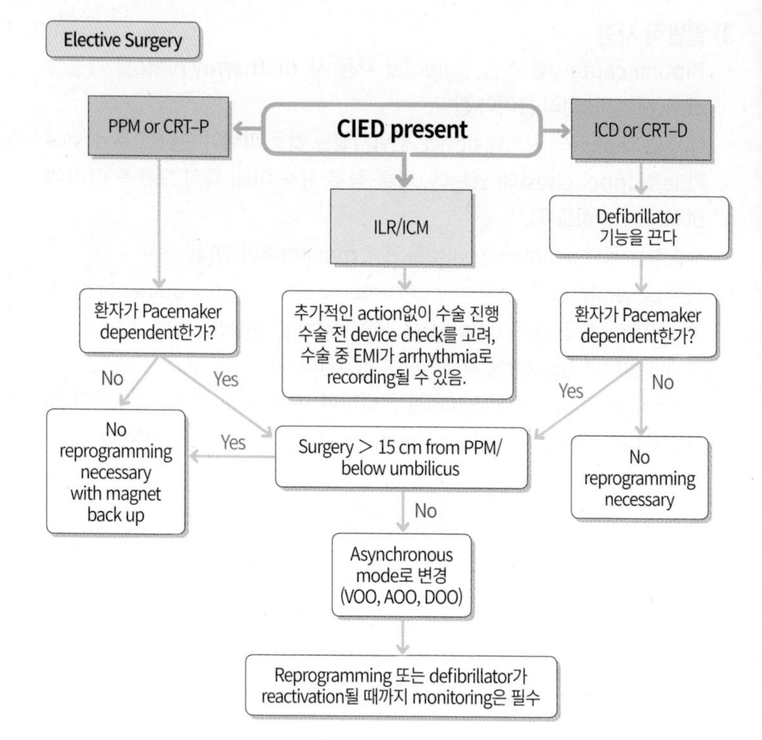

- Below the umbilicus (ex, 비뇨기과 수술)은 EMI risk가 낮아 reprogramming 할 필요 없음.
- Generator와 6 inch (15 cm) 이내에 op site가 있는 경우 EMI risk가 매우 높음

Urgent Surgery

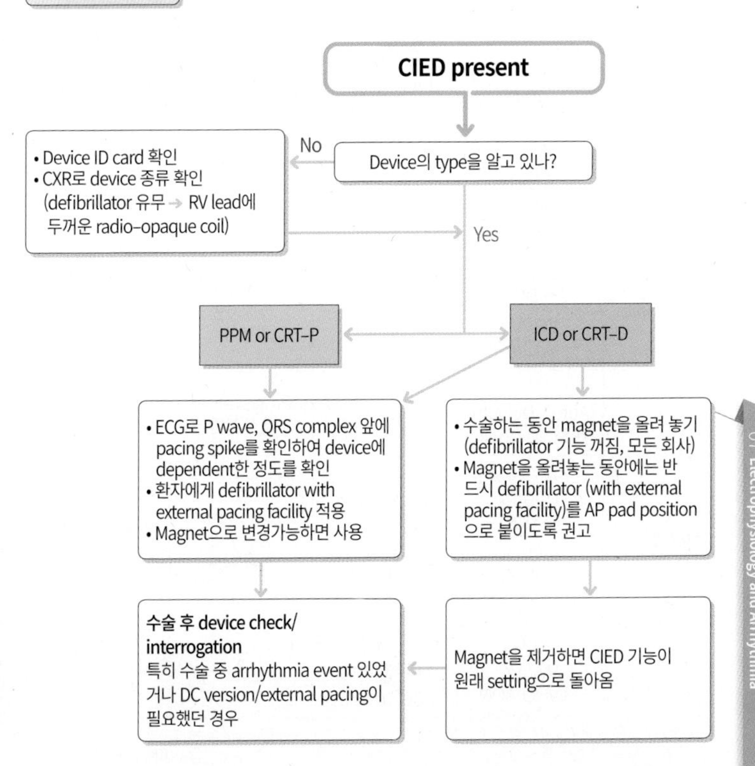
CIED present
Device의 type을 알고 있나?
No
• Device ID card 확인
• CXR로 device 종류 확인 (defibrillator 유무 → RV lead에 두꺼운 radio-opaque coil)
Yes
PPM or CRT-P
ICD or CRT-D
• ECG로 P wave, QRS complex 앞에 pacing spike를 확인하여 device에 dependent한 정도를 확인
• 환자에게 defibrillator with external pacing facility 적용
• Magnet으로 변경가능하면 사용
• 수술하는 동안 magnet을 올려 놓기 (defibrillator 기능 꺼짐, 모든 회사)
• Magnet을 올려놓는 동안에는 반드시 defibrillator (with external pacing facility)를 AP pad position으로 붙이도록 권고
수술 후 device check/ interrogation
특히 수술 중 arrhythmia event 있었거나 DC version/external pacing이 필요했던 경우
Magnet을 제거하면 CIED 기능이 원래 setting으로 돌아옴

- Below the umbilicus (ex, 비뇨기과 수술)은 EMI risk가 낮아 reprogramming 할 필요 없음
- Generator와 6 inch (15 cm) 이내에 op site가 있는 경우 EMI risk가 매우 높음

표 Primary prevention

	PPM or CRT-P		ICD/CRT-D	
	Mode 변경	Battery[†] longevity에 따른 rate 변경	Pacemaker 기능	Defibrillator
St. jude (Abbott)	DDD(R) → DOO VVI/AAI → VOO/AOO	Device 종류/ Longevity에 따라 다름	Programmer 통해서만 변경 가능	Deactivation
Medtronic	DDD(R) → DOO VVI/AAI → VOO/AOO	Normal: 85 bpm ERI: 65 bpm	Programmer 통해서만 변경 가능	Deactivation (shock 꺼질 때 5초 정도 삐- 소리남)
Biotronik	Auto* (Default) /ASYNC /SYNC	-	Programmer 통해서만 변경 가능	Deactivation
Boston	DDD(R) → DOO VVI/AAI → VOO/AOO	> 1 year: 100 bpm < 1 year: 90 bpm	Programmer 통해서만 변경 가능	Deactivation (magnet 올려 놓는 동안 삐삐 소리남)
Sorin	DDD(R) → DOO VVI/AAI → VOO/AOO	Normal: 96 bpm ERI: 80 bpm EOL: 70 bpm	X	X

* Biotronik 경우 기본 Auto로 설정되어 있음. Magnet을 올리면 10beat만 Async로 변경되고 다시 기존 mode로 전환됨. Magnet 올린 후 ECG Monitoring 하에 Auto mode인지 확인할 수 있겠음 → 따라서 이 경우 Async mode로의 변경은 programmer 통해서만 변경 가능

[†] Device 정보를 모르고 emergency한 경우 magnet 올린 후 rate 변경 여부로 ERI state인지 확인 할 수 있음.

9 박동기 환자 관리 요약

1) MRI 촬영 시

- MR compatible device인지 먼저 확인(abandoned lead 포함)
- 가능한 device이면 무조건 MR mode 변경 후 촬영, 촬영 후 재변경 필요
- MR compatible device라도 implant 6주 경과 후 촬영 가능, RV threshold 2 이하 시 가능

2) Elective surgery

- Bipolar cautery를 recommend, unipolar 사용 시 diathermy plate와 op site가 device에 가능한 포함되지 않도록 부착
- Pacemaker의 경우 below the umbilicus 수술은 generator와 15 cm 이상 op window가 떨어져 있어 수술 모드 변경 없이 수술 가능
- ICD or CRT-D는 반드시 defibrillator off가 필요해서 모든 경우 수술 모드 변경이 필요함

3) Urgent surgery

- ICD는 magnet을 이용하여 defibrillator 기능 off 가능하며, ICD의 경우에는 pacing dependent한 경우가 아니면 defibrillator off만으로 수술 진행
- Pacemaker의 경우 magnet으로 모드 변경이 가능한데 Biotronik은 auto mode 시 magnet 올리면 10 beat 이후 기존 mode로 자동 전환되어 필요시 모드 변경이 반드시 필요함
- 기본 원칙은 elective surgery와 같음
- 수술 후 device interrogation으로 기능 확인 필요함

10 심전도 판독 지침안

심전도 판독 순서

1. 심방 박동수
2. 심실 박동수
3. 전체 율동의 규칙성
4. P파: PR 간격, P & QRS relationship, 모양, 크기, 폭
5. QRS 군: 전기축, 모양, 크기, 폭
6. QT (QTc) 간격
7. ST 분절, T파의 모양, U파의 모양
8. 심장의 전후축 및 장축 회전, 기타 이상 소견

- 심전도는 확진보다는 심장의 conduction system에 대한 정보를 제공하므로 판독 기록은 normal sinus rhythm 이외에는 findings 위주로 기록합니다.
- 심전도 conclusion은 정상 normal sinus rhythm 외에는 모두 abnormal ECG에 해당하며 기본적으로 normal criteria를 분명히 숙지하는 것이 중요합니다.

1) Heart rate ; 60–100회/분

- 60회 미만 시 bradycardia 명시, 100회 이상 시 tachycardia 명시
  - → A.fib에 맥박수 100회/분 이상: RVR (rapid ventricular response)
  - → A.fib에서 맥박수 60 미만: SVR (slow ventricular response)

2) P wave; 높이 < 2.5 mm, 폭 < 0.12초

- RAE: P > 2.5 mm
- LAE: P–terminal force in V1 ≧ 0.04, P mitrale
- P: QRS complex = n: 1 (n > 1) > Atrial fibrillation or flutter vs. AV block

3) PR interval; 0.12 to 0.2 sec

- First degree AV block: PR interval이 0.2 sec 이상 시

4) QRS width; 0.06–0.10 sec

- ≧ 0.12 sec ; 심실내 전도장애
  - → 기준에 따라 Complete LBBB, complete RBBB, or intraventricular conduction delay (IVCD)로 표시해 준다.
  - → 0.12 sec 이하의 conduction delay는 따로 판독하지 않음

5) QRS height:

Low voltage; (R+S)

(1) 5 mm in all limb leads

(2) 10 mm in all precordial leads

→ (1)만 만족 시 Low voltage in limb leads, 둘 다 만족 시 Low voltage

6) Q wave

(1) Normally present in aVR: occasionally in V1 or in aVL (vertical heart)

(2) Often present in lead III: should be 0.04 sec duration (< 10 mm deep), and not accompanied by abnormal Q in II, aVF

(3) Other leads (except lead I): < 0.04 sec duration & 3 mm deep

(4) Lead I: 1.5 mm in pts older than age 30

- In individuals < age 30, up to 5mm deep in several leads.
- Lead I, aVL, V4–V6의 small Q를 septal Q wave라고도 하고 정상 소견이므로 따로 판독에 쓸 필요는 없다.

상기 기준을 넘어선 Q wave는 pathologic Q wave로 생각할 수 있다. Pathologic Q wave가 있을 때 동반된 ST seg & T wave의 변화를 함께 고려하여 r/o old MI, or r/o acute (anterior/ inferior) MI 등으로 판독할 수 있다.

7) Axis –30~100° normal

- LAD; –30 to –90°
- RAD; +100 to +180°
- Extreme right; +180 to –90°

8) ST segment

Isoelectric or < 1 mm elevation in limb leads and < 1 mm in precordial leads

- Normal variant: 1– to 2 – mm ST elevation, mainly in leads V2–V4, non-convex.
- 위 기준 이상의 ST segment change는 이상 소견으로 elevation or depression을 의미하고 다른 기준과 함께 non-specific ST-T change, LVH 등으로 판독한다(r/o ischemia라는 판독은 가능하면 사용하지 않도록 한다; 임상의가 심전도와 임상상을 종합적으로 판단).

9) T wave

- Height: voltage criteria: 5 mm in limb leads, 10 mm in precordial leads
  → 그 이상 voltage 시 tall T wave (r/o hyperkalemia, r/o hyperacute MI 등)
- Direction: inverted in aVR; upright in I, II, and V3 through V6. variable in III, aVF, aVL, V1 and V2

→ 상기 upright leads에서 inversion 시 abnormal T wave inversion을 의미

→ Abnormal T wave inversion (특히 > 5 mm) 시 다른 criteria와 함께 r/o ischemia, r/o MI, LVH 등으로 판독할 수 있다(r/o ischemia라는 판독을 할 경우에는 CCU/병동 환자로 판독의가 심전도, 임상상을 종합적으로 판단할 수 있을 경우에 기록함).

10) Corrected QT interval ≤ 440–460 msec

그 이상 prolongation 시 prolonged QT interval

11 ECG

심전도 판독

Rate
◦ 300–150–100–75–60–50–43–38–33–30 ◦ 6만/RR interval (msec) 예) if RR = 400 msec, 60,000/400 = 150 bpm → Tip) Lead II QRS 개수(10초)×6
Rhythm
◦ Sinus arrhythmia: PP interval; 10% 이상 or 4칸(160 msec) 이상 ◦ Irregularly irregular: narrow, wide QRS 상관 없이, a fib을 먼저 생각 ◦ APC 주의(순서대로) 1. Compensatory pause: 2배 2. Noncompensatory pause: 2배 이내 3. Interpolated: PP 사이에 4. Nonconducted → 예) APC with compensatory pause, interpolated APC, nonconducted APC 등
P & PR
◦ **Where is P-wave?**: 매우 중요!! ◦ AT (120–200), AFL (220–300), AFib (350–600) ◦ PP interval < RR interval: Complete AV block PP interval = RR interval: AV dissociation (isorhythmic) ◦ PP interval > RR interval: VT? ◦ LAE, RAE, BAE ◦ 1st degree AV block ◦ Short PR: pre-excitation

QRS

Axis

1. Normal: −10~100
2. LAFB: < -45, LPFB: $> +100$
3. Extreme Axis (No man's land)

Morphology

1. Q-wave
2. poor R progression
3. RBBB
4. LBBB
5. Delta-wave (!!)

Size

1. LVH criteria

Width

1. 120 msec
2. IVCD
   (interventricular conduction delay)

Rotation

1. Counterclockwise rotation
   (early transtion)
2. Clockwise Rotation
   (late transition)

T

ST

Concave, Convex, Depression, Brugada SD

T

Tall T wave, Nonspecitic ST-T wave changes

QT, U

QT interval

1. Normal
2. Corrected QT interval (QTc)
   - Bazett in 1920: $QTc = QT/(RR)^{1/2}$ (normal)
   - Kissin: Graph
3. Long QT SD
4. Short QT SD

U-wave

12 서맥

SSS

Sick sinus syndrome with sinus pause

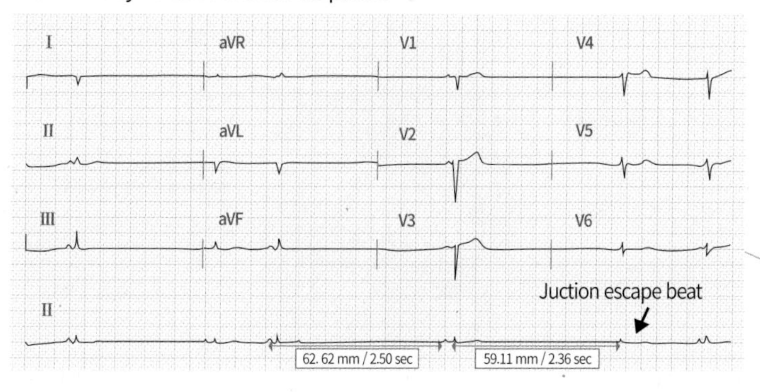

AV Block

Complete AV block

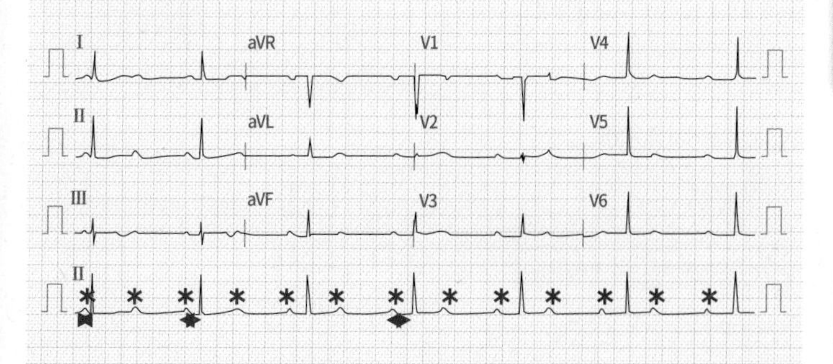

13 빈맥

Main mechanisms and typical electrocardiographic recordings of supra-ventricular tachycardia

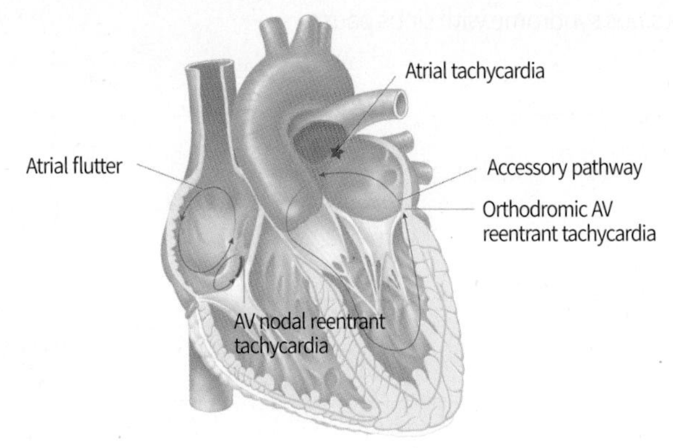

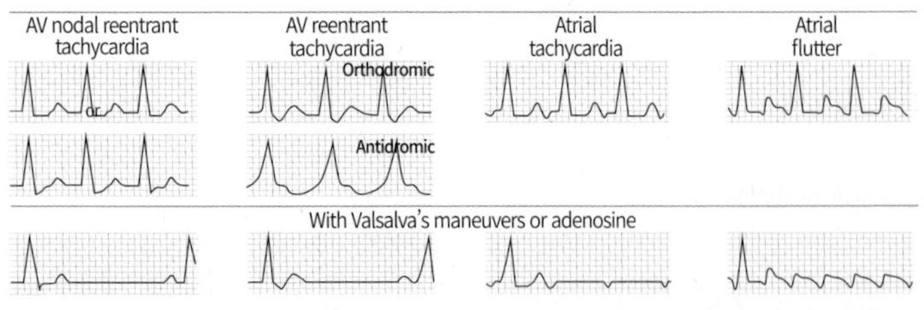

출처: Etienne Delacrétaz. N Engl J Med 2006;354:1039-51.

Typical atrial flutter

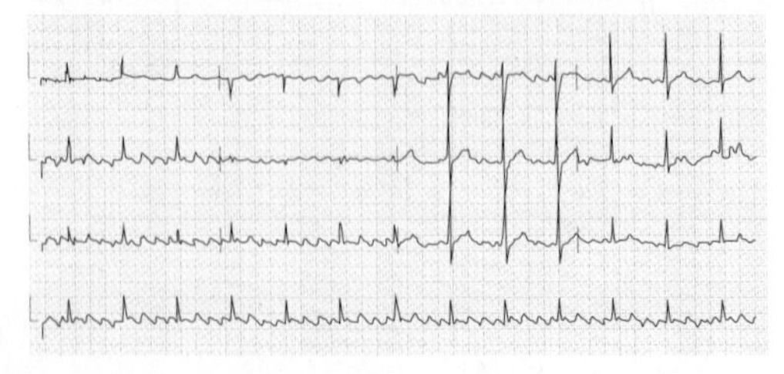

14 VT: QRS Morphology Criteria

- AV dissociation
- QRS width
  - → > 0.14s with RBBB configuration
  - → > 0.16s with LBBB configuration
- QRS axis
  - → Left axis deviation with RBBB morphology
  - → Extreme LAD (northwest axis) with LBBB morphology
- Concordance of QRS in precordial leads
- Morphologic patterns of the QRS complex
  - → RBBB: mono– or biphasix complex in V_1
    RS (only with left axis deviationj) or QS in V6

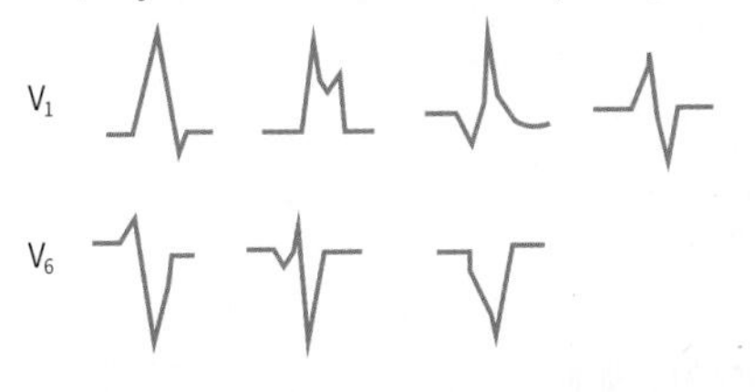

  - → LBBB: broad R wave in V_1 or $V_2 \geq 0.04s$
    onset of QRS to nadir of S wave in V_1 or V_2 of $\geq 0.07s$
    notched downslope of S wave in V_1 or V_2
    Q wave in V_6

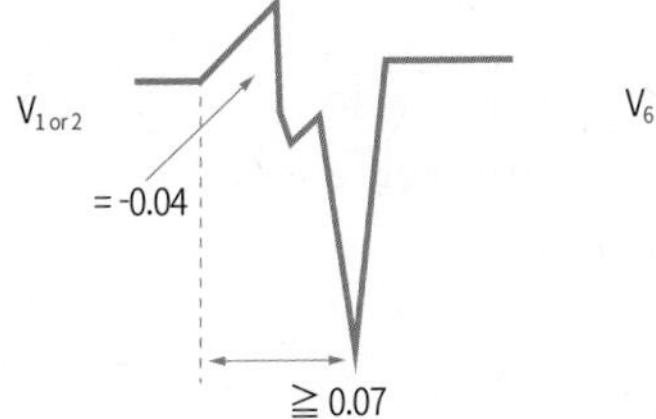

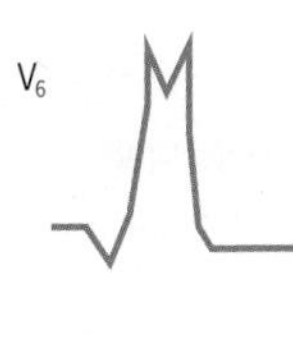

15 Atrial Fibrillation

1) 정의

AF pattern	Definition
Paroxysmal	7일 이내에 동율동으로 전환된 경우
Persistent	7일 이상 심방세동이 지속되는 경우
Long-standing persistent	심방 세동이 1년 이상 지속되는 경우
Permanent	심방 세동이 지속되고 리듬 조절 치료를 고려하지 않는 경우

2) 심방세동 치료 방침

(1) 혈압이 불안정하거나 심각한 관련 증상의 조절
(2) 관련 위험 요인(갑상선 기능항진증, 수술 후 상태) 교정
(3) 심방세동으로 인한 뇌졸중의 예방
(4) 박동수의 조절
(5) 증상 조절을 위한 리듬 조절

3) 뇌졸중 예방

표 CHA2DS2-VASc 점수 체계

	위험인자	점수
C	심부전(비후성 심근염 포함)	1
H	고혈압	1
A	연령: 75세 이상	2
D	당뇨병	1
S	뇌졸중, 일과성 허혈성 발작, 전신색전증의 과거력	2
V	혈관질환: 관상동맥질환, 말초동맥질환, 대동맥 죽상반의 과거력	1
A	연령: 65세 이상 75세 미만	1
Sc	여성	1
	총점	9

16 심방세동 환자의 뇌졸중 예방 지침

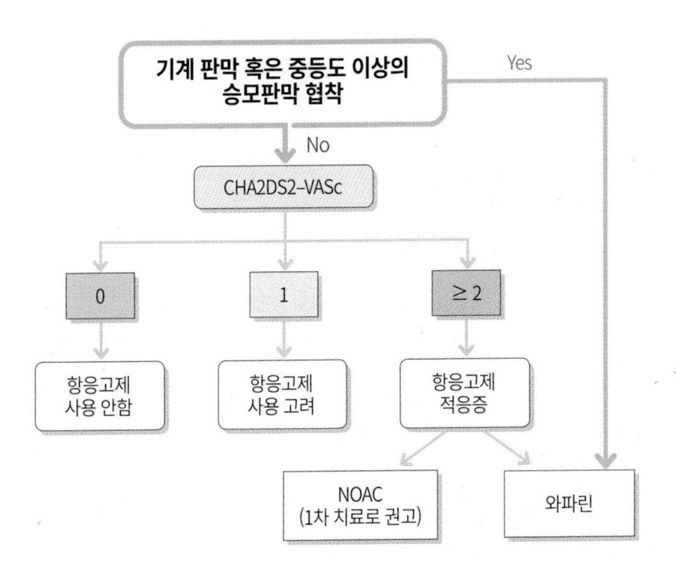

표 NOAC

	Dabigatran	Rivaroxaban	Apixaban	Edoxaban
용량	150 mg bid	20 mg qd	5 mg bid	60 mg qd
저용량	110 mg bid	15 mg qd	2.5 mg bid	30 mg qd
감량 기준	80세 이상 Verapamil 병용 시	CrCl 15–49 mL/min	다음 3가지 중 2가지 이상 • 80세 이상 • 60 kg 이하 • Cr 1.5 이상	CrCr 15–50 mL/min 60 kg 이하 Dronedarone 병용 시

VKA (Vit. K antagonist = Warfarin) → Optimal INR range: 2.0–3.0

17 심박수 조절

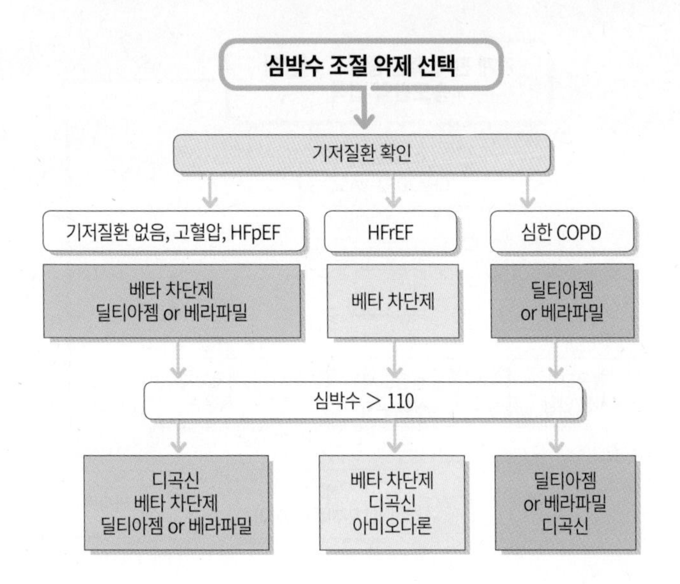
심박수 조절 약제 선택
기저질환 확인
기저질환 없음, 고혈압, HFpEF
HFrEF
심한 COPD
베타 차단제
딜티아젬 or 베라파밀
베타 차단제
딜티아젬
or 베라파밀
심박수 > 110
디곡신
베타 차단제
딜티아젬 or 베라파밀
베타 차단제
디곡신
아미오다론
딜티아젬
or 베라파밀
디곡신

18 리듬 조절

- 항부정맥제 치료
- 전기적 심장율동 전환
- 카테터 절제술

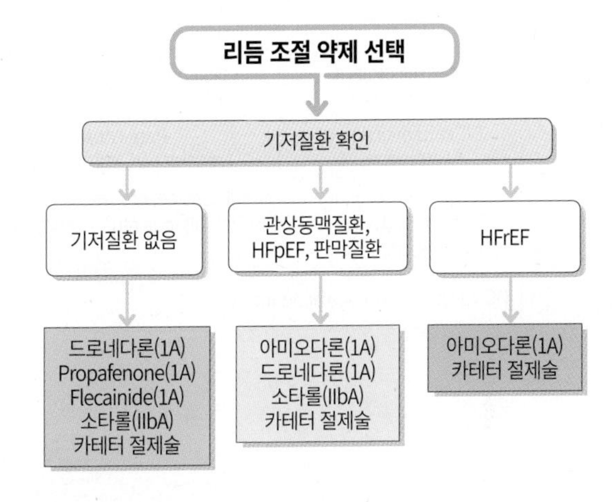

19 급성기 치료

- 혈역학적 불안정: DC cardioversion (48시간 경과 시 heparin 투여)
- 혈역학적 안정 시

	48시간 이내	48시간 이상 or unknown
		Anticoagulation +
Normal cardiac function	Pharmacological cardioversion	No cardioversion (delayed cardioversion or TEE strategy)
EF < 40% or HF	DC cardioversion or IV amiodarone	Rate control (consider DC cardioversion)
WPW with normal cardiac function	DC cardioversion or amiodarone, flecainide, propafenone, sotalol → RF ablation to prevent SCD (Class III-harmful: Adenosine, BB, CCB, digoxin)	
WPW with EF < 40% or HF	DC cardioversion or amiodarone	

20 수술 후 심방세동

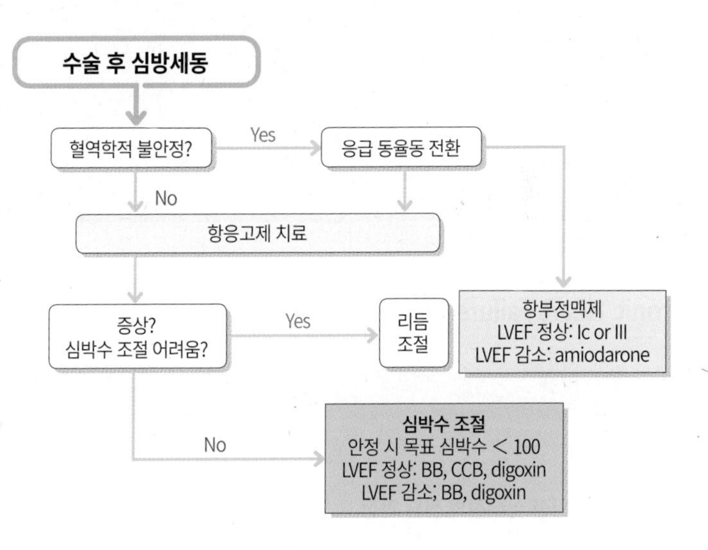

수술 후 심방세동
혈역학적 불안정?
Yes
응급 동율동 전환
No
항응고제 치료
증상?
심박수 조절 어려움?
Yes
리듬 조절
항부정맥제
LVEF 정상: Ic or III
LVEF 감소: amiodarone
No
심박수 조절
안정 시 목표 심박수 < 100
LVEF 정상: BB, CCB, digoxin
LVEF 감소; BB, digoxin

08 Heart Failure

Chronic Heart Failure

1 만성 심부전의 진단

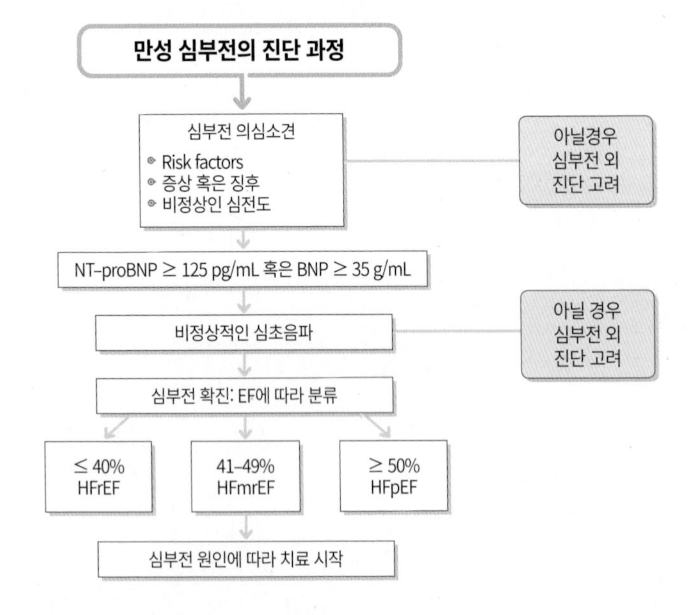

심부전의 Risk factors	
심근 경색의 과거력, 관상동맥질환 당뇨 과도한 음주 급사 및 심질환의 가족력	
심부전의 증상 혹은 징후	
전형적인 증상	비전형적인 증상
호흡곤란 좌위호흡(Orthopnea) 발작성 야간 호흡곤란 (Paroxysmal nocturnal dyspnea) 운동 능력저하 운동 후 회복지연 피로감 발목부종	야간 기침 천명 포만감, 식욕저하 착란 우울 두근거림 실신 Bendopnea
특이적 징후	비특이적 징후
경정맥압 상승 간 경정맥 확장 제3심음 심첨박동 전위	체중 증가(> 2 kg/주) 체중 감소 Cachexia 말초부종(발목, 천골, 음낭) 폐비빔소리 흉수 불규칙한 맥박 빈호흡(> 16회/분) Cheyne–Stokes respiration 간비대, 복수 차가운 말초 핍뇨 맥압차의 감소

NT-proBNP ≥ 125 pg/mL 혹은 BNP ≥ 35 g/mL
심장에 의한 NT-proBNP 상승
심부전
급성 심근경색
폐색전증
심근염
좌심실 비대
비후성 혹은 제한성 심근병
판막질환
선천성 심질환
심방 폭은 심실성 빈맥
타박상으로 인한 심장의 손상
심장율동전환, ICD shock
심장을 포함하는 외과적 수술
폐고혈압
심장 외 원인으로 인한 NT-proBNP 상승
고령
허혈성 뇌졸중
지주막하출혈
신기능 손상
간기능 손상(주로 복수가 동반된 간경화의 경우)
방종양성 증후군
만성 폐쇄성 폐질환
심각한 감염(폐렴과 패혈증 포함)
심각한 화상
빈혈
심각한 대사성 혹은 호르몬 이상(예. 갑상선중독증, 당뇨병성케톤산증)

Modified from 2021 ESC Guidelines for the diagnosis and treatment of acute and chronic heart failure.

2 만성 심부전의 원인에 대한 검사

원인	임상적 발현 및 검사
관상동맥질환	임상적 발현: MI, 협심증, 부정맥
	검사: 관상동맥 조영술, CT, Echo, 핵의학 검사, cardiac MRI
고혈압	임상적 발현: HFpEF, 불응성 고혈압, 급성 폐부종
	검사: 24hr ABPM, metanephrine/renin/aldosterone 측정, 신동맥 영상 검사
판막질환	검사: Echo(경식도, 운동/약물부하검사)
부정맥질환	검사: 활동심전도, 필요시 전기생리학 검사
심근병	임상적 발현: DCMP, HCMP, RCMP, ARVC, SCMP, 산욕성심근병, 독성심근병(술, cocaine, 철, 구리)
	검사: CMR, 유전자검사, right/left heart catheterization, 독극물검사, 간기능 검사
선천성 심질환	임상적 발현: 대혈관전위, shunt, 팔로씨징후, 엡스타인병
	검사: CMR
감염성 심질환	임상적 발현: 바이러스 심근염, Chaga's disease, HIV, 라임병
	검사: CMR, 심내막심근생검, 혈청학적 시험법
약물 유발성 심질환	임상적 발현: Antracycline, trastuzumab, VEGF inhibitors, immune check point inhibitor, proteosome inhibitor, RAF+MEK inhibitor
침윤성 심질환	임상적 발현: 아밀로이드증, 사르코이드증, 종양성검사: 혈청 전기영동, 혈청 내 free light chain, CMR, PET, 뼈스캔, 심내막심근생검
축적성 질환	임상적 발현: 혈색소증, 파브리병, 당원병
	검사: 철분검사, 유전자검사, 심내막심근생검, CMR (혈색소증: T2, 파브리병: T1), a-galactosidase A (파브리병)
심막 질환	검사: Chest CT
심근병	임상적 발현: 방사선치료, 심내막 섬유화증/호산구증, carcinoid
	검사: CMR, 심내막심근생검, 24시간 소변 5-HIAA

원인	임상적 발현 및 검사
대사성 질환	임상적 발현: 내분비질환, 영양결핍(vit B1, selenium), 자가 면역 질환
	검사: 갑상선검사, 혈청 metanephrines, renin, aldosterone, cortisol, 혈장 내 특정 영양소, ANA, ANCA, rheumatology review
신경근육성 질환	임상적 발현: 프리드라이히 실조, 근디스트로피
	검사: 신경전도검사, 신경근육검사, CK, 유전자검사

3 HFrEF 환자의 치료

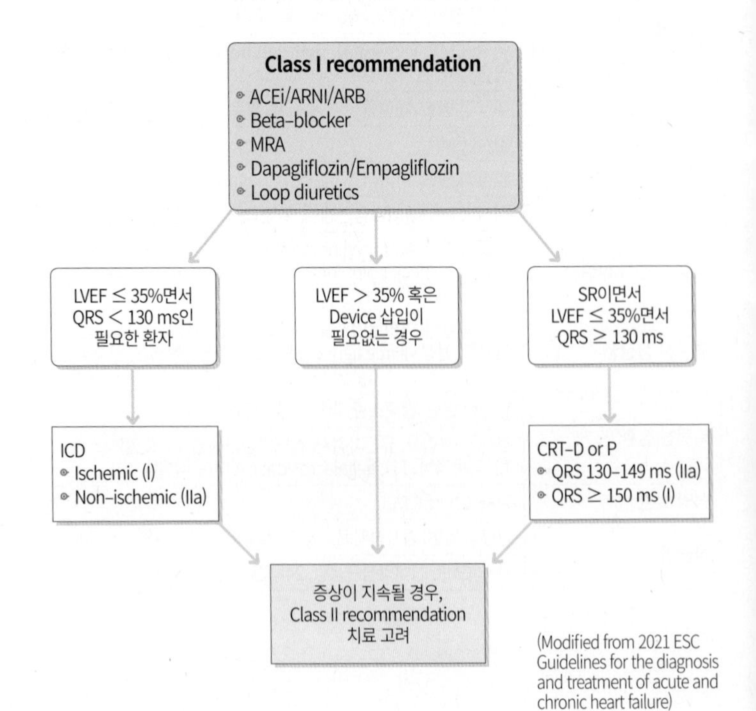

(Modified from 2021 ESC Guidelines for the diagnosis and treatment of acute and chronic heart failure)

4 HFrEF 환자에서의 약물치료

Class I

- HFrEF 환자에서 HF으로 인한 입원 및 사망을 줄이기 위해서는 ACEi, MRA, dapagliflozin 혹은 empagliflozin 사용을 권고한다.
- Stable HFrEF 환자에서 HF으로 인한 입원 및 사망을 줄이기 위해서는 beta blocker 사용을 권고한다.
- HFrEF 환자에서 HF으로 인한 입원 및 사망을 줄이기 위해서는 ACEi 대신 ARNI 사용을 권고한다.
- 울혈로 인한 증상 및 징후가 있는 HFrEF 환자에서 심부전 증상 완화, 운동능력의 개선, HF으로 인한 입원 및 사망을 줄이기 위해서는 루프이뇨제 사용을 권고한다.
- ACEi나 ARNI의 부작용으로 인해 약물 복용이 어려운 증상이 있는 HFrEF 환자에서는 HF으로 인한 입원 및 심혈관질환으로 인한 사망을 줄이기 위해서는 ARB 사용을 권고한다.
- 환자들은 beta blocker와 MRA도 함께 사용하길 권고한다.

Class IIa

- Beta blocker + ACEi 혹은 ARNI + MRA를 충분 용량 사용(혹은 부작용 없는 최대 용량) 했음에도 불구하고 LVEF이 35% 이하, 동율동, 안정 시 HR가 70회 이상인 환자에서는 HF으로 인한 입원 및 심혈관질환으로 인한 사망을 줄이기 위해서는 ivabradine 사용을 고려한다.
- Beta blocker에 부작용이 있거나 금기증이 있는 환자 중 증상이 있는 LVEF이 35% 이하, 동율동, 안정 시 HR가 70회 이상인 환자에서는 HF으로 인한 입원 및 심혈관질환으로 인한 사망을 줄이기 위해서는 ivabradine 사용을 고려한다. 환자들은 또한 ACEi 혹은 ARNI와 MRA를 함께 사용해야 한다.
- ACEi 혹은 ARNI 로 치료했음에도 불구하고 NYHA class III 이상인 LV dilatation이 있는 LVEF 45% 미만의 환자에서는 HF으로 인한 입원 및 사망을 줄이기 위해서는 hydralazine과 isosorbide ditrate 사용을 고려한다.

Class IIb

- ACEi 혹은 ARNI + beta blocker + MRA로 치료했음에도 불구하고 악화되는 심부전을 보이는 NYHA class III 이상의 환자에서 HF으로 인한 입원 및 심질환으로 인한 사망을 줄이기 위해서는 vericiguat 사용을 고려해 볼 수 있다.
- ACEi, ARB, ARNI에 부작용에 있거나 금기가 있는 증상이 있는 HFrEF 환자에서는 사망률을 줄이기 위해 hydralazine과 isosorbide dinitrate 사용을 고려해 볼 수 있다.
- ACEi 혹은 ARNI, beta blocker, MRA 사용에도 불구하고 동율동의 증상이 있는 HFrEF 환자에서 입원율을 줄이기 위해서는 digoxin 사용을 고려해 볼 수 있다.

Modified from 2021 ESC Guidelines for the diagnosis and treatment of acute and chronic heart failure.

5 만성 심부전에서의 치료 방침

1. 모든 환자에서 사망률을 낮추는 약제(모든 환자를 대상)		
ACEi/ARNI/ARB, BB, MRA, SGLT2i		Class I
2. HF로 인한 입원 및 사망률을 낮추는 약제 (Selected patients)		
울혈 조절	이뇨제	Class I
동율동	SR & LBBB ≥ 150 ms: CRT-P/D	Class I
	SR & LBBB 130-149 ms or nonLBBB ≥ 150 ms: CRT-P/D	Class I
	SR with HR > 70: Ivabradine	Class IIa
심박세동	항응고제	Class I
	Digoxin pulmonary vein isolation	Class IIa
CAOD	CABG	Class IIa
철결핍	Ferric carboxymaltose	Class IIa
대동맥 협착	SAVR or TAVI	Class I
승모판 역류	MVR or TEER (Transcatheter edge-to-edge repair)	Class IIa
ACEi/ARNI intolerance	ARB	Class I
3. 일부 진행형 심부전 환자을 위한 치료		
심장이식		Class I
BTT/BTC 목적의 LVAD, DT 목적의 LVAD		Class IIa
4. 모든 환자에서 HF로 인한 입원 감소 및 삶의 질 개선		
운동재활치료, 다학제적 접근을 통한 치료		Class I

Modified from 2021 ESC Guidelines for the diagnosis and treatment of acute and chronic heart failure.

6 심부전 진행을 막는 약제

	Starting dose	Target dose
ACEi		
Captopril	6.25 mg TID	50 mg TID
Enalapril	2.5 mg BID	10–20 mg BID
Lisinopril	2.5–5 mg QD	20–35 mg QD
Ramipril	2.5 mg BID	5 mg BID
Trandolapril	0.5 mg QD	4 mg QD
ARNI		
Sacubitril/Valsartan	49/51 mg BID	97/103 mg BID
Beta-blockers		
Bisoprolol	1.25 mg QD	10 mg QD
Carvedilol	3.125 mg BID	25 mg BID
Metoprolol succinate (CR/XL)	12.5–25 mg QD	200 mg QD
Nebivolol	1.25 mg QD	10mg QD
MRA		
Eplerenone	25 mg QD	50 mg QD
Spironolactone	25 mg QD	50 mg QD
SGLT2 inhibitor		
Dapagliflozin	10 mg QD	10 mg QD
Empagliflozin	10 mg QD	10 mg QD
Other agents		
Candesartan	4 mg QD	32mg QD
Losartan	50 mg QD	150 mg QD
Valsartan	40 mg BID	160 mg BID
Ivabradine	5 mg BID	7.5 mg BID
Vericiguat	2.5 mg QD	10 mg QD
Digoxin	62.5 μg QD	250 μg QD
Hydralazine/ Isosorbide dinitrate	37.5/20 mg TID	75/40mg TID

출처: 2021 ESC Guidelines for the diagnosis and treatment of acute and chronic heart failure.

7 중증 심부전

1) 심각하고 지속적인 심부전의 증상(심한 NYHA class III 혹은 IV)

2) 아래와 같은 심각한 심기능 저하 소견

- LVEF ≤ 30%
- 우심실 부전만 단독으로 있는 경우(예: ARVC)
- 수술이 불가능한 심각한 판막 질환
- 수술이 불가능한 심각한 선천성 질환
- 지속적으로 높은 BNP 혹은 NT-proBNP와 함께 중증 이완기 심부전 혹은 구조적이상이 있는 경우

3) 폐부종 혹은 전신부종로 고용량의 이뇨제 혹은 여러 이뇨제의 조합을 필요로 하는 사건의 반복

- 심기능 저하로 혈관수축제를 요하는 사건의 반복
- 부정맥으로 인해 연간 2회 이상의 예상치 못한 응급 상황 혹은
- 입원을 요하는 경우

4) 심질환으로 인해

- 심각한 운동 저하로 운동이 불가능한 경우
- 6 MWT에서 300 m 미만 걷거나 $pVO_2 < 12$ mL/kg/min 혹은 예상치의 50% 미만인 경우

8 중증 심부전의 치료

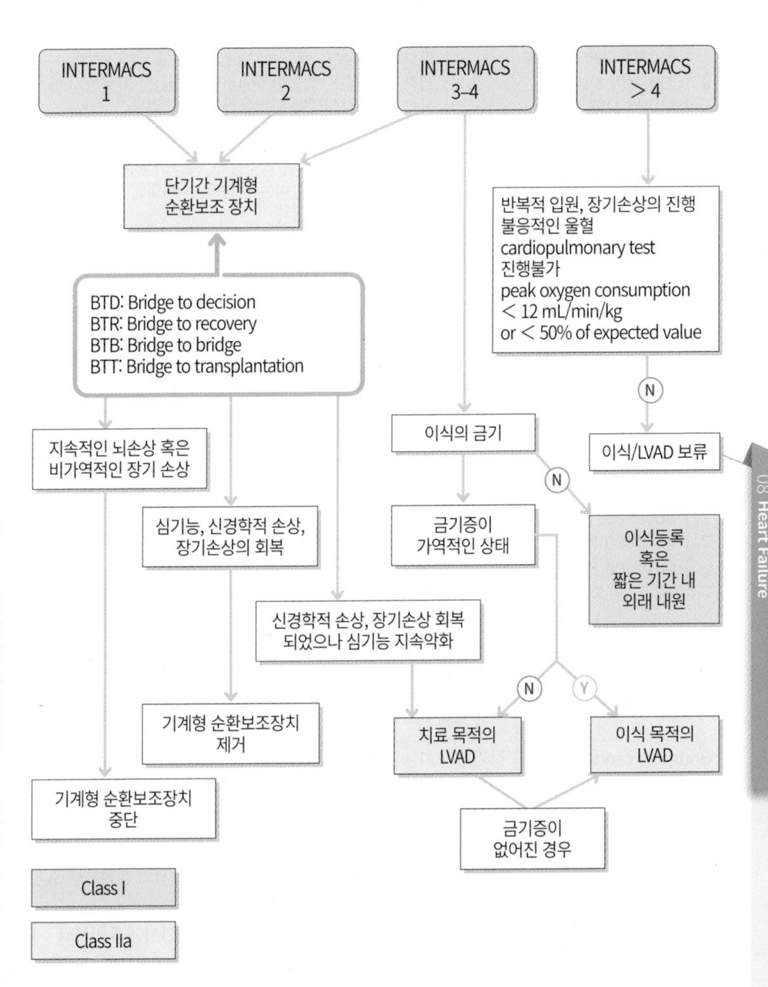
INTERMACS 1
INTERMACS 2
INTERMACS 3-4
INTERMACS > 4
단기간 기계형 순환보조 장치
BTD: Bridge to decision
BTR: Bridge to recovery
BTB: Bridge to bridge
BTT: Bridge to transplantation
반복적 입원, 장기손상의 진행
불응적인 울혈
cardiopulmonary test 진행불가
peak oxygen consumption < 12 mL/min/kg or < 50% of expected value
N
이식/LVAD 보류
이식의 금기
N
이식등록 혹은 짧은 기간 내 외래 내원
금기증이 가역적인 상태
지속적인 뇌손상 혹은 비가역적인 장기 손상
심기능, 신경학적 손상, 장기손상의 회복
신경학적 손상, 장기손상 회복 되었으나 심기능 지속악화
N
Y
치료 목적의 LVAD
이식 목적의 LVAD
기계형 순환보조장치 제거
기계형 순환보조장치 중단
금기증이 없어진 경우
Class I
Class IIa

INTERMACS profile		
1	Critical cardiogenic shock 심각한 심인성 쇼크 상태	생명에 지장을 줄 수 있는 저혈압 상태로 강심제 용량 증가, 장기 저관류, 산증 및 lactate 상승 소견
2	Progressive decline 지속적인 하락세를 보이는 상태	강심제 사용에도 불구하고 악화 소견을 보여 신기능 저하, 영양실조, 적합한 volume status를 회복하지 못하는 경우. 강심제에 부작용을 보이는 경우
3	Stable on inotrope or inotrope-dependent 강심제에 의존적인 상태	강심제 투여 and/or 임시 기계형 순환 상치로 안정적으로 혈압, 장기 기능, 영양상태, 증상이 유지되는 상태이나 장치나 약물 없이는 증상 있는 저혈압 혹은 신기능 저하를 보이는 상태
4	Frequent flyer 입퇴원을 반복하는 상태	일상생활이나 안정시 울혈로 인한 증상이 있으며 고용량의 이뇨제를 필요로 하는 경우
5	Housebound 실내에 국한된 상태	안정 시에는 증상이 없으나 이외의 활동에는 제한적으로 실내 생활만 하는 경우로 신기능 저하와 동반된 저류가 있는 경우. 영양 상태나 장기 기능이 간당간당하다면 4의 경우보다 더 위험할 수 있는 경우
6	Exertion limited 활동에 제한적인 상태	저류의 증거없이 짧은 실외 활동이 가능하나 쉽게 지치는 상태로 심기능의 악화 정도를 평가하기 위해 peak oxygen consumption 등의 면밀한 평가가 필요한 경우
7	Advanced NYHA class III symptoms 안정적이나 제한있는 상태	현재는 volume이 안정적으로 약한 강도의 활동 정도만 가능한 경우

기계형 순환보조 장치(MCS)의 적응증	
Bridge to decision/ bridge (BTD/BTB)	◉ 심인성 쇼크가 동반된 환자에서 혈류학적 혹은 장기로의 관류가 안정화될 때까지 단기형 MCS 사용 ◉ 장기형 MCS 의 금기증이나 VAD나 심장이식을 위한 추가 평가가 가능
Bridge to candidacy (BTC)	장기들의 기능 호전 and/or 심장이식에 적합한 상태로 환자의 전반적 조건을 호전시키기 위해 MCS 사용(주로 LVAD)
Bridge to transplantation (BTT)	이식 전까지 사망의 위험성이 높은 환자를 살리기 위해 MCS 사용(LVAD, BiVAD, 인공심장)
Bridge to recovery (BTR)	MCS를 제거하기 전까지 (장기 혹은 단기형) 환자의 심기능을 호전시키 위해 MCS 사용
Destination therapy (DT)	장기형 MCS 통해 이식이 불가능 말기 심부전 환자에게 이식되는 MCS를 사용(LVAD)

Modified from 2021 ESC Guidelines for the diagnosis and treatment of acute and chronic heart failure.

이식의 금기
1. 지속되는 감염
2. 심각한 말초동맥 혹은 뇌혈관 질환
3. 약물학적으로 치료 불가능한 폐고혈압: Pulmonary vascular resistance 호전을 위해 LVAD를 고려, 추후 이식 여부를 판단해 볼 수 있음
4. 불량한 예후가 예상되는 악성 종양: 혈액종양내과와 협의 진료를 통해 면역억제제 사용으로 악성 종양의 진행 혹은 재발의 위험도를 평가해야 함
5. 회복불가능한 간기능 저하(간경화), 신기능 저하(CCr < 30 mL/min/1.73 m^2): 심장-간, 심장-신장 동시 이식을 고려해 볼 수 있음
6. 다발적으로 장기를 포함한 systemic disease
7. 불량한 예후가 예상되는 이외의 심각한 질환
8. 이식 전 BMI > 35 kg/m^2: 이식 전 체중 감량을 통해 BMI를 35 미만으로 조절하는 것을 권장함
9. 현재 약물 혹은 술 남용
10. 지속적인 추적 관찰과 이식 후 철저한 약물 치료에 문제가 될 수 있는 정신적으로 온전하지 못한 상태
11. 외래로 지속 추적 관찰을 유지하기에 충분한 사회적 support가 없는 경우

Modified from 2021 ESC Guidelines for the diagnosis and treatment of acute and chronic heart failure.

9 HFpEF의 정의

1) 심부전의 증상과 징후가 있는 경우

2) LVEF ≥ 50%

3) 객관적인 심장의 구조적 and/or 기능적 이상으로 좌심실의 이완기능 이상 혹은 LV filling pressire의 증가와 동반된 BNP 혹은 NT-proBNP의 상승 있는 경우

10 HFpEF 환자에서의 약물치료

Class I

- HFpEF 환자에서 심장 혹은 심장 외 동반된 질환에 대한 선별검사 및 치료를 권고한다.
- 울혈이 동반된 HFpEF 환자에서 증상 및 징후의 완화를 위해서는 이뇨제 사용을 권고한다.

11 심부전에서 좌심실 이완기능 지표 및 의미

	기준	비고
LV mass index	≥ 95 g/m² 여자 ≥ 115 g/m² 남자	Concentric LV remodelling이나 hypertrophy가 이완기능 부전을 시사하기는 하나 없다고 하여 HFpEF가 없는 것은 아님
Relative wall thickness	> 0.42	
LA volume index	> 34 mL/m² (SR) > 40 mL/m² (AF)	심방세동이나 판막 질환이 없는 경우, 좌심방비대는 LV filling pressure의 만성적인 elevation을 시사함
E/e' ratio at rest	> 9	Exercise testing에서 민감도 78%, 특이도 59%
NT-proBNP	> 125 pg/mL (SR) > 365 pg/mL (AF)	Invasive study를 통해 진단된 HFpEF 환자의 20%에서 BNP 혹은 NT-proBNP은 정상 범위, 특이 비만인 환자의 경우
BNP	> 35 pg/mL (SR) > 105 pg/mL (AF)	
PA systolic pressure	> 35 mmHG	Invasice exercise testing에서 민감도 54%, 특이도 85%
TR velocity at rest	> 2.8 m/s	

Acute Heart Failure

12 새로 진단된 급성 심부전의 진단과정

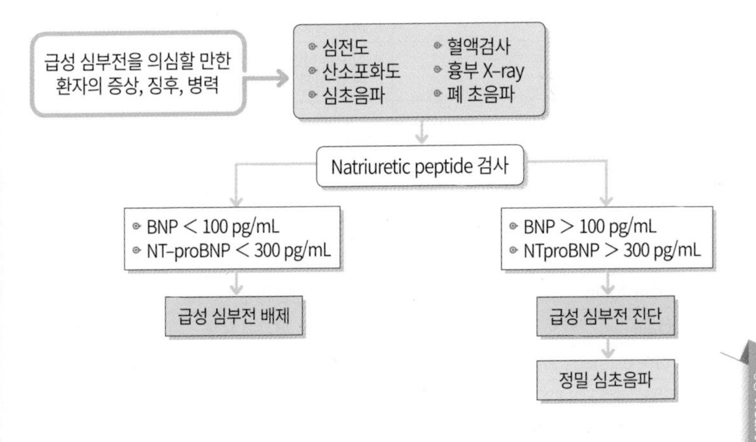

13 급성 심부전의 진단

혈액검사	
1. Natriuretic peptides: BNP, NT-proBNP	◦ 음성 예측도가 높음 ◦ 울혈 정도에 대한 반영
2. Serum troponin	◦ 심근손상에 대한 평가 ◦ 급성 심근 경색 배제
3. Serum creatinine	
4. Serum electrolyte	
5. Transferrin, ferritin	
6. TSH	갑상선 기능 항진/저하증에 대한 평가 가능
7. D-dimer	폐색전증 배제
8. Procalcitonin	Infection 진단 가능
9. Lactate	관류의 정도 평가에 유용
10. Pulse oximetry and ABGA	호흡부전 평가에 유용

Modified from 2021 ESC Guidelines for the diagnosis and treatment of acute and chronic heart failure.

14 급성 심부전의 치료

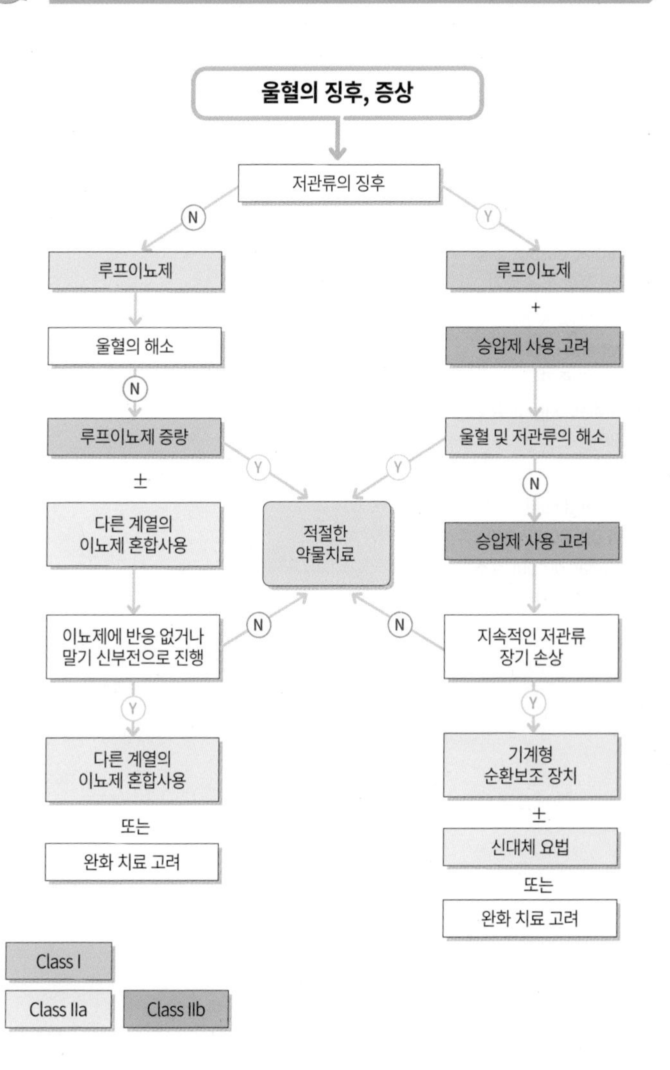
울혈의 징후, 증상
저관류의 징후
N
Y
루프이뇨제
루프이뇨제
+
울혈의 해소
승압제 사용 고려
N
루프이뇨제 증량
울혈 및 저관류의 해소
Y
Y
±
N
다른 계열의
이뇨제 혼합사용
적절한
약물치료
승압제 사용 고려
이뇨제에 반응 없거나
말기 신부전으로 진행
N
N
지속적인 저관류
장기 손상
Y
Y
다른 계열의
이뇨제 혼합사용
기계형
순환보조 장치
±
또는
신대체 요법
완화 치료 고려
또는
완화 치료 고려
Class I
Class IIa
Class IIb

저관류의 징후
1. 급성 비대상성 심부전 ◉ Wet and warm/cold ◉ LVEDP, PCWP 증가 ◉ Cardiac output 정상 혹은 감소 ◉ SBP 정상 혹은 감소
2. 급성 폐부종 ◉ Wet and warm ◉ LVEDP, PCWP 증가 ◉ Cardiac output 정상 ◉ SBP 정상 혹은 증가
3. 단독 우심실 부전 ◉ Wet and cold ◉ RVEDP 증가 ◉ Cardiac output 감소 ◉ SBP 감소
4. 심인성 쇼크 ◉ Wet and cold ◉ LVEDP, PCWP 증가 ◉ Cardiac output 감소 ◉ SBP 감소

Modified from 2021 ESC Guidelines for the diagnosis and treatment of acute and chronic heart failure.

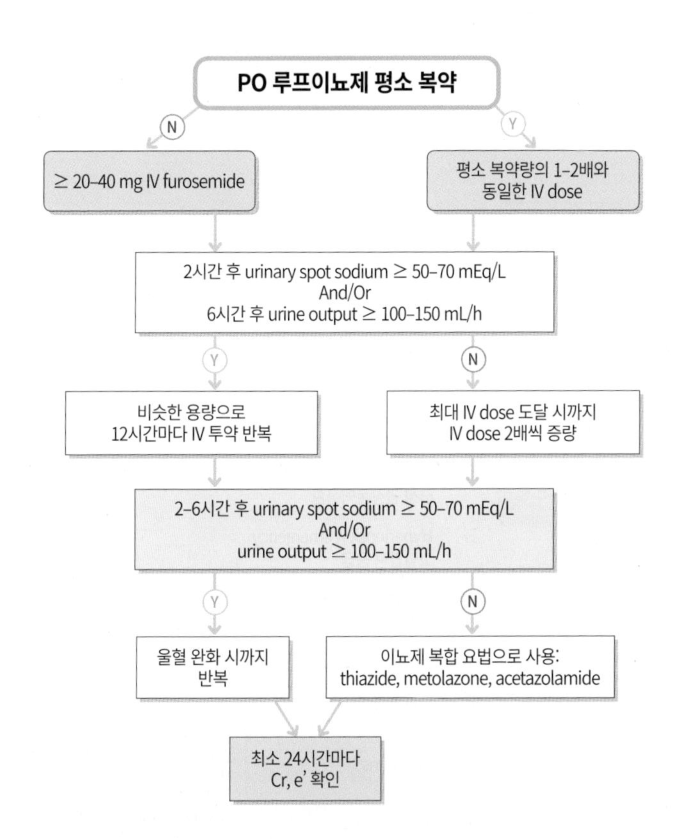

강심제의 사용	
Dobutamine	2–20 ug/kg/min (beta+)
Dopamine	1) 3–5 ug/kg/min: inotropic (beta+) 2) > 5 ug/kg/min: inotropic (beta+) vasopressor (alpha+)
Milrinone	0.375–0.75 ug/kg/min
Norepinephrine	0.2–1 ug/kg/min
Epinephrine	0.05–0.5 ug/kg/min

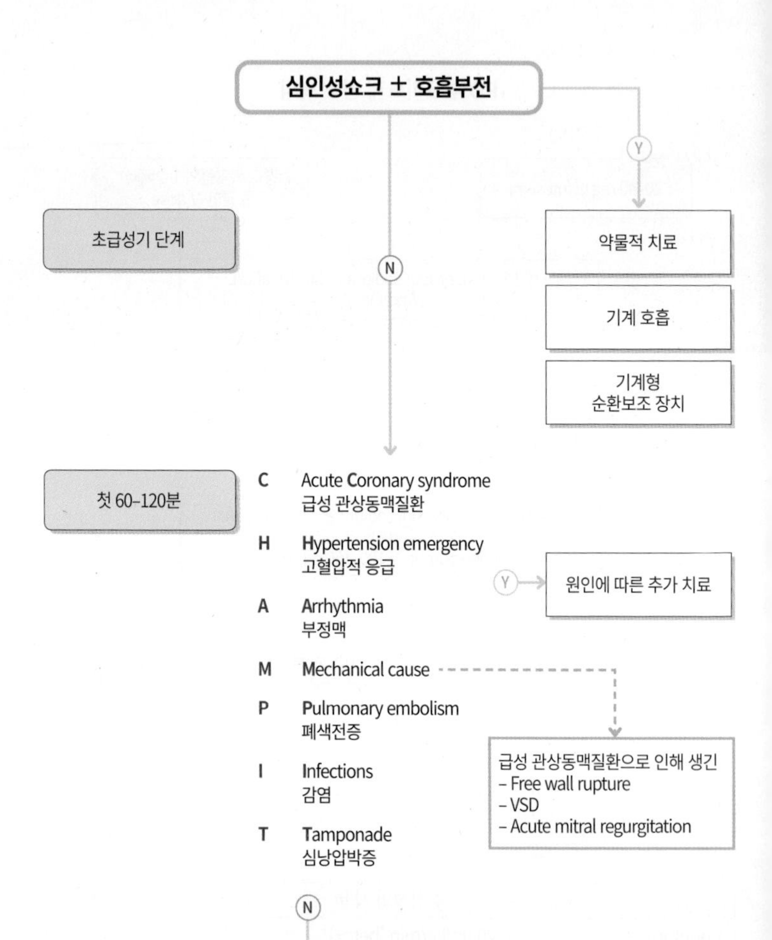
심인성쇼크 ± 호흡부전
Y
N
초급성기 단계
약물적 치료
기계 호흡
기계형
순환보조 장치
첫 60-120분
C Acute Coronary syndrome
급성 관상동맥질환
H Hypertension emergency
고혈압적 응급
A Arrhythmia
부정맥
M Mechanical cause
P Pulmonary embolism
폐색전증
I Infections
감염
T Tamponade
심낭압박증
Y
원인에 따른 추가 치료
급성 관상동맥질환으로 인해 생긴
- Free wall rupture
- VSD
- Acute mitral regurgitation
N
추가 치료

09 Heart Transplantation and LVAD

Heart Transplantation

1 심장 이식 후 약물치료

처방 code	처방명	제품명(회사)	투여 시간	채혈	비고
TACB2 TACB5 TACB	Tacrolimus 0.25 mg 0.5 mg 1 mg	타크로벨캡슐 (종근당)	10A/ 10P	7AM	POD3 0.5 mg Q12으로 시작 Drug level 보면서 용량 조절
TACRO5 TACRO	Tacrolimus 0.5 mg 1 mg	프로그랍캡슐 (한국아스텔라스)	10A/ 10P	7AM	
ADVA ADVA1 ADVA5	Tacrolimus 0.5 mg 1 mg 5 mg	아드바그랍 서방캡슐 (한국아스텔라스)	10A	7AM	-
SAND SAND10	Cyclosporine 25 mg 100 mg	산디문뉴오랄 연질캅셀 (노바티스)	10A	7AM	50 mg Q12로 복용 시작 Drug level 보면서 용량 조정
MCOP	Mycophenolate mofetil 250 mg	셀셉트캅셀 (한국로슈)	10A/ 10P	7AM	Drug level보다 CBC보며 titration

처방 code	처방명	제품명(회사)	투여 시간	채혈	비고
MYREPT	Mycophenolate mofetil 500 mg	마이렙트 정 (종근당)	10A/ 10P	7AM	LFT가 정상이면 Pd 20 mg/day까지 감량되기 전 MMF 복용 시작
EVER EVER5 EVER7 EVERO1	Everolimus 0.25 mg 0.5 mg 0.75 mg 1 mg	써티칸정 (한국노바티스)	10A/ 10P	7AM	Post op 1 month부터 복용 시작이 가능 CNI와 overlap 0.5 mg or 0.75 mg Q12 시작 Drug level 보면서 용량 조정
MCOP-S	Mycophenolate mofetil 200 mg/mL	셀셉트 현탁용 분말 (한국로슈)	10A/ 10P	7AM	조제 후 2개월
XTACRO	Tacrolimus 5 mg	프로그랍주 (한국아스텔라스)	10A/ 10P	7AM	Dilution 0.004-0.02mg/mL 조제 후 24시간

처방 code	처방명	제품명(회사)	투여방법	비고
ST	SMX TMP 400mg/80mg	셉트린 정	1T QD	수술 후 1년까지 복용 LFT 주의깊게 관찰 투석하는 환자인 경우에는 Bactrim 1T EOD 처방
NYST-S	NYSTATINE SYRUP 5CC	피엠에스 니스타틴 시럽	QID swish and swallow	Pd 5 mg까지 tapering되면 stop Mix 후 하루 이상 사용금지 → 감염 우려
ITZ	Itraconazole 100 mg or 200 mg	스포락녹스캅셀	9AM /7PM	High risk 환자들에게 사용: 이식 전 ECMO, VAD 적용 환자 이식 후 2개월까지 처방

출처: SMC Heart Transplantation Routine Protocol

2 급성 거부반응의 치료

Steroid pulse therapy (Acute cellular rejection)
◦ mPD 1000 mg + 5 DW 100 cc IV over 1hr for 3 days ◦ Pd 1 mg/kg #2로 3일마다 daily 5 mg tapering 2주 뒤 OPD f/u
Rituximab therapy (Acute humoral rejection)
◦ XRITUX 500 mg (맙테라) 처방 ◦ 전처치 ① PO Acetaminophen 650 mg → Rituximab 투여 30분 전 ② Chlorpheniramine 1A + 5DW 50 cc IV → Rituximab 투여 전 ◦ Rituximab 375 mg/m^2 + N/S 500 cc mix → 50 mg/hr로 시작 → 30분 간격, 50mg/hr씩 증량, 200 mg/hr까지 → 2nd cycle부터는 100 mg/hr로 시작 30분 간격으로 50 mg/hr씩 증량, 300 mg/hr까지 ◦ 1주 간격으로 total 4회 투여
Plasmapheresis (Acute humoral rejection)
◦ 진단검사의학과에 협진 의뢰 ◦ 중환자실에서 시행 ◦ Large bore cannula (IJ) 준비

3 Heart Biopsy Schedule

2주 → 4주 → 8주 → 12주(3개월) → 18주 → 24주(6개월) → 36주(9개월) → 12개월

1) Routine biopsy 간격이 1달 넘게 벌어지면 biopsy 단기 입원 후 4–6주 뒤 외래 방문하여 routine lab 및 면역억제제 level 등 확인한다.

- 입원 시 약물 농도나 lab에 이상 있는 경우, 약물 조정 후 2주 뒤 외래 재방문

2) 조직 검사 결과에 따라 면역억제제 사용 후 조직검사 일정은 추가될 수 있다.

3) 4주째(Biopsy #2) 때는 이식받은 heart의 coronary artery 상태를 CAG로 확인한다.

- 회복이 빠르고 renal function 양호한 경우, 2주째에 시행할 수도 있다.

※ LV & RV dysfunction이 의심되면 C4d와 CD68을 함께 검사
※ 조직검사 기간과 일정은 환자 상태에 따라 변경될 수 있음

LVAD

LVAD Indications

말기심부전 진단에 합당하고 심장이식 또는 VAD의 도움 없이 생명유지가 어렵다고 판단되는 심한 증상을 동반한 환자

말기심부전의 criteria

① NYHA III–IV
② EF < 25%
③ Inotropics dependency
④ Peak oxygen consumption (Vo2) < 14 mL/kg/min 또는 연령, 성별, BSA 고려 시 기대치의 < 50%
⑤ Hemodynamic criteria
Inotropics 사용에도 불구하고 CI < 2.1 L/min/m^2

Advanced HF
EF < 25%
Optimal medical management
CRT if QRS > 120 msec

↓

Heart transpalnt/LVAD Evaluation

- Eligible for transplant, donor available → Heart transplant
- Eligible for transplant, donor not available → LVAD as a bridge To Transplant
- **Not eligible for transplant**
  - Too old
  - High BMI
  - High PVR
  - Recent malignancy
  - HIV
  - Renal Insufficiency
  - Hepatic insufficiency

  → Consider LVAD

2 LVAD Candidate Overview

1. 심부전 말기인가?
2. Mechanical circulatory support가 필요한가?
3. INTERMACS classification?
4. Bridge to transplantation or destination therapy?

① Cardiomyopathy etiology – Ischemic, Non–ischemic, Other
② NYHA Class ( )
③ INTERMACS ( )
④ Low cardiac output syndrome +/–
⑤ Right ventricular enlargement,
RVSP ( ), Tricuspid valve regurgitation Gr ( )
⑥ Pulmonary hypertension, PCWP ( )
⑦ LVEF ( )%, LVESD/LVEDD (/)mm,
⑧ Aortic valve regurgitation Gr ( )
⑨ MvO2 ( ), state of inotropic dependence (If possible)
⑩ Cardiorenal syndrome
⑪ Congestive hepatopathy
⑫ Transplant evaluation, current status ( )

INTERMACS classification		
Level	Definition	Description
1	Critical cardiogenic shock	"Crash and burn"
2	Progressive decline	"Sliding fast"
3	Stable but inotrope dependent	Stable but dependent
4	Recurrent advanced HF	"Frequent flyer"
5	Exertion intolerant	"Housebound"
6	Exertion limited	"Walking wounded"
7	Advanced NYHA class III	Advanced NYHA class III

ABSOLUTE CONTRAINIDICATION

1. 병적 상태로 인해 기대여명이 2년보다 적거나 암으로 인해 기대여명이 5년이내인 경우
2. 회복불가능한 신기능 또는 간기능의 저하
3. 심한 COPD
4. 다장기부전 상태
5. Anticoagulation 유지가 어려운 경우

3 LVAD Parameters

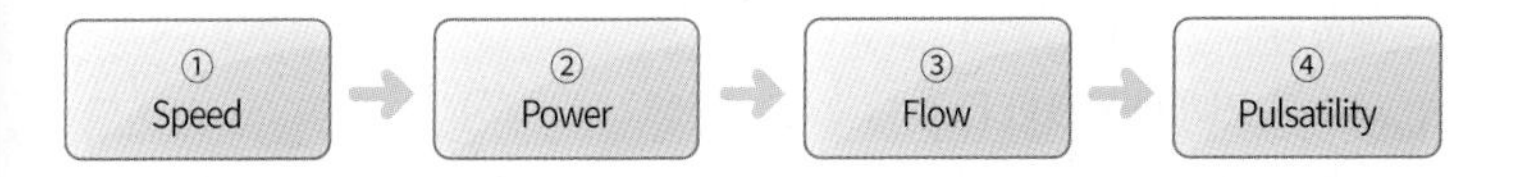

HVAD

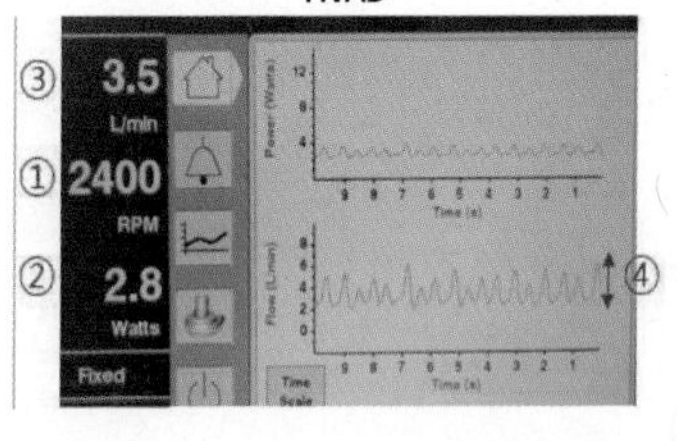

HeartMate

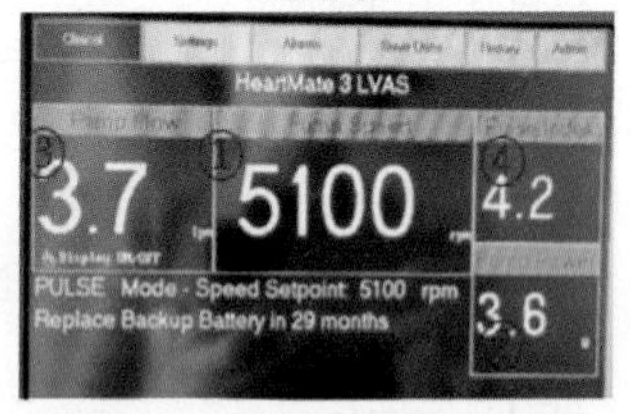

① Speed: Rotor의 회전속도, 유일하게 setting 가능한 값

② Power:
- Rotor의 회전에 필요한 전력 소모량
- Speed가 높아질수록 높아짐

③ Flow: Rotor의 speed와 pump의 전후 압력 차이로 계산된 값

④ Pulsatility:
- Native heart의 contractility
- Speed를 증가시키면 LV unloading에 의해 pulsatility는 줄어듦

4 LVAD 부작용

1) 출혈

2) 감염

- Lead가 삽입된 피부쪽 감염
- 기계 외부의 감염
- 혈액과 접촉하는 기계 부위의 감염 = Device endocarditis
- 감염성 심내막염
- 혈류 내 감염
- 종격동염
- 패혈증
- 국소적, 기계와 무관한 감염

3) 신경학적 이상

- Type 1: 급성, 증상이 있는 뇌 혹은 척수의 손상
- Type 2: 급성, 증상이 없는 뇌 혹은 척수의 손상
  – 신경학 영상검사로 확인
- Type 3: 중추신경계 손상 없는 신경학적 이상

4) 기계 오작동(Device malfunction)

- Major device malfuction
  → 사망, 입원, 생명에 지장을 주는 상황
  → 중대한 장애 혹은 기능 이상을 유발하는 경우
  → 장애 혹은 손상을 방지하게 위해 시술을 요하는 경우
- Minor device malfuction

5) 용혈: Major vs. minor

6) 우심부전: Early acute, early post-implant, late

7) 신부전: Acute, chronic

8) 기타

- 부정맥
- 호흡부전
- 정맥혈전
- 창상열개
- 중추신경계가 아닌 동맥혈전증
- 간부전
- 고혈압
- 정신과적 문제

10 Vascular Disease

-혈관 질환 Work up & Management

1 말초동맥질환

표 말초동맥질환의 단계: Fontaine 분류와 Rutherford 분류법

Fontaine		Rutherford		
단계	임상소견	단계	분류	임상소견
I	무증상	0	0	무증상
IIa	경미한 파행	I	1	경미한 파행
IIb	중증도 이상의 파행	I	2	중증도 파행
		I	3	심한 파행
III	휴식기 통증	II	4	휴식기 통증
IV	궤양, 괴저	III	5	경미한 조직 손실
		III	6	심한 조직 손실

표 하지 궤양의 감별 진단

분류	위치	동통	출혈	병변 특징	염증	동반 소견
허혈성	원위, 발, 발가락 등	중증, 특히 야간. 다리를 내리면 해소	약간 또는 없음	불규칙한 가장 자리, 육아 조직X	(–)	만성허혈의 영양성 변화, 맥박 소실
정맥 저류성	하지의 하단 1/3 (각반 부위)	경증, 다리를 높이면 해소	정맥 삼출성 출혈	얕고 불규칙, 육아조직+, 둥근 가장자리	(+)	저류성 피부염
신경성	압박종이나 압박부위 하부	없음	없음	깊은 동의 천공흔	(+)	신경병변 동반

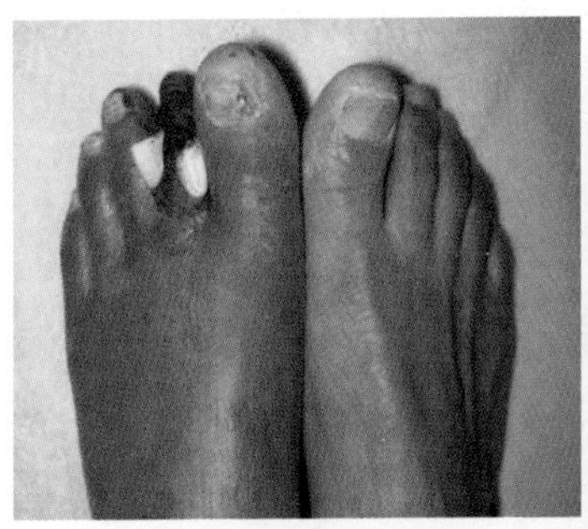

허혈성 궤양

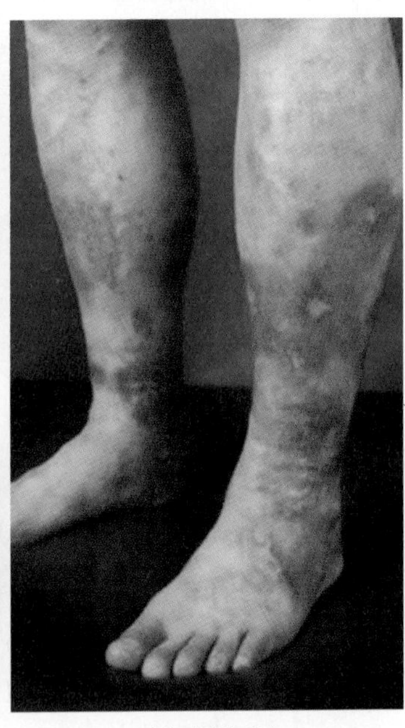

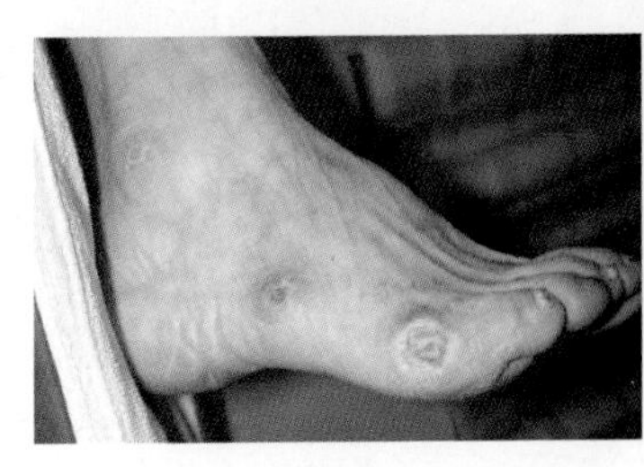

신경성 궤양

정맥 저류성 궤양

그림 전신 혈관 신체검진

Pulse	Carotid	Brachial	Radial	Ulnar (Allen test)	Femoral	Popliteal	DPA	PTA
Rt	□ – □ + □ ++	□ – □ + □ ++	□ – □ + □ ++	□ – □ +	□ – □ + □ ++	□ – □ + □ ++	□ – □ + □ ++	□ – □ + □ ++
Lt	□ – □ + □ ++	□ – □ + □ ++	□ – □ + □ ++	□ – □ +	□ – □ + □ ++	□ – □ + □ ++	□ – □ + □ ++	□ – □ + □ ++
Bruit	**Carotid**	**Supra Clavicular**	**Infra Clavicular**	**Epigastric**	**Supra renal**	**Infra renal**	**Iliac**	**Femoral**
Rt	□ – □ + □ ++	□ – □ + □ ++	□ – □ + □ ++	□ – □ + □ ++	□ – □ + □ ++	□ – □ + □ ++	□ – □ + □ ++	□ – □ + □ ++
Lt	□ – □ + □ ++	□ – □ + □ ++	□ – □ + □ ++	□ – □ + □ ++	□ – □ + □ ++	□ – □ + □ ++	□ – □ + □ ++	□ – □ + □ ++

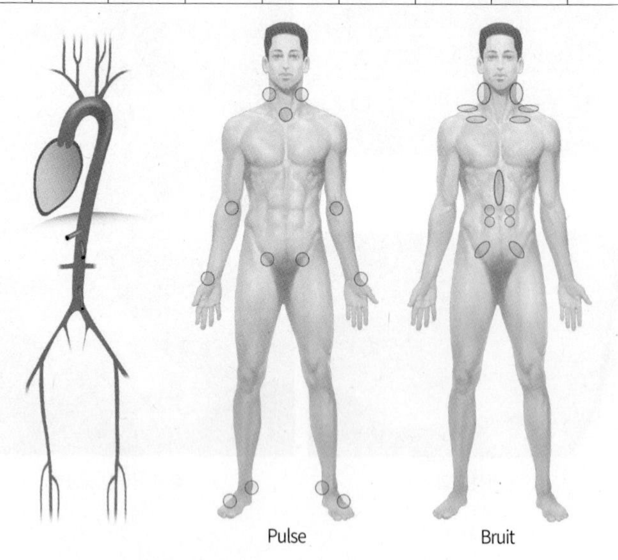

전신 혈관을 신체검진을 하는 데는 1분이 안 걸린다.

True BP가 어디인지 결정한다.

그림 Ankle-Brachial Index (ABI)

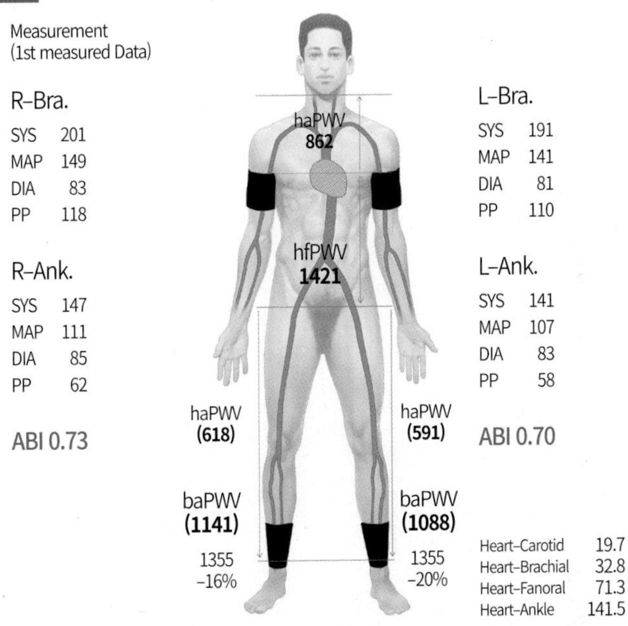

- ABI는 하지허혈의 진단과 정도 파악에 가장 널리 쓰이는 비관혈적 검사법
- Ankle-Brachial Index (ABI)는 발목에서 측정된 수축기압 중 높은 값을 상완 수축기압 중 높은 값으로 나눈 것이다.
- 정상적인 ABI는 발목의 혈압이 팔보다 높아 그 비가 1.0 이상

표 Ankle-Brachial Index (ABI)와 허혈증상과의 관계

ABI	증상
0.9-1.3	무증상
0.6-0.9	경증-중등증의 파행
0.3-0.6	중증의 파행
0.15-0.3	안정 시 동통(critical limb ischemia)
< 0.15	임박한 조직결손
> 1.3	불확정

그림 부분압력측정검사(segmental limb pressure with ABI)

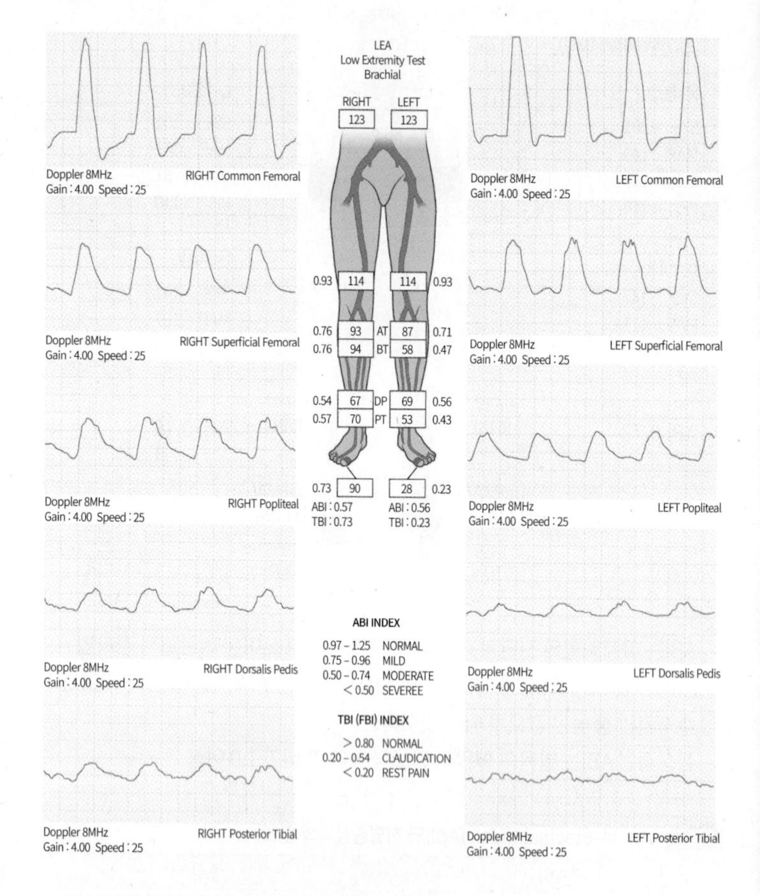

- 부분압력측정검사(segmental limb pressure with ABI)
  이 검사의 장점은 구역별로 검사를 하여 협착이 있는 혈관을 좀 더 구체적으로 알아낼 수 있다는 점이다. 상기 사진은 femoral a.까지는 index > 0.9이다가 아래 level부터 0.8 미만으로 측정되어 양측 SFA–tibial a. 부근의 협착을 의심할 수 있다.

그림 **대표적인 동맥폐색질환**

M/70 chronic claudication	M/62 sudden L/E pain & pallor	M/40 toe ulcers

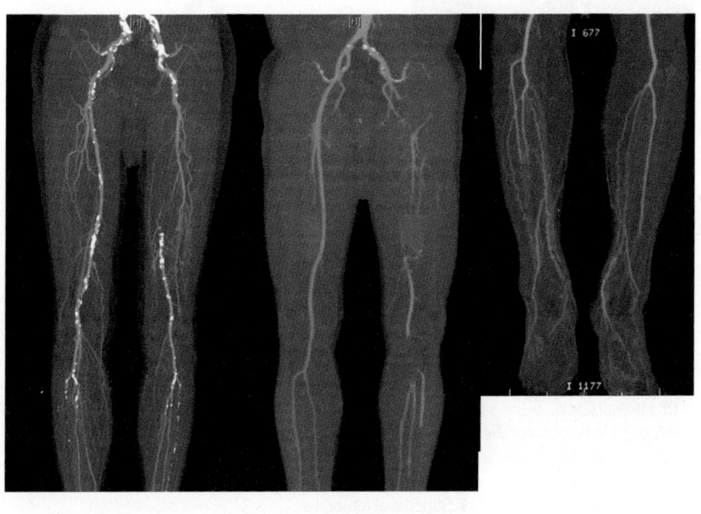

Atherosclerosis obliterans	Cardiac embolism	Buerger's disease

그림 말초동맥의 구조

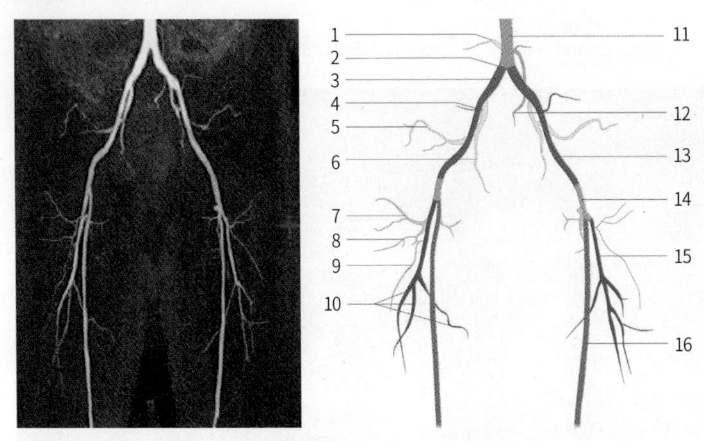

1. Lumbar arteries 2. Aortic bifurcation 3. Rt. common iliac a.
4. Rt. Internal iliac a. 5. Superior gluteal a. 6. Internal pudental a.
7–9. Lateral femoral circumflex a. (ascending/ transverse/ descending br.)
10. Deep femoral a. (perforating a.) 11. Abdominal aorta
12. Superior rectal a. 13. External iliac a. 14. Common femoral a.
15. Deep femoral a. 16. Superficial femoral a.

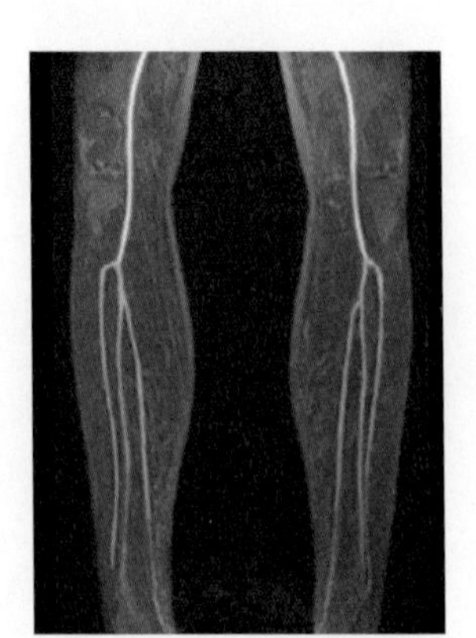

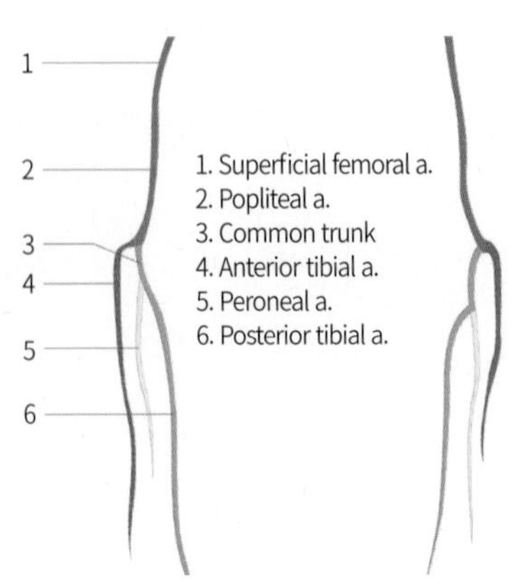

그림 파행 증상이 발생한 말초동맥질환 환자의 치료

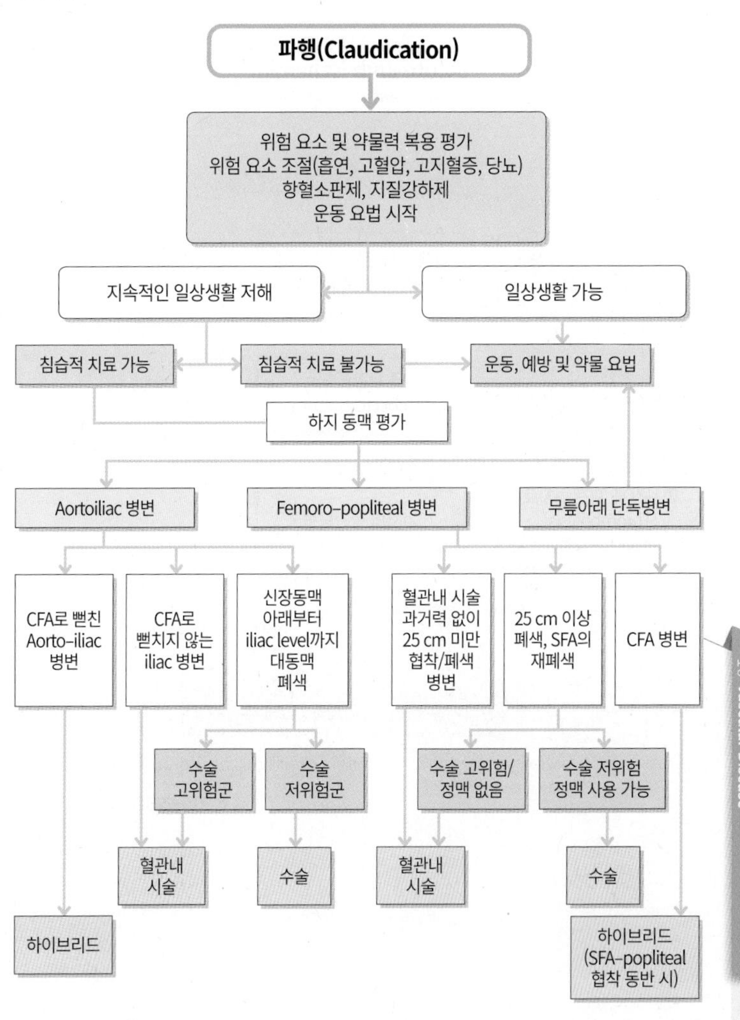

CFA = common femoral artery; SFA = superficial femoral artery.

출처: 2017 ESC/ESVS PAD Guideline

그림 급성 사지 허혈의 치료

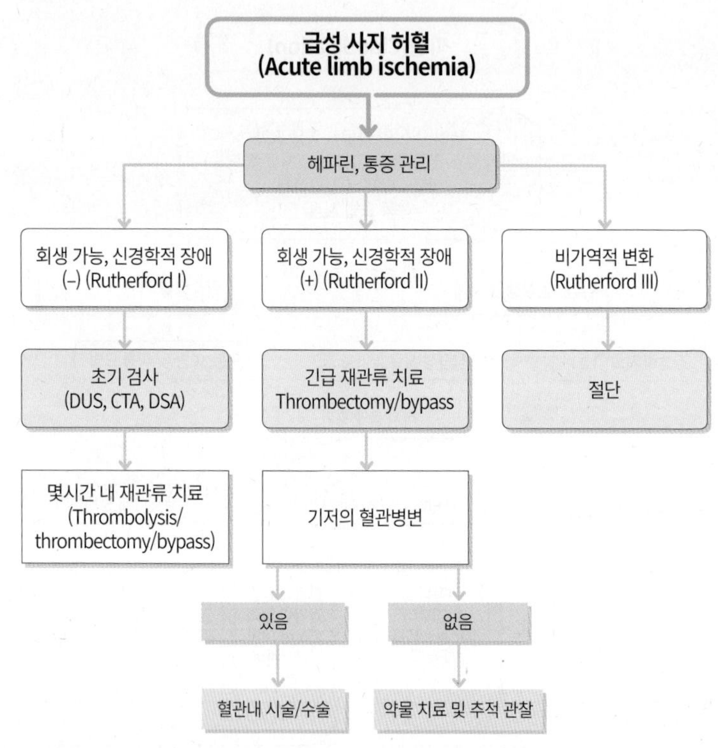

CTA = computed tomography angiography; DSA = digital subtraction ultrasound; DUS = duplex ultrasound.

출처: 2017 ESC/ESVS PAD Guideline

2 Acute Aortic Syndrome

W/U

- 가능한 thoracoabdominal CT angio 찍을 것(Cr 높아도)
- Lipid battery, ESR/CRP, NT-proBNP
- 사지혈압 및 동맥경화도 검사
- Echo 시행(반드시)

Management

- Type B는 처음에는 IV 약제 쓰지만 곧 경구약으로 switch
- 혈압약을 prn으로 주지 말고 regular하게 투여
- SBP 100-120 mmHg, HR 50-60/분 유지
- Pain control은 acetaminphen, oral morphine, fentanyl patch 등

1) Type A aortic dissection (AD)/ Penetrating aortic ulcer involving ascending aorta → Surgical repair

2) Type B AD/Type B IMH/Penetrating aortic ulcer involving descending aorta/Chronic dissected aneurysm

- Classification: Non-complicated/Complicated
  - → Complicated: Impending rupture, malperfusion, persistent pain, uncontrolled hypertension, aortic diameter > 5 cm
- Management and Follow-up
  - → Target BP: SBP 100-120 mmHg, Pulse rate 50-60/min
    First-line drug: IV labetalol or esomolol
    Second drug: IV nicardipine or IV nitroprusside
  - → Go to intervention, if it is complicated
  - → Discharge medication including Beta blocker.

- Follow-up
  - → F/U CTA: 1 wk (at discharge), 1 m, 6 m, 1 yr
  - → Lab follow-up including CRP, 사지혈압 및 동맥경화도 검사 + CT angiography per 6 m (Aortic diameter > 40 mm) or 1 yr (Aortic diameter < 40 mm)
  - → Annual lab follow-up including essential lab

3) Type A IMH

- Classification: Low risk VS. High risk
  - → High risk: Hematoma thickness > 10 mm, ascending aorta > 50 mm, PAU/Focal dissection at ascending aorta and aortic root
  - → Complication: Hemopericardium/hemomediastinum myocandial ischemia cerebral ischemia serere AR
- Management and follow-up
  - → Target BP: As same as dissection
  - → Go operation, if it is high risk
  - → Discharge medication including Beta blocker.
  - → F/U CTA: 24 hr, prn day 3, 1 wk(at discharge), 1 m, 6 m, 1 yr.
  - → If IMH progresses but its classification is still in the low risk group
  - → Perform f/u CTA after 3 days later
  - → Annual CTA and lab follow-up including CRP, fibrinogen, D-dimer, 사지혈압 및 동맥경화도 검사
- Go to operation, if we have following imaging parameters
  - → Conversion to classical type A AD or IMH progression to the high risk group

그림 Complicated type B AD with malperfusion

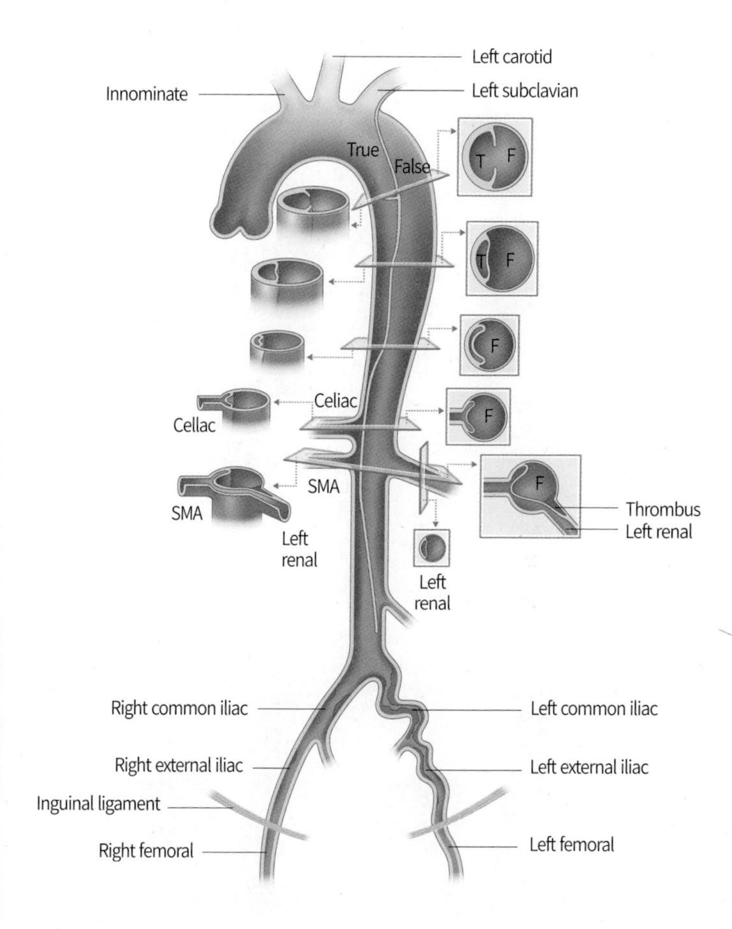

그림 Complicated type B AD의 시술적 치료

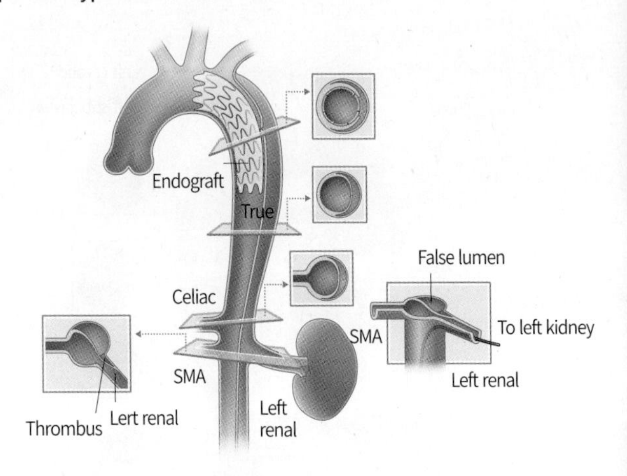

Entry를 막거나(TEVAR)

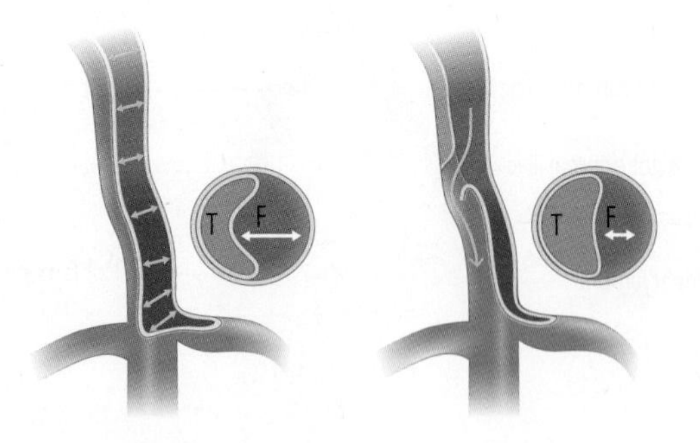

Reentry를 더 크게 만들거나(fenestration)

4) Aortic aneurysm

- w/u lab은 aortic dissection 공통 w/u대로
- Mycotic aneurysm 의심 시: 5종 검사(Widal test, TB quantiferone, Q fever, Brucella, Bartonellla, Syphylis), blood culture, PET-CT, 감염내과 협진, 항생제 사용 시작
- Management
  - → Target BP: SBP ~120 mmHg, pulse rate ~60/min
  - → 관상동맥질환에 준하여 투약 + beta blocker
  - → Recommend medication: ACEI, ARB, statin, ASA, beta blocker
  - → Stent-graft (EVAR/TEVAR) or surgery

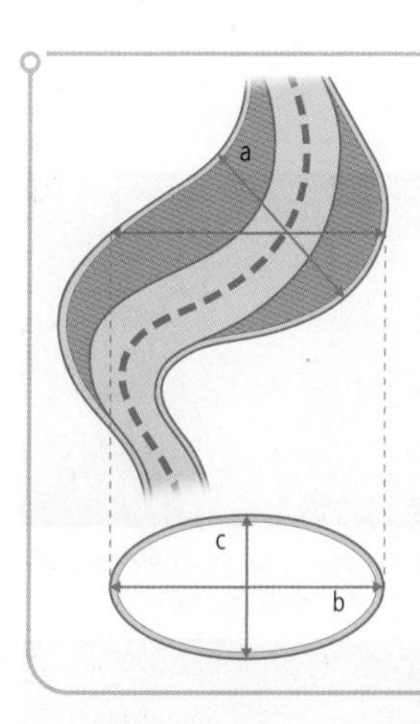

동맥류 크기 측정

- CT에서 outer to outer를 잰다.
- Center line에 perpendicular plane (orthogonal plane)의 max diameter를 잰다.
- Angulation이 심하지 않을 경우(< 25°)
  - → Axial plane에서 max diameter (Axial CTmax)를 잰다.
- Angulation이 심할 경우(> 25°)
  - → Coronal or sagittal plane reconstruction view에서 maximal diameter를 잰다 (Oblique CTmax)
  - → 이것이 불가능하면 axial plane에서 min diameter (Axial CTmin)으로 대체한다.

- Imaging follow-up of growth

Ascending TAA	Descending TAA	Imaging F/U	AAA size	Imaging F/U
–	3.0–3.9 cm	2 yr	3.0–3.4 cm	2 yr
4.0–4.9 cm	4.0–4.9 cm	1 yr	3.5–4.4 cm	1 yr
5.0–5.4 cm	5.0–5.4 cm	6 Mo	4.5–4.9 cm	6 Mo

- 대동맥류 수술 또는 시술의 적응증

단위(cm)

	Degenerative	BAV	Marfan
Ascending Ao	5.5	5.5	5.0
Descending Ao	6.0		5.5
Abd Ao	5.0		4.5-5.0

(1) 빨리 자라거나
(2) 대동맥박리의 가족력이 있거나
(3) 임신을 앞두거나
(4) 동맥류로 인한 다른 합병증이 있으면
더 일찍 수술/시술한다.

그림 동맥류의 검사소견 예시

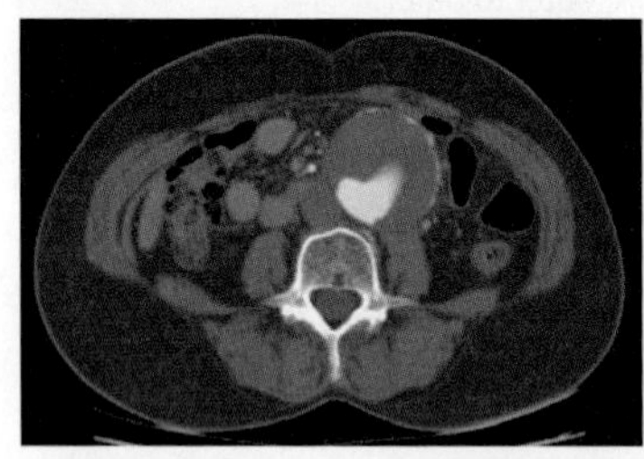

F/66: Hb 13.5, WBC 8.5K, ESR/CRP: 20/0.53
Simple AAA

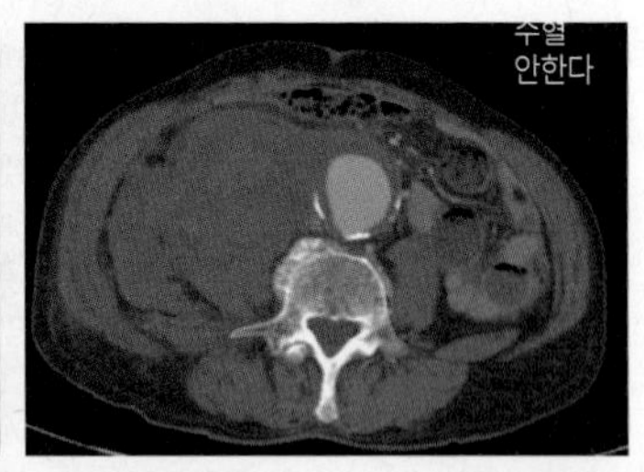

M/82: Hb 7.5, WBC 7.8K, ESR/CRP: 21/2.21
AAA with rupture **EMERGENCY**

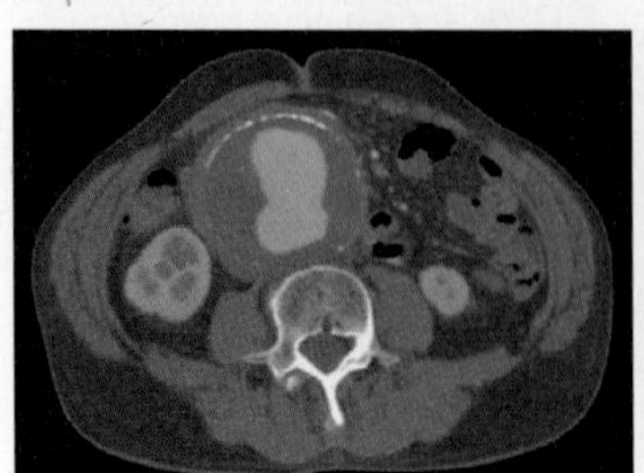

M/63: Hb 11.7, WBC 8.04K, ESR/CRP: 75/3.29
Inflammatory AAA

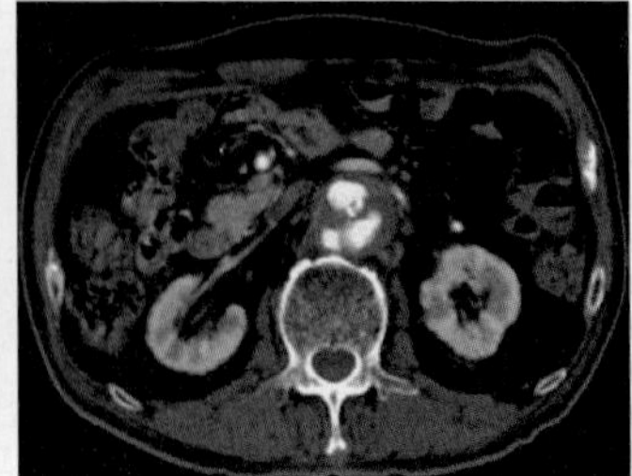

M/77: WBC 12.7K ESR/CRP: 120/5.4
Mycotic AAA **URGENCY**

그림 **경피적 대동맥 스텐트 시술(Endovascular aortic aneurysm repair, EVAR)의 해부학적 적응증**

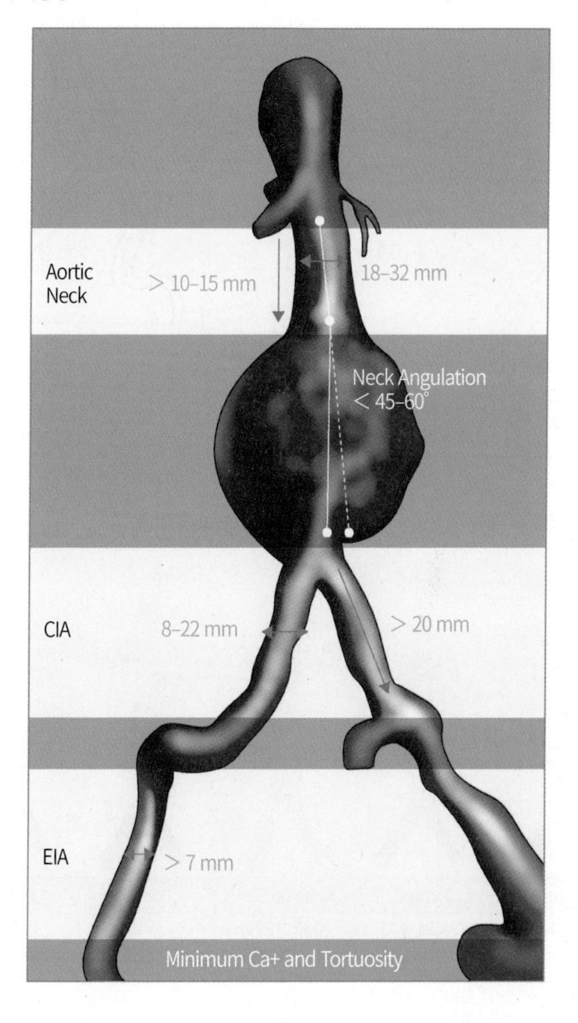

그림 경피적 대동맥 스텐트 시술(EVAR)의 계획 예시

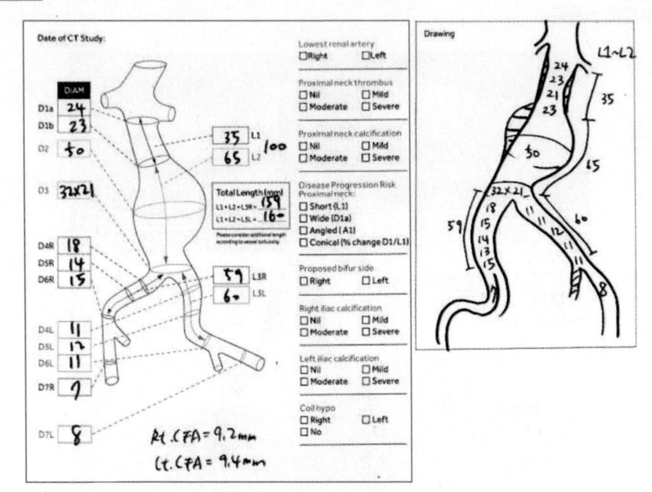

그림 경피적 대동맥 스텐트 시술(EVAR) 후 endoleak의 형태

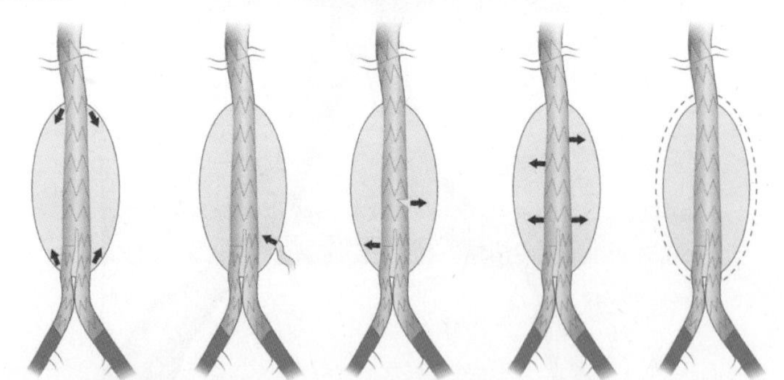

Type 1	Type 2	Type 3	Type 4	Type 5
Graft 부착 부위의 근위/원위부 leak	대동맥 분지(lumbar, inf. mesenteric a. 등)에서 대동맥류 안으로 역행성 혈류 존재	Graft의 결함(e.g. 찢어짐. overlap 부위 분리)으로 인한 leak	Graft 벽의 다공성	확인되는 endoleak 없는 대동맥류 직경 증가

그림 **Visceral aneurysm의 치료 기준**

SVS Clinical Practice Guidelines on the Management of Visceral Aneurysms

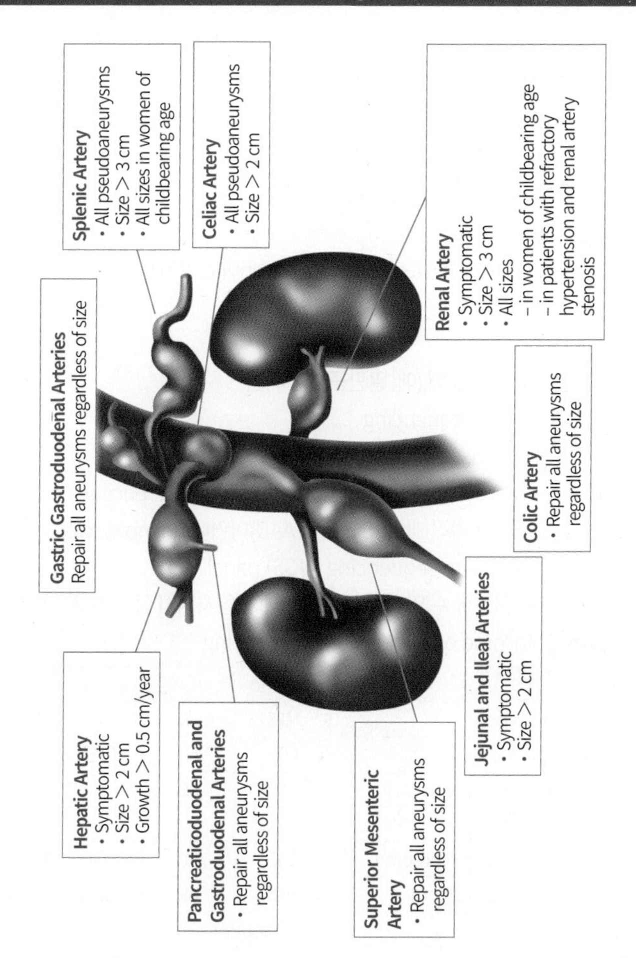

Ref) J Vasc Surg 2020;72:3S-39S.

3 유전성 대동맥질환

1) 언제 의심하는가?

(1) 가족력이 있거나 젊은 연령인 경우(50세 미만)
(2) Type A dissection: sinus of valsalva (SoV) > ascending aorta
(3) Type B dissection: clean aorta
(4) 전신 증후군을 의심할 만한 특성이 있을 때
(5) Arterial tortuosity
(6) 병리학적으로 cystic medial degeneration이 관찰될 때

2) 유전자 검사

(1) 특정 질환이 의심될 때 (예: 말판증후군 의심)
→ FBN1 sanger sequencing
(음성) → large insertion/deletion (MLPA)
(음성) → RNA reverse transcription and cDNA sequencing
(2) 원인 돌연변이가 여러 개(LDS 또는 fTAAD)이거나 unknown disease
→ Next-generation sequencing (NGS) panel
(3) 유전병으로 확신할 수 있지만 상기 검사에서 탐지되지 않는 경우
→ Whole-exome or Trio-exome sequencing

Syndromic			
Marfan syndrome	MFS	AD	FBN1
Loeys-Dietz syndrome	LDS	AD	TGF beta pathway
Ehlers-Danlos Syndrome IV	EDS IV	AD	COL3A1
Turner syndrome			45, X
Shprinzen-Goldberg syndrome	SGS	AD	SKI
Arterial tortuosity syndrome	ATS	AR	SLC2A10 (Glut10)
Non-Syndromic			
Familial thoracic aortic aneurysm and dissection	fTAAD	AD	Sarcomere
Bicuspid aortic valve	BAV		NOTCH1 ….

3) 말판증후군

(1) Revised Ghent criteria 에 따라 문진, 진찰, 검사(http://www.marfan.org/dx/score)

① Sinus of Valsalva dilatation (Z score ≥ 2)

② Ectopia lentis

③ Typical systemic manifestation (≥ 7 points)

④ Typical FHx or FBN1 mutation

→ ①, ②, ③, ④ 중 2개 이상 해당하면 진단[(2)+(4) 조합은 제외]

(2) 영상 검사

① Coronary aorta CT angio, echocardiography

② MRI

③ Spine AP, pelvis standing AP

④ Rt foot AP, Lateral, Lt foot AP, Lateral

(3) Genetics

① FBN1 gene, mutation

② 가족력 조사(가계도, 증상, 사망 여부 및 사인, 키 등)

(4) 협진: Revised Ghent criteria에 따른 각 과별 검사
안과, 정형외과, 산부인과, 소아청소년과(소아의 경우)

(5) 기타

① 희귀난치성질환에 대한 사회보장제도 교육

② 가족 외래 예약

표 Calculation of systemic score

특성	점수
Wrist sign → 엄지손가락 끝이 새끼 손가락 손톱을 완전히 덮어야 한다.	3 (둘 다 있을 시)
Thumb sign → 엄지손가락 끝마디 전체가 손바닥의 ulnar border를 벗어나야 한다.	
Wrist OR thumb sign	1
Pectus carinatum deformity	2
Pectus excavatum or chest asymmetry	1
Hindfoot deformity → Hindfoot valgus+forefoot adduction+flat foot 같이 있어야 한다.	2
Plain flat foot	1
Spontaneous pneumothorax	2
Dural ectasia	2
Protrusio acetabuli	2
Scoliosis or thoracolumbar kyphosis → Scoliosis의 경우 허리를 앞으로 숙여서 양쪽 등이 1.5 cm 이상 차이 나거나 Cobb's angle > 20	1
Reduced elbow extension → Upper arm과 lower arm 각도가 170° 이하	1
3 of 5 facial features → Dolichocephaly, downward slanting palpebral fissures, enophthalmos, retrognathia, malar hypoplasia	1
Skin striae	1
Severe Myopia (> 3 diopter)	1
Mitral valve prolapse	1
Reduced upper segment / lower segment & increased arm span / height (ratio: > 1.05)	1

그림 Sinus of Valsalva 길이를 재고 환자의 성별, 연령, 키, 몸무게를 대입하여 Z score를 계산한다.

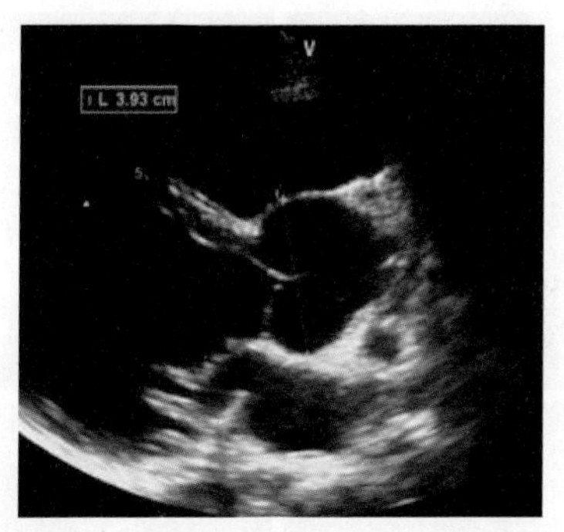

Aortic Root Z-Score 계산
소아(25세 이하) https://marfan.org/dx/zscore-children/ , Ref) JACC 2006;47:1858.
성인(15세 이상) https://marfan.org/dx/z-score-adults/ , Ref) AJC. 2012;110(8):1189.

그림 (A) Arachnodactyly (thumb sign), (B) Arachnodactyly (wrist sign), (C) Hyperextensibility, (D) Flat foot, (E) Forefoot abduction & hindfoot valgus

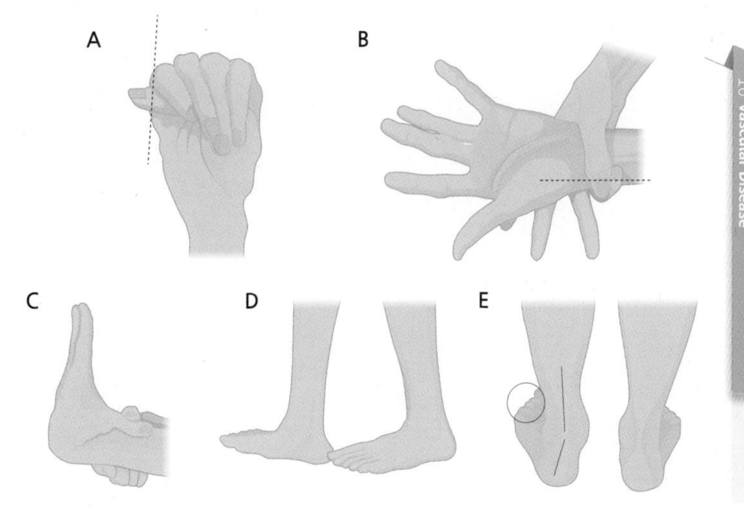

그림 (A) 정상 골반, (B) Dural ectasia, (C) 정상 acetabuli, (D) Protrusio acetabuli (convex acetabular head, cortical thinning)

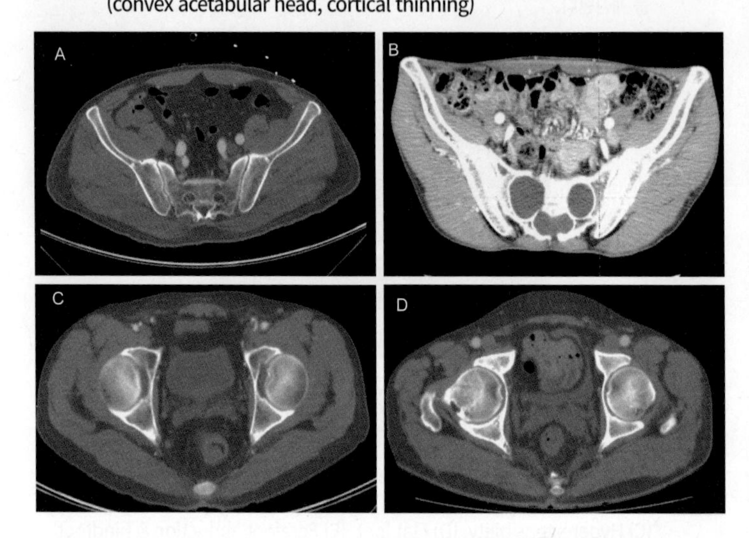

Int J Cardiovasc Imaging 2011;27:679, JKMS 2015;30:1260.

그림 유전성 대동맥 질환의 진단 흐름도

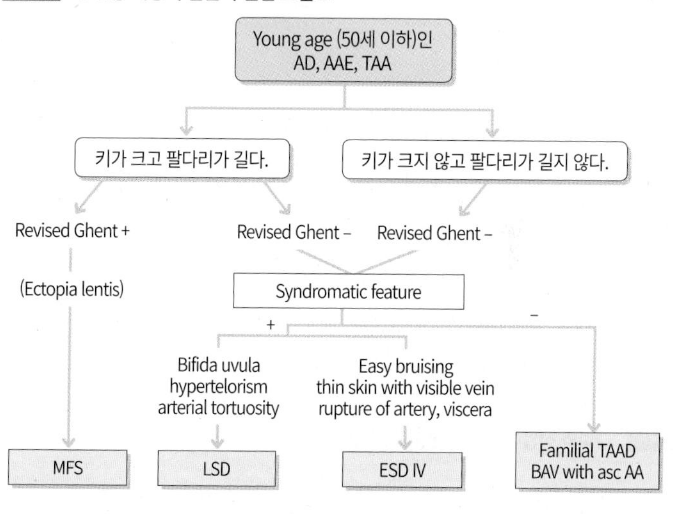

표 유전자 맞춤형 치료의 예(MFS 및 LDS에서 수술 적응증)

Type	Gene	SoV 수술 적응증(mm)
MFS	FBN1	45–50
LDS1	TGFBR1	40
LDS2	TGFBR2	40
LDS3	SMAD3	40–42
LDS4	TGFB2	42–45
LDS5	TGFB3	42–45

④ 동맥염

1) Non-infectious

(1) 대동맥 수술 후 병리소견에서 3%를 차지한다.

(2) 다카야수, 베체트, 거대세포대동맥염 순서로 흔하다.

(3) 드문 질환으로 GPA, ANCA 양성 대동맥염, ankylosing spondylitis, SLE, relapsing polychondritis 등이 있다.

2) Infectious aortitis

특히 infectious aneurysm을 mycotic aneurysm이라고 한다.

그림 나이와 성별에 따른 급성 대동맥염의 분류

32yo F=90% Young female Takayasu	42yo, M=93% Middle-aged male Vascular Behcet
53yo, F=80% Elderly female Giant cell aortitis	58yo, M=70% Old male Fibrosclerosing periaortitis

Fibrosclerosing periaortitis

1) 대동맥 외막의 염증과 대동맥 주위의 섬유화를 일으키는 병

2) 원인 미상이나, 면역학적인 이상이 있을 것으로 추측

3) Abdominal aortic aneurysm (AAA)와 동반하는 경우 inflammatory AAA (iAAA)라고 한다. 이는 degenerative AAA (dAAA)와 감별해야 한다.

4) AAA 없이 retroperitoneum만 섬유화가 있을 때 retroperitoneal fibrosis (RFP)라 한다.

5) IgG4-related sclerosing disease (RSD)와 non-IgG4-RSD로 나눈다.

- IgG4-RSD: 나이든 남성
- Non-IgG4-RSD: 호발 연령/성별 없음

6) Systemic fibrosclerosing disease의 한 manifestation으로 다른 장기를 침범하기도 한다.

7) Malignancy (lymphoma)와 감별한다.

표 IgG4-RSD와 non-IgG4-RSD의 비교

	IgG4-RSD	Non-IgG4 RSD
병리 소견	lymphoplasmacyte infiltration + fibrosis	동일
나이/성별	나이 든 남성	호발 연령/성별 없음
진단 기준	1) serum IgG4 > 135 mg/dL 2) pathology: IgG4+/IgG+plasma cell > 40% and > 10 IgG4+ plasma cell/HPF ① only: possible ② only: probable ①+②: definite	
전신적 침범	흔하다	드물다
치료	면역억제제, rituximab	동일
예후	1/3: 완치 1/3: wax and wane 1/3: progression	동일
Surrogate marker	CBC with ESR/CRP, IgG4, CT, PET	CBC with ESR/CRP CT, PET

그림 (A) Perianeurysmal fibrosis를 동반한 iAAA와 (B) mural thrombus를 동반하는 dAAA의 비교

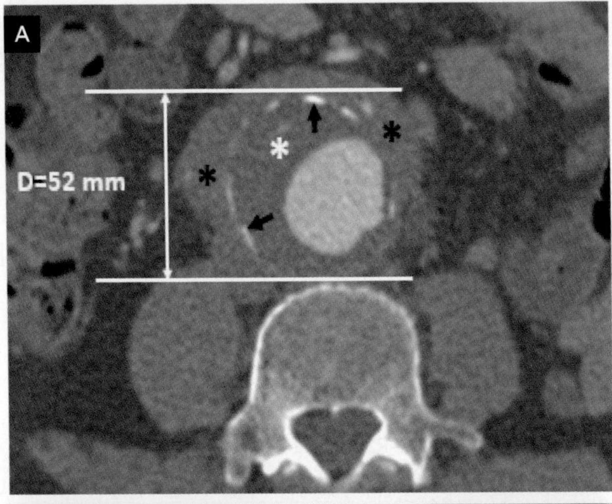

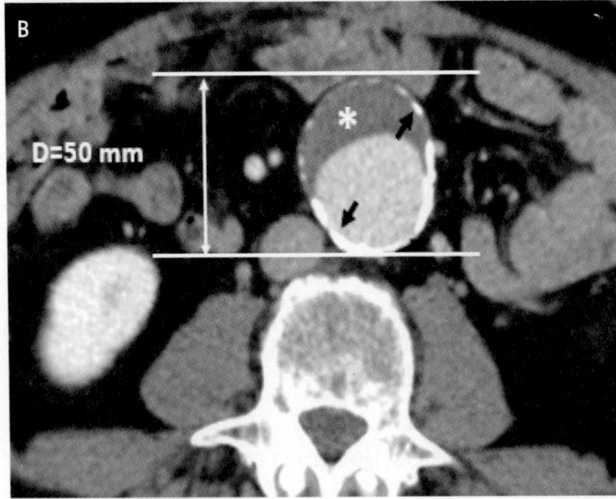

(A) Irregular margin, blurring을 보이고 concentric하다. CT에서 조영증강되는 경우가 많고, 주변 장기를 감싸며, PET uptake가 있다. (B) Margin blurring이 없고 형태는 eccentric하다. CT에서 대부분 조영증강되지 않으며 주변 장기를 감싸지 않는다. PET uptake는 되지 않는다.

다카야수 동맥염

1) 개요

(1) 동양의 젊은 여성에서 호발하는, 원인미상의 동맥염
(2) 주로 대동맥과 그 분지의 기시부에 침범
(3) 급성기에 발열, 경동맥 통증과 압통이 있을 수 있다.
(4) 만성기 증상은 주로 침범 혈관이 담당하는 조직의 만성적 허혈에 의해 나타나며, 측부혈관이 잘 발달한 경우 증상이 없을 수도 있다.

2) 신체진찰

(1) 사지혈압 측정
(2) 맥박 기록: 사지와 경동맥
(3) 청진 시 잡음 기록: carotid, supraclavicular, infraclavicular, abdomen, iliac, and femoral arteries
(4) 양측 경동맥의 압통
(5) 안저검사 위해 안과 협진

3) 혈액 검사

(1) CBC, Chemistry, TFT, U/A, CXR, ECG
(2) lipid battery
(3) ESR, CRP: 이틀간 연속으로 실시
(4) IgG/IgE/IgG subclass
(5) FANA, ANCA

4) 영상 및 기능 검사

(1) Carotid duplex
(2) Coronary–aorta CT angiography
(3) 사지혈압 및 동맥경화도 검사
(4) PET–CT

5) 시술/수술 적응증

(1) Coronary ostial lesion

(2) Renovascular hypertension

(3) Cerebral hypoperfusion syndrome

→ Amaurosis fugax: 망막에 공급되는 혈류가 일시적으로 줄어들면서 시야장애가 생기는 현상

(4) Atypical coarctation of aorta

→ 상지 고혈압

→ 하지 파행(claudication), 허혈성 신질환(ischemic nephropathy)

6) Cerebral hyperperfusion syndrome

(1) 우회로(bypass) 수술 후 뇌혈류가 갑자기 증가하면서 두통, 신경학적 증상이 나타날 수 있고, 심하면 뇌출혈이 생길 수 있음

(2) CCB 등의 vasodilator는 금기이며, IV labetalol, clonidine, diuretics 등을 사용

그림 (A) 다카야수 환자의 MR angiography. 양쪽 common carotid artery와 오른쪽 innominate artery, 왼쪽 common carotid artery(화살표)가 100% 막혀 있다. (B) Ascending aorto-left internal carotid and left axillary bypass 수술 모식도

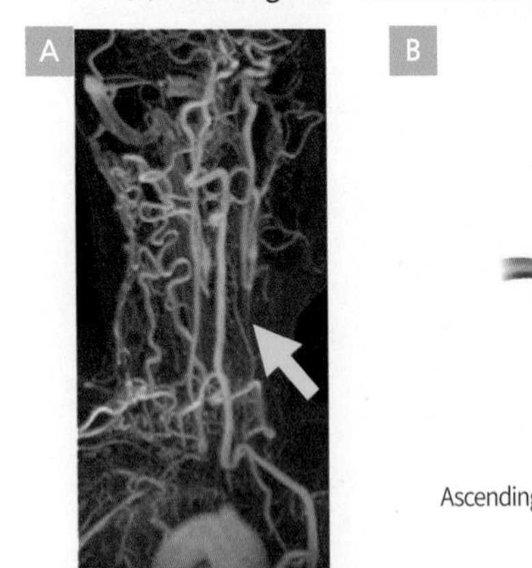

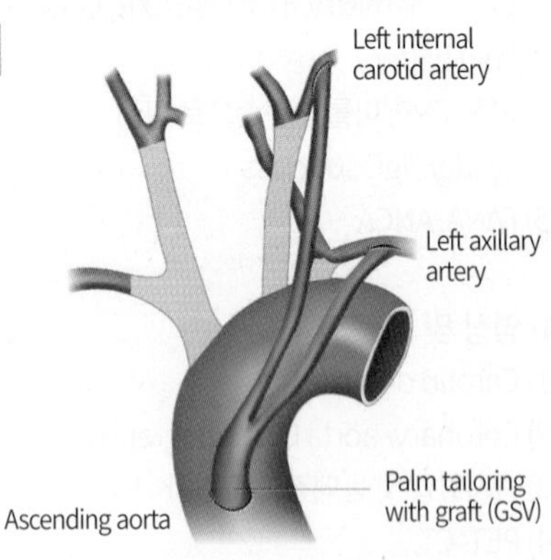

혈관외과 Pf.김영욱

11 Pulmonary HT

1) 임상상황

(1) (이유가 무엇이든 검사한) EchoCG에서 RVSP 상승 또는 Echo PH sign*

(2) 호흡곤란 감별진단에 pul HT이 들어갈 때(우심실부전 증상)

2) 감별진단(빈도순)

(1) 좌심실 심부전에 의한 폐고혈압(post capillary PH) → 전체의 90% 차지 → moderate 이하의 PH이면서 PH echo sign(*뒷장 다이아그램 참고)이 없으면서 LV disease가 있으면 거의 대부분이 LV로 인한 폐고혈압임

(2) 폐질환에 동반된 2차성 폐고혈압(폐성심): CPA 및 ABGA 확인!

(3) 기타 드문 폐혈관 질환들[폐동맥고혈압, 폐색전증(만성/급성) (전체 PH의 5% 미만)]

(4) 전신질환에 의한 일시적 상승[volume overload, high cardiac ouput status (ex. hyperthyroidism, anemia), hematologic disease 등]

→ 의외로 검사오류에 의한 overestimation도 흔함. 특히 경도의 RVSP 상승 검토

→ 감별진단의 순서는 Left heart disease → cor pulmonale → PTE → PAH 이며 다른 전신질환에 의한 임상상황일 경우 그 질환을 먼저 치료해볼 수 있음

표 TR Vmax에 더해서 폐고혈압을 시사하는 심초음파 소견

The ventricles*	Pulmonary artery*	Inferior vena cava and right atrium*
Right ventricle/left ventricle basal diameter ratio > 1.0	Right ventricular outflow Doppler acceleration time < 105 msec and/or midsystolic notching	-
Flattening of the interventricular septum (left ventricular eccentricity index> 1.1 in systolic and/or diastole)	Early diastolic pulmonary regurgitation velocity >2.2 m/sec	Right atrial area (end -systole) > 18 cm^2
-	PA diameter >25 mm	-

PA, pulmonary artery.
* A, B, C 중 최소 두 개 이상의 항목에 해당하는 이상 소견이 있는 경우에만 표 1에서 "PH sign"이 있다고 정의함

출처: American College of Cardiology [Internet]. The 6th World Symposium on PH: Hemodynamic Definitions and Updated Clinical Classification of PH (Part 1). Available from: www.acc.org

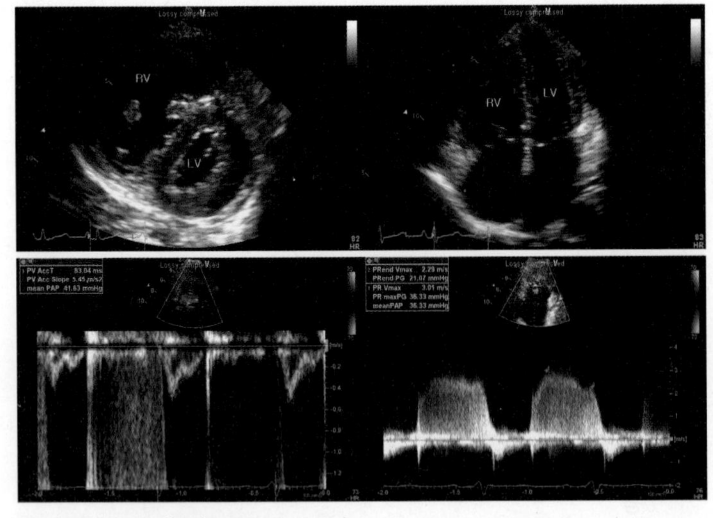

2D echo: D shape LV, dilated RV, RVH
PR Vmax 및 RVOT PW에서 측정하는 mPAP

좌상: D shape LV, dilated RV, 우상: dilated RV and RA
좌하: AccT at RVOT PW Doppler, 우하: PR Vmax at PR CW

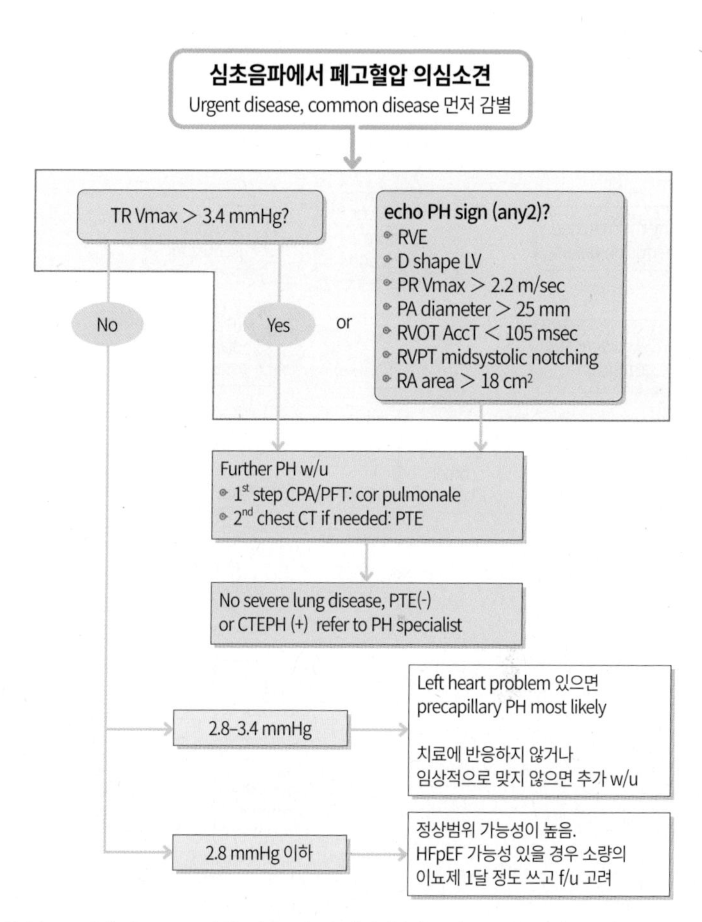

경과가 Acute인데 echo PH sign이 있으면 무조건 PE부터 감별(상단블루박스: PH high probability)

그림 폐고혈압 진단 알고리즘–Expert center에서 진행되는 과정

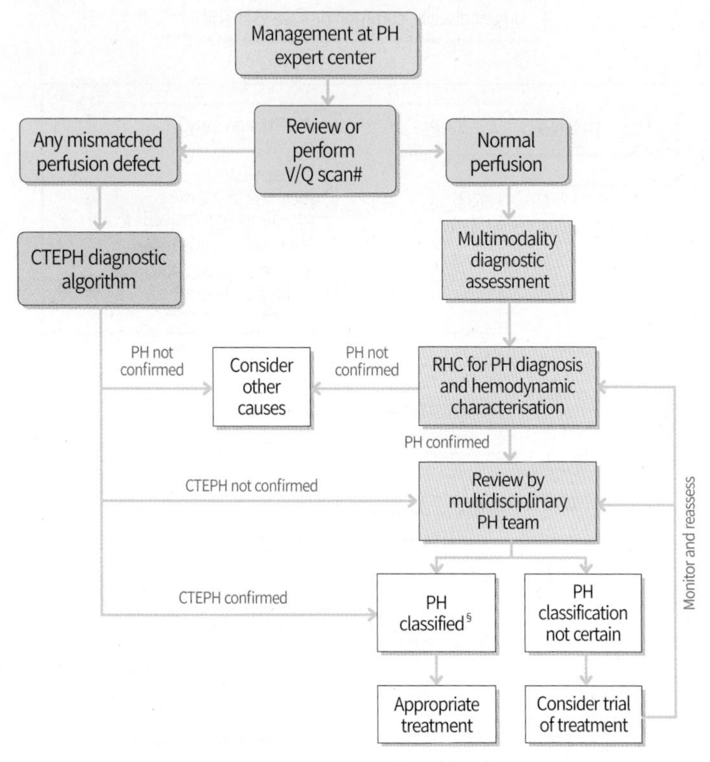

출처: Adaani Frost et al. Eur Respir J 2019;53:1801904.

알아두면 좋을 폐동맥고혈압 약제 이름

고가 희귀질환약제로 Expert center에서 첫 처방 시작하기를 추천

- Endothelin receptor antagonist: bosentan, ambrisentan, mecitentan
- PDE5 inhibitor: sildenafil, tadalafil (off label in Korea), udenafil (off label)
- Prostacyclin 계열: iloprost, treprostinil, selexipag

12 Acute Pericarditis

1) 진단

다음 4개 중 2개 이상

(1) Pericarditic chest pain

(2) Pericardial rubs

(3) New widespread ST elevation or PR depression on ECG

(4) Pericardial effusion (new or worsen)

→ Additional supporting findings
elevation of inflammatory marker: CRP, ESR, WBC
Evidence of pericardial inflammation by CT/MR/echo

2) 검사

- ECG,TTE, CPA, CBC, chemistry, CRP, ESR, toroponin 필수
- CRP가 정상일 경우(hyperacute stage) 12–24시간 뒤 f/u(그래도 정상이면 pericarditis 가능성 낮음)

3) 나쁜 예후인자

- Fever > 38°C
- Subacute onset
- Large pericardial effusion
- Cardiac tamponade

- Aspirin/NSAIDs에 반응없음
  → Myopericarditis, immunosuppression, trauma, oral anticoagulation
  → 위 하나라도 해당하면 입원권유
  → 해당없고 응급실에서 anti inflammatory Tx에 증상호전 시작되면 외래 f/u 가능
- 외래는 1주일 전후로 예약
  → Prelab: CBC, chemistry, CRP, ESR, ntproBNP, Troponin, CPA, ECG 시행

표 Acute pericarditis 1차 치료제

약제명	초치료 용량	치료기간	Tapering
Aspirin	750–1,000 mg q 8hrs	1–2주	1–2주마다 250–500 mg씩 감량
Ibuprofen	600 mg q 8hrs	1–2주	1–2주마다 200–400 mg씩 감량
Colchicine	0.6 mg qd (70 Kg 이상은 bid)	3개월	환자 risk따라 결정

→ 위 약제에 듣지 않을 경우 etiology w/u도 계속 진행하여야 하며 필요시 steroid 사용 고려
→ 재발성에서는 azathioprine이나 IVIG, anakinra 사용 고려 가능(IIB C)

13 VTE

Venous Thromboembolism Work up & Management

1 VTE (DVT/PE) 위험인자

강력한 위험인자(Odd ratio > 10)	중등도 위험인자(Odd ratio > 2–9)
하지 골절 이전의 VTE 과거력 척수 손상 심부전이나 심방세동/조동으로 인한 입원치료(3개월 이내) 고관절 또는 무릎 관절 교체수술 주요 외상 심근경색(3개월 이내)	관절경 무릎 수술 자가면역 질환 혈액 수혈 중심정맥관 정맥내 카테터 및 리드 항암요법 중 울혈성 심부전 또는 호흡부전 조혈작용 유발 약제 호르몬 대체 요법(구체적인 약제에 따라 다름) 시험관 아기 시술 경구 피임 요법 산후 기간 감염(특히 폐렴, 요로감염, HIV) 염증성 장질환 암(전이성일 때 위험 최대) 마비성 뇌졸중 얕은정맥 혈전증 혈전 성향(thrombophilia)

ESC Guidelines on Acute Pulmonary Embolism (Diagnosis and Management of) (escardio.org)

2 VTE (DVT/PE) 임상진단

표 PE 임상예측모델(Revised Geneva)

항목	임상적 결정 점수	
	원판	단순화 버전
PE 또는 DVT의 과거력	3	3
맥박		
75–94/분	3	1
≥ 95/분	5	2
한 달 내 수술 또는 골절	2	1
객혈	2	1
활동성 암	2	1
한쪽 하지 통증	3	1
하지 심부정맥 쪽 압통과 일측성 부종	4	1
나이 > 65세	1	1
임상적 가능성		
3단계 구분		
낮음	0–3	0–1
중간	4–10	2–4
높음	> 11	> 5
2단계 구분		
폐색전 가능성 낮음	0–5	0–2
폐색전 가능성 높음	≥ 6	≥ 3

③ VTE (DVT/PE) 진단검사

모든 DVT/PTE 환자에서 아래 1), 2)를 시행하고 원인 불명의 모든 DVT/PTE 환자에서 3), 4) ,5)를 시행한다.

1) DVT/PTE 유무 동시 확인

(1) Duplex scan, ECG, Echo for pulmonary HTN, PTE Chest CT

(2) Lung ventilation/perfusion scan: CTEPH 때만 시행한다.

2) Biomarker

D-dimer, NT-proBNP, Troponin/CK-MB

3) Rheumatologic disease w/u (consultation)

ESR, CRP, FANA, ENA I, II, III, RF, anti-ds-DNA, ANCA

4) Cancer w/u

(1) Tumor markers: 여자- CEA, CA125, CA19-9/남자- CEA, PSA, AFP

(2) GI malignancy: Stool occult blood × 3, EGD (anticoagulation 중에 시행, biopsy가 필요시 중단 후 다시 시행) or Upper GI (내시경이 위험하다고 판단되면), Abdomen and pelvis CT

5) Thrombophilia w/u: 가능한 한 heparin/warfarin 쓰기 전에 시행하고 이미 사용하였어도 시행

(1) Thrombotic disorder set

PT, aPTT, TT, PTT-LA, DRVVT, Fibrinogen, D-dimer, Plasminogen, Antithrombin, Protein C activity, Protein S free Ag, Activated Protein C Resistance, TPA, PAI-1, Homocysteine

(2) Antiphospholipid antibody set

PT, aPTT, Thrombin Time, Factor VIII Activity, Lupus Anticoagulant,

DRVVT, Anti-Cardiolipin Ab (IgM/IgG), Anti-Beta2 Glycoprotein 1 Ab (IgM/IgG)

(3) Hereditary hemophilia 의심되는 경우에는 genetic test 고려
특정 질환이 의심되는 경우에는 해당 유전자 검사가능하나 최근에는 후보 유전자 수십 개를 한 번에 검사할 수 있는 NGS (next generation sequiencing)를 시행하는 추세임. 유전자 검사는 고가이고 시간소요가 있으므로 유전체 분석 전문과와 상담하여 진행

(4) JAK2 gene, V617F mutation [PCR sequencing]: mesenteric/portal/splenic/cerebral vein thrombosis 시 반드시 검사

그림 8 Risk adjustment assessment in acute PTE

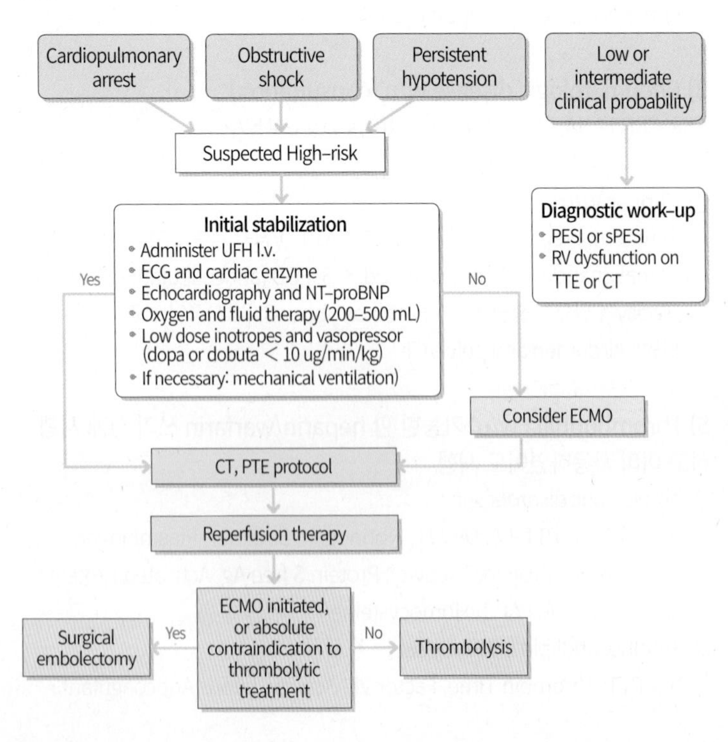

4 Risk Base Assessment of Acute PTE

- First work-up: RV dysfunction 여부 확인(echoCG)
  → RV dilatation (RV diameter/LV diameter > 1.0): echo or CT
  → RV systolic dysfunction
  → BNP > 90 pg/mL, NT pro-BNP > 500 pg/mL, Troponin I > 0.4 ng/mL
  → ECG changes (new complete or incomplete RBBB, anteroseptal ST elevation/depression, anteroseptal T inversion)
- Thrombolysis regimen
  → 가능하면 tPA로 사용
  → 다음쪽 참고
- 그래도 반응 없으면 catheter-directed suction이나 surgery contact. CTEPH 요소가 있을 때는 surgery 추천

Treatment of RV failure in acute high-risk PE

1. Volume optimization → volume loading
2. Vasopressors/inotropics → noerpi 0.2–1.0 μg/Kg/min
   → dobutamine 2–20 μg/Kg/min
3. Mechanical circulatory support → VA ECMO

5 급성 폐동맥색전증에서 혈전용해제 치료

<table>
<tr><td>잠재적인 적응증</td><td colspan="2">1. 지속적인 저혈압(SBP < 90 mmHg이 15분 이상 지속되거나 inotropic support가 요구되는 상황)
2. Submassive with RV strain (abnormal echo or biomarkers)
1) Evidence of shock or respiratory failure SBP < 90 mmHg or shock index > 1.0, respiratory distress (SaO_2 < 95% with Borg score > 8, or altered mental status, or ill-looking appearance)
2) Evidence of moderate to severe RV strain (RV dysfunction (RV hypokinesis or estimated RVSP > 40 mmHg) or clearly elevated biomarker value (e.g. troponin > borderline, BNP > 100 pg/mL or pro-BNP > 900 pg/mL)</td></tr>
<tr><td rowspan="2">금기증</td><td>절대적</td><td>• 뇌출혈의 과거력
• 6개월 이내의 뇌경색
• 중추신경계 손상 또는 종양
• 3주 이내의 주요 외상/수술/두경부 손상
• 1개월 이내의 위장관 출혈
• 출혈 성향</td></tr>
<tr><td>상대적</td><td>• 6개월 이내의 TIA
• 경구 항응고 치료
• 임신 또는 1주 이내의 출산
• 외상성 심폐 소생술
• 조절되지 않는 고혈압(SBP > 180 mmHg)
• Advanced liver disease, 감염성 심내막염
• Active peptic ulcer</td></tr>
<tr><td>혈전 용해제</td><td colspan="2">• tPA: 100 mg over 2 hours; or 0.6 mg/kg over 15 minutes (maximum dose 50 mg); 고령에서는 감량 고려
• Urokinase: 4,400 IU/kg as a loading lose over 10 min, followed by 4,400 IU/kg per hour over 12-24 hours
• Urokinase, streptokinase 투여 중에는 heparin을 중단하며, tPA 투여 중에는 지속 가능하다. 혈전용해제 치료 후에 헤파린을 투여 재개하고, 이때는 loading하지 않는다.</td></tr>
</table>

6 VTE (DVT/PE)치료(1st Episode의 경우)

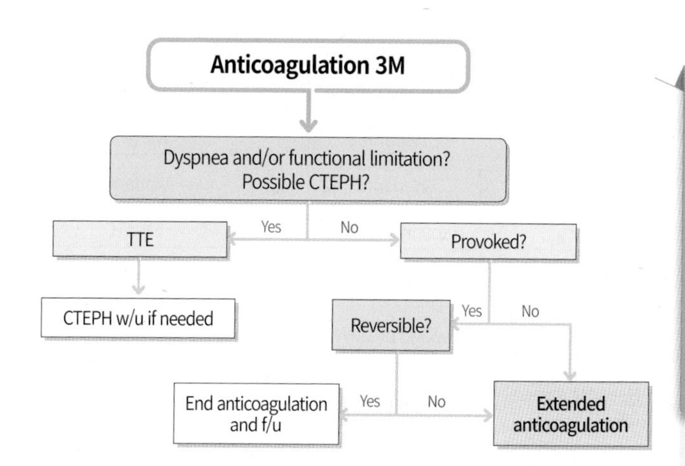

7 VTE 치료제 용량

	Dosage
Enoxaparin	1.0 mg/kg q 12 hr or 1.5 mg/kg qd
Dalteparin	100 IU/kg q 12 hr or 200 IU/kg qd
Fondaparinux	5 mg qd (체중 < 50 kg)

	Initial treatment	Maintenance	Extended
VKA	LMWH or heparin till PT > 2.0	PT 2–3 with WFR	
Rivaroxaban	15 mg bid for 3weeks	20 mg qd	10 mg qd
Apixaban	10 mg bid for 7 days	5 mg bid	2.5 mg bid
Edoxaban	LMWH or heparin (5 days)	60 mg qd (30 mg qd for Bwt < 60Kg)	
Dabigatran	LMWH or heparin (5 days)	150 mg bid	

VTE 치료는 NOAC이 선호되나 PT조절이 필요한 재발성 고위험군, 항인지질 증후군에서는 와파린을 사용해야 함.

8 Anticoagulants in Special Considerations

	Initial (acute) (First 5-21 days)	Long-term (subacute) (First 3-6 months)	Extended (Following 3-6 months)
Renal failure	Heparin	Warfarin	
Liver failure with coagulopathy	Heparin	Warfarin	
Pregnancy	Heparin or LMWH	LMWH	
Antiphospholipid syndrome	Heparin or LMWH	Warfarin	
Cancer	Heparin or LMWH	LMWH Edoxaban, rivaroxaban, apixaban	
Need for reversal agent	Heparin LMWH (partially reversible)	Warfarin Dabigatran	

DVT special considerations

1. Iliofemoral DVT로 onset 2주 이내: catheter-directed thrombolysis (local UK thrombolytic Rx) 시행 고려
2. 입원 중에는 antiembolic stocking 착용하고 퇴원 전 knee high 2-30 mmHg elastic stocking 맞춤 제작 및 사용법 교육

9 DVT

표 혈전증(thrombophilia)의 검사: 항응고제 및 급성혈전의 영향

과응고성 질환 검사 수치	영향을 주는 인자		
	급성혈전	헤파린 치료	와파린 치료
Antithrombin III	낮아질 수 있음**	낮춤	변화 없음
Protein C	낮아질 수 있음**	변화 없음	낮춤+
Protein S	낮아질 수 있음**	변화 없음	낮춤+
Factor V Leiden*	변화 없음	변화 없음	변화 없음
Factor VIII	급성기 반응물(acute phase reactant)로서 염증이 있으면 측정하지 말것		
항인지질 항체	변화 없음	변화 없음	변화 없음
루프스 항응고체	변화 없음	측정 불가	위양성 가능
후천성 antithrombin 결핍의 원인			
신생아기, 간질환, DIC, 신증후군, 큰 수술, 급성 혈전, 헤파린, 에스트로젠, L-asparaginase 투여			
후천성 protein C 결핍의 원인			
신생아기, 간질환, DIC, 급성 혈전, 항암제치료(cyclophosphamide, methotrexate, 5-fluorouracil), 염증, 와파린, L-asparaginase 투여			
후천성 protein S 결핍의 원인			
신생아기, 임신, 간질환, DIC, 급성 혈전, 와파린, 에스트로젠, Lasparaginase 투여			

* 국내에는 보고 없음

** 급성 혈전기에 낮아질 수 있으므로 급성기를 지나 측정하는 것이 좋으나 급성기에 측정하여 정상 범위이면 이들 단백의 결핍을 제외할 수 있음

+ 와파린을 적어도 2주 이상 중단 후 측정하는 것이 권유됨. 그러나 와파린 투여 중에도 INR 값에 비하여 현저히 낮은 수치일 경우 이들 단백의 결핍을 의심할 수 있음

표 정맥 혈전증의 위험도

혈전	제1위험군 (저위험군)	제2군 (중등도 위험군)	제3군 (고위험군)
	40세 이전 단순수술 (예:자궁절제술) 최소부동	40세 이후의 일반수술 급성 심근경색, 만성질환 40세 이전의 다리골절	고관절과 슬관절 수술 정맥혈전의 기왕력 광범위 악성종양 수술 항인지질증후군
장딴지 정맥혈전	~2%	10–20%	40–70%
근위부 정맥혈전	~0.4%	2–4%	10–20%
치명적 폐색전증	< 0.02%	0.2–0.5%	1–5%

표 정맥 혈전증의 예방

Indication	Medication	Dose
Medical patients	Enoxaparin	40 mg SC once daily for up to 14 days
	Dalteparin	5,000 IU SC once daily for 12–14 days
Surgical patients	Heparin	5,000 U SC 2 h before surgery, then every 8–12 h
	Enoxaparin	General surgery: 20 mg SC 2 h before surgery, then once daily
		Orthopedic surgery: 40 mg SC 12 h before surgery, then once dail
	Dalteparin	General surgery: 2,500 IU SC 1–2 h before surgery, then once daily
		Orthopedic surgery: 5,000 IU SC the evening before surgery, then once daily
	Rivaroxaban	Orthopedic surgery: 10 mg once daily 6–10 h after surgery
	Apixaban	Orthopedic surgery: 2.5 mg twice daily 12–24 h after surgery

The references of dosage information were US Food and Drug Administration or Korean Ministry of Food and Drug Safety.

10 CTEPH 진단 및 치료

1) 정의

3개월 이상의 항응고 치료에도 녹지않는 만성화된 폐혈전증 상태 + 폐고혈압이 동반[폐고혈압 없이 병변만 있는 경우 CTED (chronic thromboembolic disease)로 정의]

2) 진단

TTE에서 Pul HTN 의심 시 감별진단으로 진행

→ V/Q scan, CT angio, pulmonary angiography

CTEPH treatment algorithm

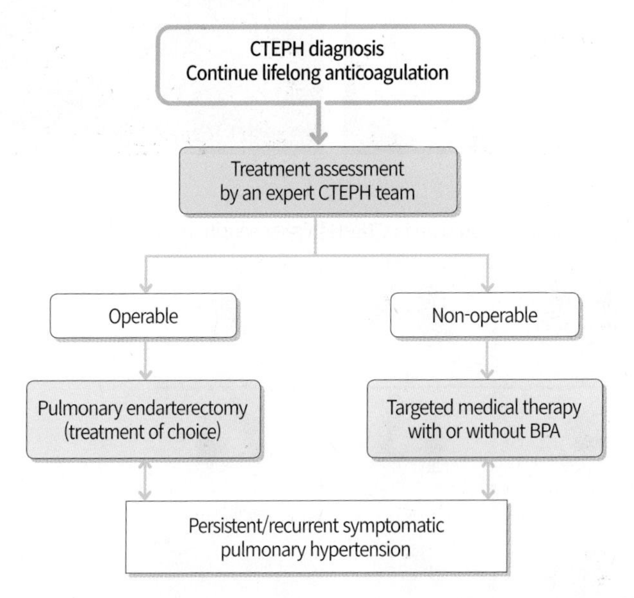

Nick H. Kim et al. Eur Respir J 2019;53:1801915.

그림 CTEPH: web-like linear lesion with poor vascularity, collateral (+), old lung infarction (+), mosaic perfusion

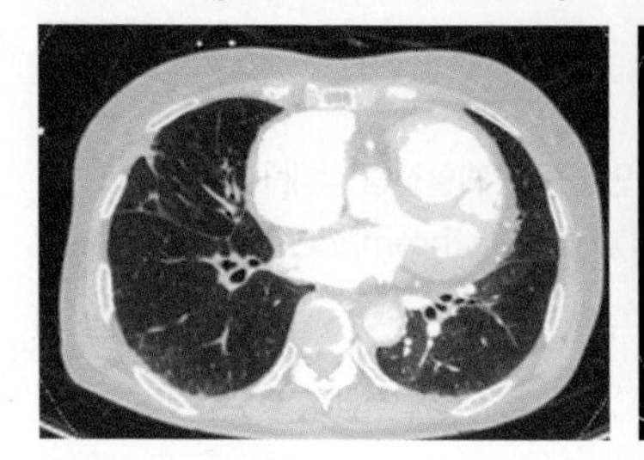

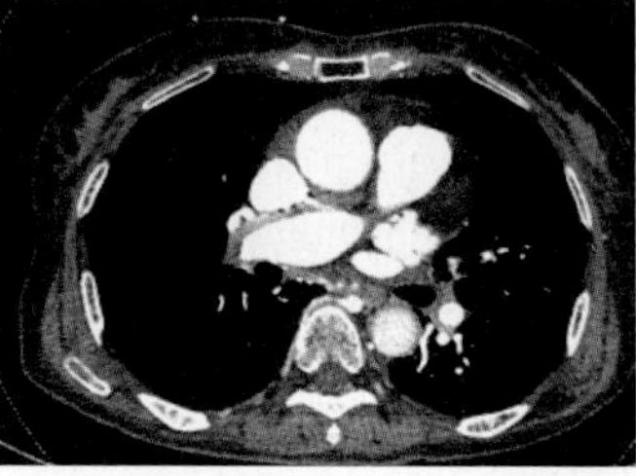

그림 Acute PE: intra-vascular filling defect

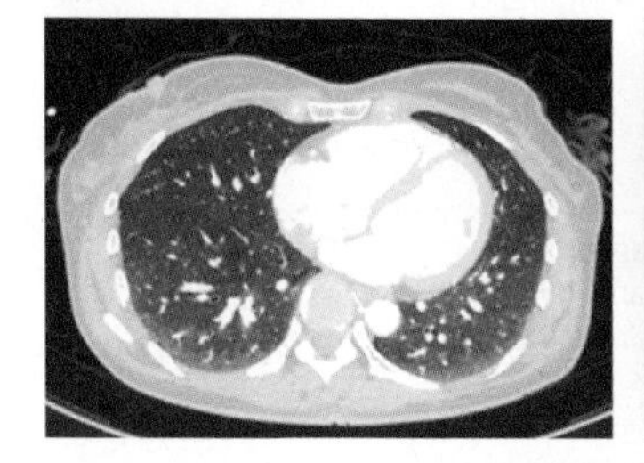

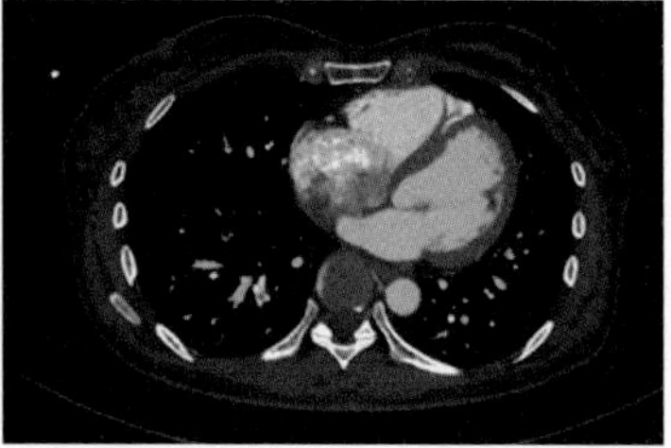

그림 Lung perfusion scan in CTEPH (higher sensitivity than CTA)

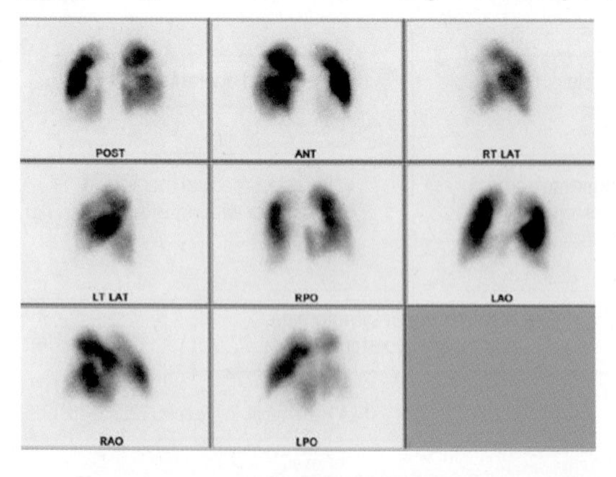

14 Pre op Consultation

1 수술 전 평가를 위한 단계

그림 심장 관련 합병증의 위험에 대한 수술 전 평가 모식도

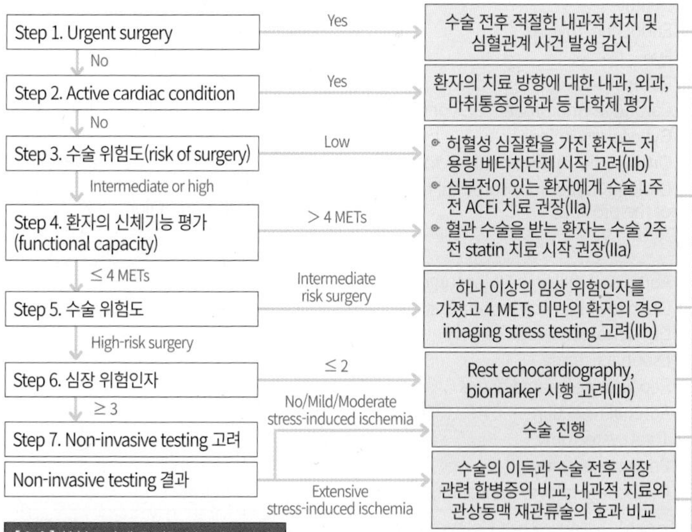

Step 1. Urgent surgery
Yes
수술 전후 적절한 내과적 처치 및 심혈관계 사건 발생 감시
No
Step 2. Active cardiac condition
Yes
환자의 치료 방향에 대한 내과, 외과, 마취통증의학과 등 다학제 평가
No
Step 3. 수술 위험도(risk of surgery)
Low
허혈성 심질환을 가진 환자는 저용량 베타차단제 시작 고려(IIb)
심부전이 있는 환자에게 수술 1주 전 ACEi 치료 권장(IIa)
혈관 수술을 받는 환자는 수술 2주 전 statin 치료 시작 권장(IIa)
Intermediate or high
Step 4. 환자의 신체기능 평가 (functional capacity)
> 4 METs
≤ 4 METs
Step 5. 수술 위험도
Intermediate risk surgery
하나 이상의 임상 위험인자를 가졌고 4 METs 미만의 환자의 경우 imaging stress testing 고려(IIb)
High-risk surgery
Step 6. 심장 위험인자
≤ 2
Rest echocardiography, biomarker 시행 고려(IIb)
≥ 3
Step 7. Non-invasive testing 고려
No/Mild/Moderate stress-induced ischemia
수술 진행
Non-invasive testing 결과
Extensive stress-induced ischemia
수술의 이득과 수술 전후 심장 관련 합병증의 비교, 내과적 치료와 관상동맥 재관류술의 효과 비교
[수술] 항혈소판제 유지는 bleeding risk versus thrombotic risk 평가 후 결정

*위 모식도는 일반적인 권고사항으로, 각 환자의 임상 상황을 고려해야 함.

출처: 2014 ESC/ESA guideline on non-cardiac surgery: cardiovascular assessment and management.

2 수술 전 평가를 위한 단계적 접근

Step 2: Active or unstable cardiac condition
• Unstable angina pectoris
• Acute heart failure
• Significant cardiac arrhythmias
• Symptomatic valvular heart disease
• Recent myocardial infarction (30일 이내) and residual myocardial ischemia

Step 3: 수술 위험도 (30-day risk of cardiovascular death and myocardial infarction)	
Low-risk: < 1%	Intermediate-risk: 1-5%
• Superficial surgery • Breast • Dental • Endocrine: thyroid • Eye • Reconstructive • Carotid asymptomatic (CEA or CAS) • Gynecology: minor • Orthopedic: minor (meniscectomy) • Urologic: minor (transurethral resection of the prostate)	• Intraperitoneal: splenectomy, hiatal hernia repair, cholecystectomy • Carotid symptomatic • Peripheral arterial angioplasty • Endovascular aneurysm repair • Head and neck surgery • Neurological or orthopedic: major (hip and spine surgery) • Urological or gynecological: major • Renal transplant • Intra-thoracic: non-major
High-risk: > 5%	
• Aortic and major vascular surgery • Open lower limb revascularization or amputation or thromboembolectomy • Duodeno-pancreatic surgery • Esophagectomy • Repair of perforated bowel • Adrenal resection • Total cystectomy • Pneumonectomy • Pulmonary or liver transplant	

CAS= carotid artery stenting; CEA= carotid endarterectomy

출처: 2014 ESC/ESA & ACC/AHA guideline on non-cardiac surgery: cardiovascular assessment and management.

Step 4: 환자의 신체기능 평가

1 MET		4 METs		> 10 METs
기초대사율	단순 집안일	2층 계단 오르기 빠른 걸음 걷기 골프	가벼운 달리기 (4.5 mph) 자전거 수영, 테니스	축구

MET = metabolic equivalent; mph = miles per hour

위험 인자를 가진 환자에서 신체기능을 알 수 없을 때: 만일 부하 검사 결과로 수술 전후 처치가 달라지게 될 경우, 운동 부하 검사를 시행해 볼 수 있다(IIb).

Step 5: Imaging stress testing

권고 사항	Class	Level of evidence
고위험 수술이 예정된 경우, 3개 이상의 임상 위험인자 및 4 METs 미만의 신체기능을 가진 환자에게 imaging stress testing이 권장된다.	I	C
고위험 또는 중위험 수술이 예정된 경우, 1–2개의 임상 위험인자 및 4 METs 미만의 신체기능을 가진 환자에게 imaging stress testing을 고려할 수 있다.	IIb	C
저위험 수술이 예정된 경우 imaging stress testing은 권장되지 않는다.	III	C

Step 6: 심장 관련 임상 위험인자(revised cardiac risk index)

- 허혈성 심질환(협심증 and/or 과거의 심근경색)
- 심부전
- 뇌졸중(stroke) 또는 일과성허혈발작(transient ischemic attack)
- 신부전(serum creatinine > 2 mg/dL 또는 creatinine clearance < 60 mL/min/1.73 m^2)
- 인슐린 치료를 요하는 당뇨병(insulin-dependent diabetes mellitus)

그밖에 The American College of Surgeons NSQIP MICA (inguinal hernia 수술을 기준으로 하여 환자 특성과 수술부위에 따라 심정지 또는 심근경색을 예측하는 도구), American College of Surgeons NSQIP surgical risk calculator도 있다.

수술 전후 심혈관계 약제 치료 및 유지		
권고 사항	Class	Level of evidence
베타차단제		
기존에 베타차단제를 투여하던 환자는 수술 전후로 약제를 유지한다.	I	B
고위험 수술이 예정된 경우에, 2개 이상의 임상 위험인자를 가졌거나 ASA status 3 이상인 환자에게 수술 전 베타차단제 치료를 고려한다.	IIb	B
허혈성 심질환 또는 심근허혈이 있는 환자에게 수술 전 베타차단제 치료를 고려할 수 있다.	IIb	B
베타차단제 치료를 결정한 경우 atenolol 또는 bisoprolol을 고려한다.	IIb	B
스타틴		
기존에 스타틴을 투여하던 환자는 약제를 유지한다.	I	C
혈관 수술이 예정되어 있는 환자는 가급적 수술 2주 이전에 스타틴 치료를 시작을 고려한다.	IIa	B
ACE 억제제(ACEi) 또는 안지오텐신 수용체 차단제(ARB)		
안정된 심부전/좌심실 기능부전 환자는 수술 전후 close monitoring 하에 ACEi 또는 ARB를 유지를 고려한다.	IIa	C
안정된 심부전/좌심실 기능부전 환자에게 최소 수술 1주 이전에 ACEi 또는 ARB 치료 시작을 고려한다.	IIa	B
ACEi 또는 ARB는 마취 중 심한 저혈압 발생의 위험이 있으므로 고혈압 약제로 투여 중인 환자는 수술 24 시간 전 일시 중단을 고려한다.	IIa	B

ASA: American Society of Anesthesiologists

출처: 2014 ESC/ESA guideline on non-cardiac surgery: cardiovascular assessment and management

3 수술 전후 항혈전제 중단

1) 혈전 위험도(Thrombotic risk)

Clinical factors	• 급성 관동맥증후군으로 PCI 시행 • 수차례의 심근경색 기왕력 • 적절한 항혈소판제 치료 중 스텐트 혈전증이 발생한 기왕력 • 좌심실구혈률 < 35% • 만성 콩팥병증 • 당뇨병
Angiographic factors	• Long or multiple stents (스텐트 3개 이상 또는 3개 이상의 병변 치료 또는 총 스텐트 길이 > 60 mm) • Overlapping stents • Small stent diameter (< 2.5 mm) • Bifurcation lesions treated with 2 stents • Extensive coronary artery disease • Incomplete revascularization • Treatment of chronic total occlusion

2) 수술 시점에 따른 혈전 위험도

	Clinical or angiographic risk factors (+)				Clinical or angiographic risk factors (–)			
	POBA	BMS	2G DES	BVS	POBA	BMS	2G DES	BVS
< 1 month	High	High	High	High	High (2주 이내), intermediate	High	High	High
1–3 months	Intermediate	High	High	High	Low	Intermediate	Intermediate	High
3–6 months	Intermediate	High	High	High	Low	Low/Intermediate	Low/Intermediate	High
6–12 months	Intermediate	Intermediate	Intermediate	High	Low	Low	Low	High
> 12 months	Low	Low	Low	Undetermined	Low	Low	Low	Undetermined

출처: 2021 혈소판/혈전 연구회, 수술 및 시술 시 항혈전제 사용에 대한 전문가 합의문

3) 수술의 출혈 위험도

Low-risk	Intermediate-risk
• Hernioplasty • Cholecystectomy • Appendectomy • Colectomy • Gastric resection • Intestinal resection • Breast surgery • Carotid endarterectomy • EVAR, TEVAR • Limb amputations • Shoulder and knee arthroscopy • Ureteroscopy • EGD or colonoscopy ± biopsy • Diagnostic hysteroscopy • Spine laminectomy ≤ 2 spaces	• Splenectomy • Gastrectomy • Obesity surgery • Rectal resection • Thyroidectomy • Open abdominal aorta surgery • Prostate biopsy • Orchiectomy • Prosthetic shoulder surgery • Major spine surgery • Knee surgery • Lobectomy, pneumonectomy • Gastroenteric stents • Cranial neurosurgery (not tumor) • Spine laminectomy > 2 spaces
High-risk	
• Hepatic resection • Duodenocefalopancreasectomy • Radical and partial nerpherctomy • Percutaneous nephrostomy/lithotripsy • Radical cystectomy • Prostatectomy • Major prosthetic surgery (hip or knee) • Esophagectomy • Decortication of lung • Endoscopic submucosal resection • Radical and reconstructive cancer surgery of head and neck • Myomectomy, hysterectomy • Debulking surgery of ovarian cancer	

출처: 2021 혈소판/혈전 연구회, 수술 및 시술 시 항혈전제 사용에 대한 전문가 합의문

4) 비응급 수술에서의 항혈소판제 조절

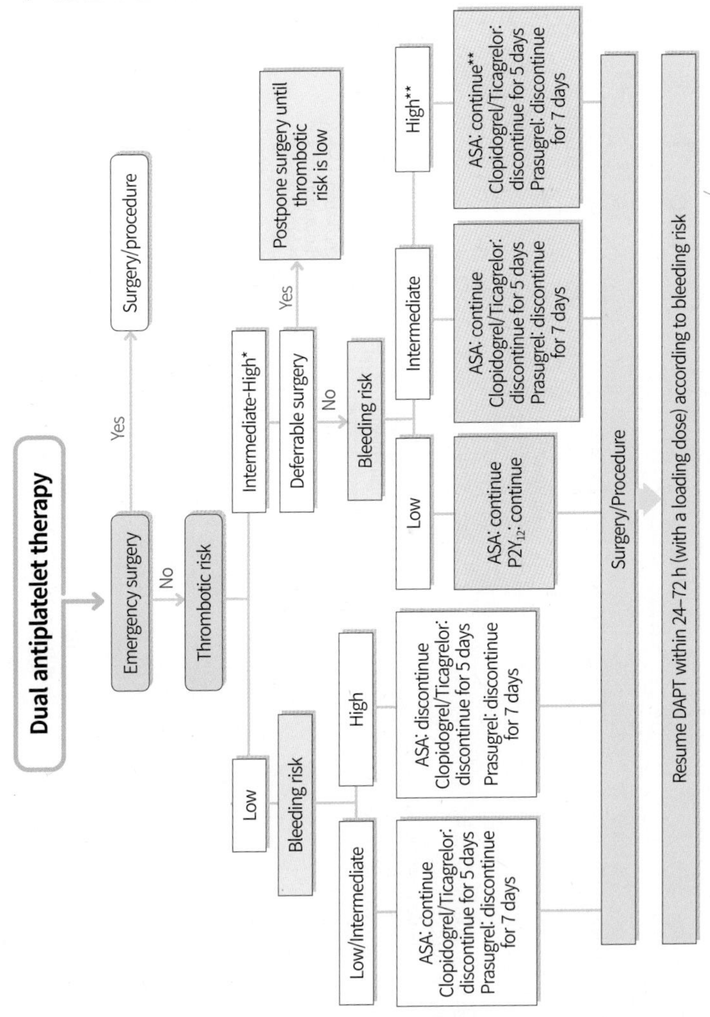

*Consider bridge therapy
**Continue unless contraindicated

출처: 2021 혈소판/혈전 연구회, 수술 및 시술 시 항혈전제 사용에 대한 전문가 합의문

5) 수술 전 항응고제 조절

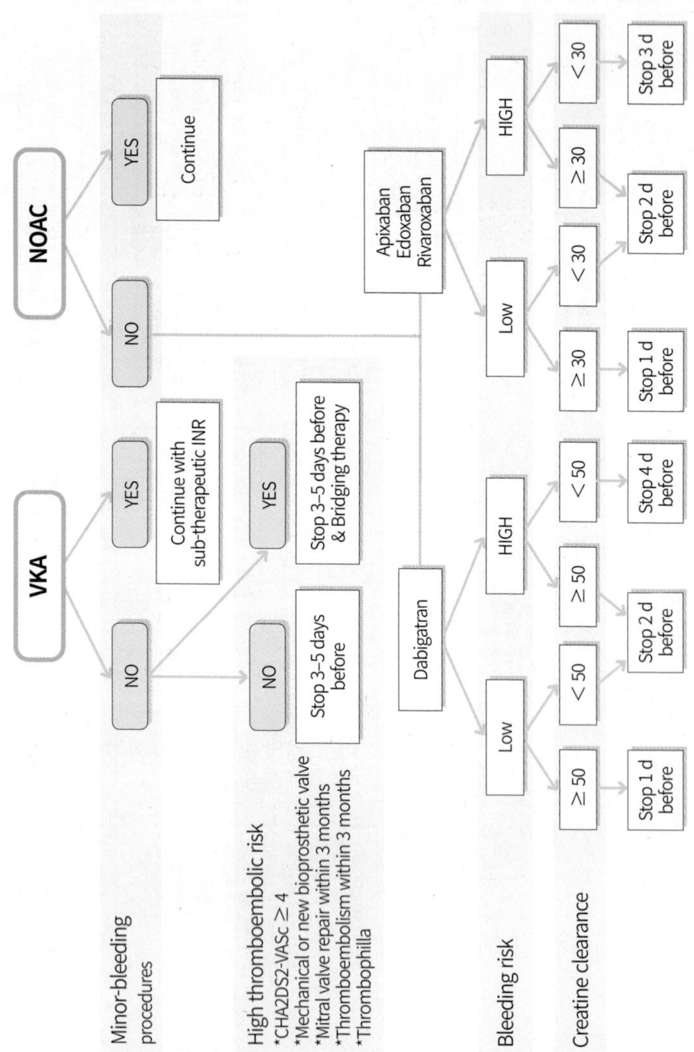

출처: 2021 혈소판/혈전 연구회, 수술 및 시술 시 항혈전제 사용에 대한 전문가 합의문

15

고혈압

1 혈압의 분류

혈압 분류		수축기혈압 (mmHg)		이완기혈압 (mmHg)
정상혈압		< 120	그리고	< 80
주의혈압		120–129	그리고	< 80
고혈압전단계		130–139	또는	80–89
고혈압*	1기	140–159	또는	90–99
	2기	≥ 160	또는	≥ 100
수축기단독고혈압		≥ 140	그리고	< 90
2017 ACC/AHA		≥ 130	또는	≥ 80
2018 ESC/ESH		≥ 140	또는	≥ 90
2020 ISH		≥ 140	또는	≥ 90

* 진료실 혈압 기준이며, 가정혈압의 경우 135/85 mmHg, 24시간 활동혈압의 경우 130/80 mmHg (낮시간 135/85, 밤시간 120/70)을 기준으로 한다.

2 고혈압 치료 계획

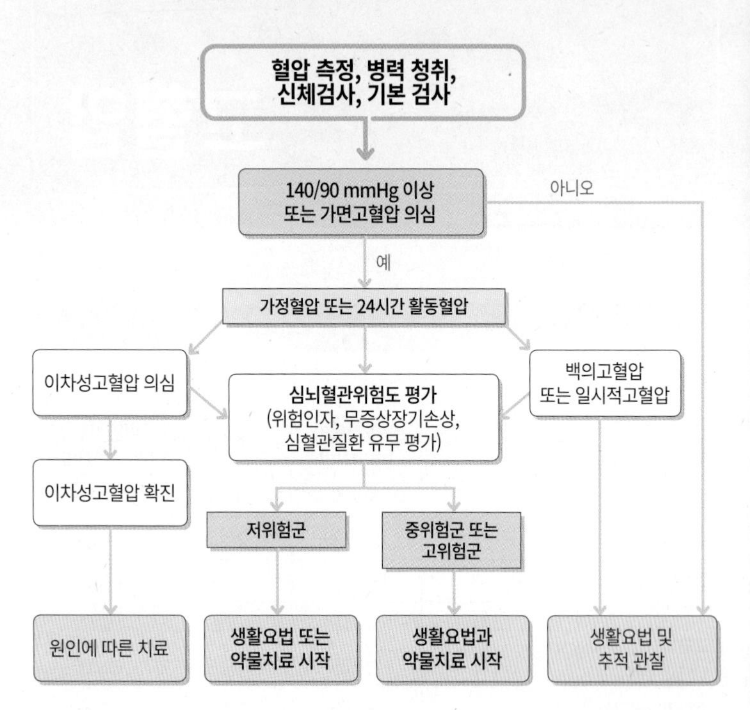

출처: 2018년도 고혈압 진료지침

3 심뇌혈관질환 위험인자와 무증상 장기손상

심뇌혈관질환 위험인자
• 연령(남성 ≥ 45세, 여성 ≥ 55세)* • 조기 심뇌혈관질환의 가족력(남성 < 55세, 여성 < 65세) • 흡연 • 비만(체질량지수 ≥ 25 kg/m^2) 또는 복부비만(복부둘레 남성 ≥ 90 cm, 여성 ≥ 85 cm) • 지질 인자[Total chol ≥ 220, LDL-C ≥ 150, HDL-C < 40, TG ≥ 200(단위 mg/dL)] • 당뇨병 전단계[공복혈당 장애(100 ≤ 공복혈당 < 125 mg/dL) 또는 내당능 장애] • 당뇨병
무증상장기손상
• 뇌 – 뇌실주위백질 고신호강도, 미세출혈, 무증상 뇌경색 • 심장 – 좌심실 비대 • 콩팥 – 알부민뇨, eGFR 감소 • 혈관 – 죽상경화반, 목동맥-대퇴동맥 간 맥파전달속도 > 10 m/sec, 위팔동맥-발목동맥 간 맥파전달속도 > 18 m/sec, 관상동맥석회화 점수 400점 이상 • 망막 – 3–4단계 고혈압성 망막증
임상적 심뇌혈관질환 및 콩팥질환
• 뇌 – 뇌졸중, 일과성 허혈발작, 혈관성 치매 • 심장 – 협심증, 심부전, 심방세동 • 콩팥 – 만성콩팥병 3, 4, 5기 • 혈관 – 대동맥확장증, 대동맥박리증, 말초혈관질환

* 65세 이상은 위험인자 2개로 간주

4 심뇌혈관 위험도와 치료 방침

	고혈압전단계 (130–139/80–89)	1기 고혈압 (140–159/90–99)	2기 고혈압 (≥ 160/100)
위험인자 0개	생활요법 (3개월 이내)	생활요법 또는 약물치료	생활요법과 약물치료
위험인자 1–2개	생활요법	생활요법과 약물치료	생활요법과 약물치료
위험인자 3개 이상, 당뇨병, 무증상장기손상	생활요법 또는 약물치료	생활요법과 약물치료	생활요법과 약물치료
당뇨병*, 임상적 심뇌혈관질환, 만성콩팥병	생활요법 또는 약물치료	생활요법과 약물치료	생활요법과 약물치료

10년간 심뇌혈관질환 발생률:
□ 5% 미만 □ 저위험(5–10% 미만) □ 중위험(10–15% 미만) □ 고위험(15% 이상)

* 무증상 장기손상 또는 임상적 심뇌혈관질환을 동반한 당뇨병

출처: 2018년도 고혈압 진료지침

5 고혈압 치료의 목표혈압

상황	수축기혈압(mmHg)	이완기혈압(mmHg)
합병증이 없는 고혈압	< 140	< 90
노인 고혈압	< 140	< 90
당뇨병		
심혈관질환 없음*	< 140	< 85
심혈관질환 있음	< 130	< 80
고위험군†	≤ 130	≤ 80
심혈관질환*	≤ 130	≤ 80
뇌졸중	< 140	< 90
만성콩팥병		
알부민뇨 없음	< 140	< 90
알부민뇨 동반됨†	< 130	< 80

* 50세 이상의 관상동맥질환, 말초혈관질환, 대동맥질환, 심부전, 좌심실비대
† 고위험군 노인은 노인 고혈압 기준을 따름

6 혈압의 정도와 심뇌혈관 위험도에 따른 단일약 또는 병용약의 선택

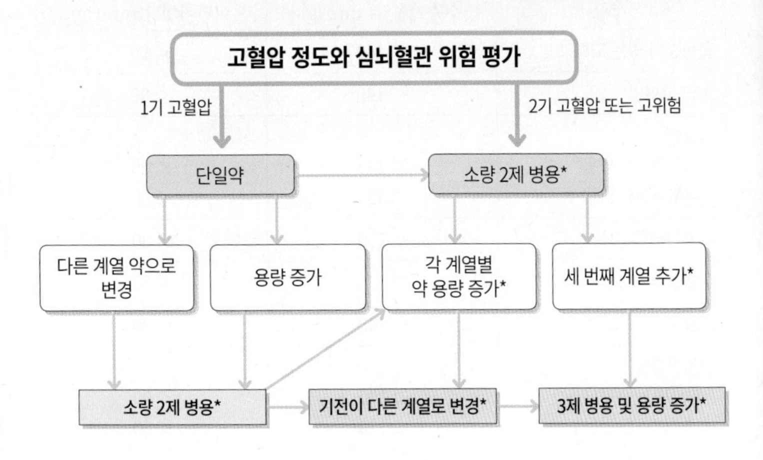

*약제의 용량이 안정되면 순응도를 고려하여 단일제형복합제로 변경

출처: 2018년도 고혈압 진료지침

7 이차성 고혈압의 임상적 적응증 및 진단

원인	임상적 적응증		진단	
	과거력	신체진찰	생화학 검사	초기 검사
콩팥실질병	• 요로감염/요로폐쇄의 과거력 • 진통제 남용 • 다낭콩팥병의 가족력	복부종양 (다낭콩팥병)	소변 내 단백질, 적혈구 및 백혈구, 사구체여과율 감소	콩팥초음파
콩팥동맥협착	• 섬유근육 형성이상: 고혈압의 조기 발현 (여성) • 죽상동맥경화증: 갑자기 발병, 악화 및 치료 저항성 • 반복적인 폐부종	복부 잡음	양측 콩팥 크기 차이 > 1.5 cm, 콩팥기능의 빠른 악화 (자발적 또는 레닌-안지오텐신계 억제제 투여 후)	Duplex 도플러 콩팥초음파, 컴퓨터 단층 촬영
원발성 알도스테론증	• 근력 저하 • 고혈압 조기 발병과 40세 이하의 연령에서 뇌혈관 질환 발생의 가족력	부정맥(매우 심한 저칼륨 혈증인 경우)	저칼륨혈증, 부신의 우연히 발견된 종양	알도스테론-레닌 활성도 비 (저칼륨혈증 교정과 레닌-안지오텐신계 억제제 효과 소실 후)
크롬친화 세포종	• 발작적인 고혈압 또는 고혈압에 합병된 응급 상황 • 두통, 발한, 창백 • 크롬친화세포종의 가족력	신경섬유종증의 피부병변 (café-au-lait 반점, 신경 섬유종)	부신의 우연히 발견된 종양(일부에서는 부신 외부에서 발견)	24시간 소변 내 메타네프린 및 노르-메타네프린 검사
쿠싱증후군	• 빠른 체중 증가, 다뇨, 다음, 심리적 불안성	중심성 비만, 달덩이 얼굴, 들소형 육봉, 적색 선조, 남성형 다모증	고혈당	24시간 소변 내 코티솔 검사

출처: 2018년도 고혈압 진료지침

8 질환에 따른 추천 고혈압약

동반질환	ACE 억제제 또는 안지오텐신차단제	베타차단제	칼슘차단제	이뇨제
심부전	○	○		○
좌심실비대	○		○	
관상동맥질환	○	○	○	
만성콩팥병	○			
뇌졸중	○		○	○
노인 수축기단독 고혈압	○		○	○
심근경색 후	○	○		
심방세동 예방	○			
당뇨병	○	○	○	○

이뇨제 선택 시 티아지드 유사 이뇨제를 선호하여 고려한다(IIa).
루프 이뇨제는 울혈성 심부전 혹은 만성콩팥병 4-5기 환자에서 고혈압을 동반할 때 고려한다(IIa).
저항성 고혈압은 알도스테론길항제를 추가하여 치료할 것을 고려한다(IIa).
알부민뇨를 동반한 만성콩팥병 환자에서 고혈압약은 ACE억제제 혹은 안지오텐신차단제를 권고한다(I).

출처: 2018년도 고혈압 진료지침

9 경구 혈압강하제의 종류

표 경구 혈압강하제의 종류

계열	약제	상용량 (mg/day)	횟수	약제	상용량 (mg/day)	횟수
티아지드 또는 티아지드계 이뇨제	Chlorthalidone	12.5–25	1	Indapamide	1.25–2.5	1
	Hydrochlorthiazide	25–50	1	Metolazone	2.5–5	1
ACE 억제제	Benazepril	10–40	1–2	Moexipril	7.5–30	1–2
	Captopril	12.5–150	2–3	Perindopril	4–16	1
	Enalapril	5–40	1–2	Quinapril	10–80	1–2
	Fosinopril	10–40	1	Ramipril	2.5–20	1–2
	Lisinopril	10–40	1	Trandolapril	1–4	1
안지오텐신 수용체 차단제	Azilsartan	40–80	1	Losartan	50–100	1–2
	Candesartan	8–32	1	Olmesartan	20–40	1
	Eprosartan	600–800	1–2	Telmisartan	20–80	1
	Irbesartan	150–300	1	Valsartan	80–320	1
	Fimasartan	30–120	1			
칼슘채널 길항제	Amlodipine	2.5–10	1	Barnidipine	5–10	1
	Felodipine	2.5–10	1	Efonidipine	20–40	1–2
	Isradipine	5–10	2	Lercanidipine	5–20	1–2
	Nicardipine SR	60–120	2	Manidipine	5–20	1
	Nisoldipine	17–34	1	S-amlodipine	2.5–5	1
	Nifedipine	30–120	1			
	Diltiazem ER	120–360	1	Verapamil	40–80	3
	Diltiazem SR	90–360	1	Verapamil SR	180–480	1

표 경구 혈압강하제의 종류(계속)

계열	약제	상용량 (mg/day)	횟수	약제	상용량 (mg/day)	횟수
루프 이뇨제	Bumetanide	0.5–2	2	Torasemide	5–10	1
	Furosemide	20–80	2			
알도스테론 억제제	Eplerenone	50–100	1–2	Spironolactone	25–100	1–2
베타차단제	Atenolol	25–100	2	Metoprolol tartrate	100–200	2
	Betaxolol	5–20	1	Metoprolol succinate	50–200	1
	Bisoprolol	2.5–10	1	Nebivolol	5–40	1
	Nadolol	40–120	1	Propranolol	80–160	1–2
	Acebutolol	200–800	2	Pindolol	10–60	2
알파차단제	Doxazocin	1–16	1	Prazosin	2–20	2–3
	Terazosin	1–20	1–2			

출처: 2018년도 ACC/AHA 가이드라인

10 고혈압성 응급(Hypertensive Emergency)의 치료

임상 양상	치료시간 및 목표혈압	일차치료 약제	대체약
악성 고혈압(급성 신부전과 관계 없이)	수시간에 걸쳐, 평균동맥압을 20–25% 감소	Labetalol Nicardipine	Nitroprusside Urapidil
고혈압성 뇌병증	즉시, 평균동맥압을 20–25% 감소	Labetalol Nicardipine	Nitroprusside
급성 관동맥증후군	즉시, 수축기혈압 < 140 mmHg	Nitroglycerine Labetalol	Urapidil
급성 폐부종	즉시, 수축기혈압 < 140 mmHg	Nitroprusside Nitroglycerine	Urapidil
급성 대동맥박리	즉시, 수축기혈압 < 120 mmHg and 맥박수 < 60 bpm	Esmolol and nitroprusside or Nitroglycerine or Nicardipine	Labetalol or Metoprolol
자간증 및 전자간증 (pre-eclampsia)/HELLP	즉시, 수축기혈압 < 160 mmHg and 확장기혈압 < 105 mmHg	Labetalol or Nicardipine and Magnesium sulfate	출산 고려

11 고혈압성 응급의 치료약제 및 용법

약제	발현시간 (onset)	작용시간 (duration)	용량	금기
Esmolol	1–2분	10–30분	0.5–1 mg/kg IV bolus, 50–300 μg/kg/min IV	방실차단, 심부전, 천식, 서맥
Metoprolol	1–2분	5–8시간	2.5–5 mg IV bolus 2분간 주사, 최대 15 mg까지 5분마다 반복 가능	방실차단, 심부전, 천식, 서맥
Labetalol	5–10분	3–6시간	0.25–0.5 mg/kg IV bolus, 2–4 mg/min IV 주사 후 목표혈압도달 시 5–20 mg/h IV	방실차단, 심부전, 천식, 서맥
Fenoldopam	5–15분	30–60분	0.1 μg/kg/min IV, 15분마다 0.05–0.1 μg/kg/min씩 증량 가능	녹내장
Nicardipine	5–15분	30–40분	5 mg/h IV로 시작, 15–30분마다 2.5 mg/h씩 증량 가능, 최대 15 mg/h	간부전
Nitroglycerine	1–5분	3–5분	5–200 μg/min IV 주사, 5분마다 5 μg/min씩 증량	
Nitroprusside	즉시	1–2분	0.3–10 μg/kg/min IV 주사, 5분마다 0.5 μg/kg/min씩 증량	간부전, 신부전
Clonidine	30분	4–6시간	150–300 μg IV bolus 5–10분간 주사	
Phentolamine	1–2분	10–30분	0.5–1 mg/kg IV bolus 또는 50–300 μg/kg/min IV	

출처: 2018년도 ESC/ESH 가이드라인

16 고지혈증, 순환기계약물 용량표 및 임신 중 안전성

Dyslipidemia

2018 ACC/AHA, 2019 ESC/EAS, and 2018 Korean Guidelines

1 ACC/AHA Recommendation

ACC/AHA 가이드라인에서는 clinical ASCVD* (atherosclerotic cardiovascular disease) event가 발생한 사람들을 위한 secondary prevention과 event는 발생하지 않았으나 ASCVD risk calculation을 통한 primary prevention 각각에서 dyslipidemia 치료를 달리 권고하고 있음.

그림 Secondary prevention

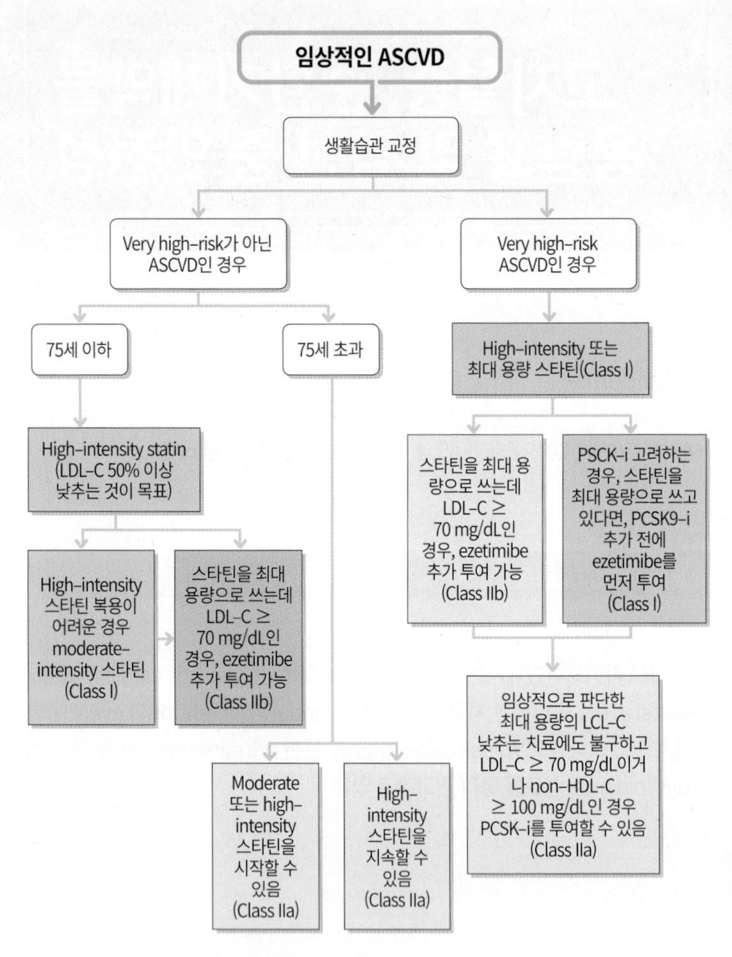

Modified from Circulation. 2019;139:e1046-e1081

표 Very High-Risk of Future ASCVD

Very high-risk는 multiple major ASCVD event를 겪었거나, 하나의 ASCVD event와 2개 이상 high-risk condition을 갖는 경우를 포함한다.

Major ASCVD Events
최근 12개월 내 발생한 acute coronary syndrome
심근경색의 과거력
허혈성 뇌졸중의 과거력
증상이 있는 말초동맥질환(파행의 과거력이 있으면서 ABI < 0.85 또는 previous revascularization 또는 amputation
High-risk Conditions
Age ≥ 65 y
Heterozygous familial hypercholesterolemia
Major ASCVD event로 시행하지 않은 PCI 또는 CABG 과거력
당뇨병
고혈압
만성신부전증(eGFR 15–59 mL/min/1.73 m^2)
현재 흡연 중인 사람
지속적인 LCL-C 상승 상태 (최대 용량의 스타틴과 ezetimibe 투여에도 LCL-C ≥ 100 mg/dL인 경우)
울혈성 심부전의 과거력

Modified from Circulation. 2019;139:e1046–e1081

그림 Primary prevention

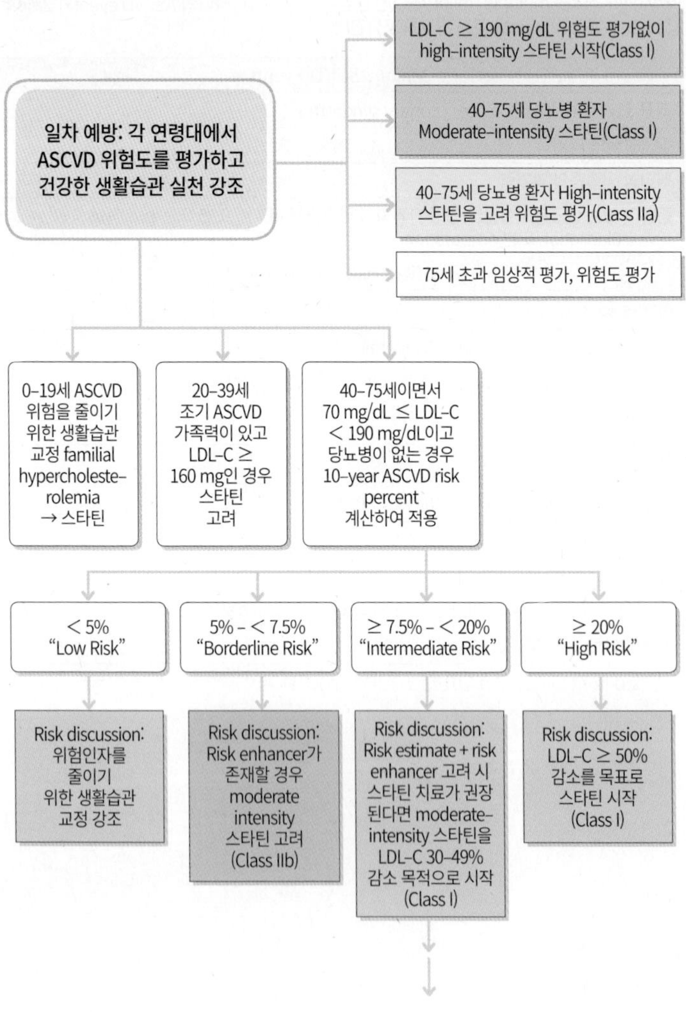

일차 예방: 각 연령대에서 ASCVD 위험도를 평가하고 건강한 생활습관 실천 강조

- LDL-C ≥ 190 mg/dL 위험도 평가없이 high-intensity 스타틴 시작(Class I)
- 40-75세 당뇨병 환자 Moderate-intensity 스타틴(Class I)
- 40-75세 당뇨병 환자 High-intensity 스타틴을 고려 위험도 평가(Class IIa)
- 75세 초과 임상적 평가, 위험도 평가

- 0-19세 ASCVD 위험을 줄이기 위한 생활습관 교정 familial hypercholeste-rolemia → 스타틴
- 20-39세 조기 ASCVD 가족력이 있고 LDL-C ≥ 160 mg인 경우 스타틴 고려
- 40-75세이면서 70 mg/dL ≤ LDL-C < 190 mg/dL이고 당뇨병이 없는 경우 10-year ASCVD risk percent 계산하여 적용

< 5% “Low Risk”	5% - < 7.5% “Borderline Risk”	≥ 7.5% - < 20% “Intermediate Risk”	≥ 20% “High Risk”
Risk discussion: 위험인자를 줄이기 위한 생활습관 교정 강조	Risk discussion: Risk enhancer가 존재할 경우 moderate intensity 스타틴 고려 (Class IIb)	Risk discussion: Risk estimate + risk enhancer 고려 시 스타틴 치료가 권장된다면 moderate-intensity 스타틴을 LDL-C 30-49% 감소 목적으로 시작 (Class I)	Risk discussion: LDL-C ≥ 50% 감소를 목표로 스타틴 시작 (Class I)

↓

Risk decision이 불명확한 경우 특정 성인에서는 Coronary calcium score (CAC)를 측정하는 것이 도움이 될 수 있다:

- CAC = zero (lowers risk; 당뇨병이나 조기 CHD 가족력 또는 흡연 중이 아니라면 스타틴 치료를 하지 않을 수 있다)
- CAC = 1–99인 경우 특히 55세 이상에서는 스타틴 치료를 권장
- CAC = 100+ and/or ≥ 75th percentile인 경우 스타틴 치료 시작

ASCVD Risk Enhancers

- ASCVD의 조기 가족력
- LDL–C ≥ 160 mg/dL (지속적인 상승 상태)
- 만성신부전증
- 대사증후군
- Preeclampsia, 조기폐경
- RA, psoriasis, HIV 등 염증 질환
- 인종(South Asian 등)

Lipid/Biomarkers

- ≥ 175 mg/dL (지속적인 상승 상태)

특정 성인의 경우 다음 검사 수치가 측정 되었을 때

- Hs–CRP ≥ 2.0 mg/L
- Lp(a) levels > 50 mg/dL
- ApoB ≥ 130 mg/dL
- Ankle–brachial index (ABI) < 0.9

(Modified from Circulation. 2019;139:e1046-81)

그림 ASCVD risk calculator: http://tools.acc.org

연령(20-79세)
성별(남/녀)
인종(white/african american/other)
수축기 혈압(mmHg)
이완기 혈압(mmHg)
총 콜레스테롤(mg/dL)
HDL 콜레스테롤(mg/dL)
LDL 콜레스테롤(mg/dL)
당뇨병 과거력(Y/N)
흡연 여부(current/former/never)
현재 고혈압 치료 중인가? (Y/N)
현재 스타틴 치료 중인가? (Y/N)
현재 아스피린 치료 중인가? (Y/N)

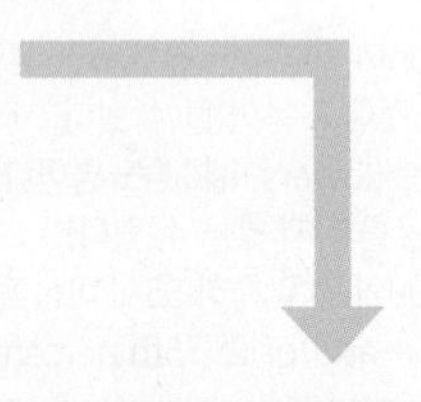

10-year risk for ASCVD
Low-risk (< 5%)
Borderline risk (5% to 7.4%)
Intermediate risk (7.5% to 19.9%)
High risk (≥ 20%)

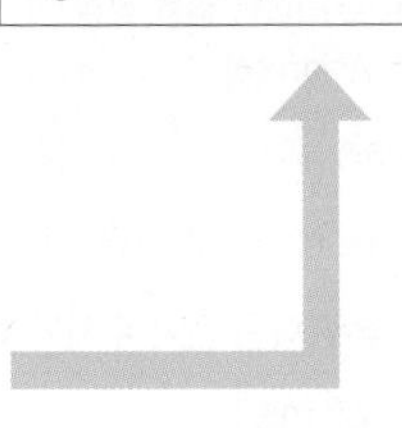

2 ESC/EAS Recommendation

ESC 가이드라인에서는 very-high risk, high risk, moderate risk, low risk로 나누어 각각에 따른 LDL 콜레스테롤의 목표치를 다르게 설정함. 위험인자로 나이, 성별, 흡연, 수축기 혈압, 총콜레스테롤이 있으며, 이를 조합하여 유럽인 대상의 심혈관질환 위험 점수 체계(SCORE)를 만들었음(http://heartscore.org).

표 ESC 가이드라인의 위험도 분류와 LCL-C 목표치

Very High-Risk LDL-C reduction of ≥ 50% from baseline and LCL-C < 55 mg/dL LCL-C < 40 mg/dL for patients with ASCVD who experience a second vascular event within 2 years	임상적 혹은 영상학적(관상동맥 CT, 경동맥 초음파 등)으로 진단된 ASCVD 환자
	미세알부민뇨, 망막병증, 신경병증 중 하나 이상을 갖거나 3개 이상의 주요 위험인자를 갖는 DM 환자, 또는 제1형 당뇨병을 20년 이상 앓은 환자
	Severe CKD (eGFR < 30 mL/min/1.73m^2)
	SCORE > 10% for 10-year risk of fatal CVD
	조기 ASCVD의 가족력(남자 55세 미만, 여자 60세 미만)이 있으면서 다른 위험인자도 있는 경우
High-Risk LDL-C reduction of ≥ 50% from baseline and LCL-C < 70 mg/dL	단일 위험인자가 크게 상승해 있는 경우. TC > 310 mg/dL, LDL-C > 190 mg/dL 또는 BP > 180/110 mmHg
	조기 ASCVD의 가족력은 있지만 다른 위험인자는 없는 경우
	장기손상 합병증이 없으면서, 10년 이상 DM을 앓았거나 다른 위험인자를 갖는 경우
	Moderate CKD (eGFR 30-59 mL/min/1.73m^2)
	SCORE > 5% and < 10% for 10-year risk of fatal CVD
Moderate-Risk LCL-C < 100 mg/dL	나이가 젊으면서(T1DM 35세 미만, T2DM 50세 미만) DM 이환 기간 10년 미만이고 다른 위험인자가 없는 경우. Calculated SCORE ≥ 1% and < 5% for 10-year of fatal CVD.
Low-Risk LDL-C < 116 mg/dL	Calculated SCORE < 1% for 10-year risk of fatal CVD

(Modified from Eur Heart J (2019) 00, 1-78)

3 국내 이상지질혈증 가이드라인

국내 가이드라인에서도 ESC 가이드라인과 비슷하게 환자가 갖고 있는 질환과 위험인자에 따라 초고위험군, 고위험군, 중등도 위험군, 저위험군으로 나눈 후 각각에 따른 LDL 콜레스테롤 목표치를 다르게 설정함

그림 이상지질혈증 약물 치료 전략

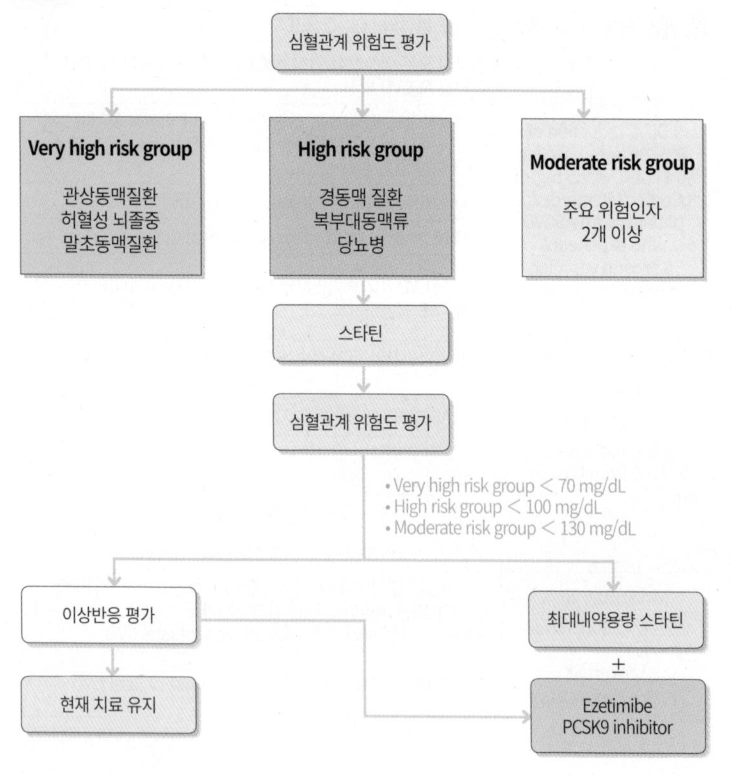

Modified from Korean J Intern Med 2019;34(4): 723-71

4 Statin Intensity

표 Statin 강도에 따른 분류

	High-intensity	Moderate-intensity	Low-intensity
LDL-C 감소폭	≥ 50%	30-49%	< 30%
스타틴	Atorvastatin (40 mg) 80 mg	Atorvastatin 10 mg (20 mg) Rosuvastatin (5 mg) 10mg Simvastatin 20-40 mg	Simvastatin 10mg
	Rosuvastatin 20 mg (40 mg)	Pravastatin 40 mg (80 mg) Lovastatin 40 mg (80 mg) Fluvastatin XL 80 mg Fluvastatin 40 mg BID Pitavastatin 1-4 mg	Pravastatin 10-20 mg Lovastatin 20 mg Fluvastatin 20-40 mg

Modified from Circulation. 2019;139:e1046-81

표 한국인에서 약제별 효과

스타틴	용량(mg)	평균 LDL-C 감소폭(%)
Lovastatin	20	32-34
Pravastatin	40	28-33
Simvastatin	20	27-39
Atorvastatin	10	39-44
	20	41-50
	40	52-59
	80	56
Rosuvastatin	5	40-49
	10	42-50
	20	42-60
Pitavastatin	2	38-44

(Modified from Korean J Intern Med 2019;34(4):723-71)

5 Statin 관련 부작용 대처

스타틴과 연관된 근육통 발생이 의심되는 경우 최대한 스타틴 치료를 지속할 수 있는 방향으로 유도하되, ezetimibe, cholestyramine, PCSK inhibitor를 필요 시 쓸 수 있다.

그림 스타틴 관련 근육통 의심 시 대처법. 최대내약용량(maximal tolerated dose)으로도 LDL 콜레스테롤 목표치를 달성하지 못하는 경우 ezetimibe를 쓸 수 있고, 그래도 부족하다면 cholestyramine 또는 PCSK9 inhibitor를 쓸 수 있다.

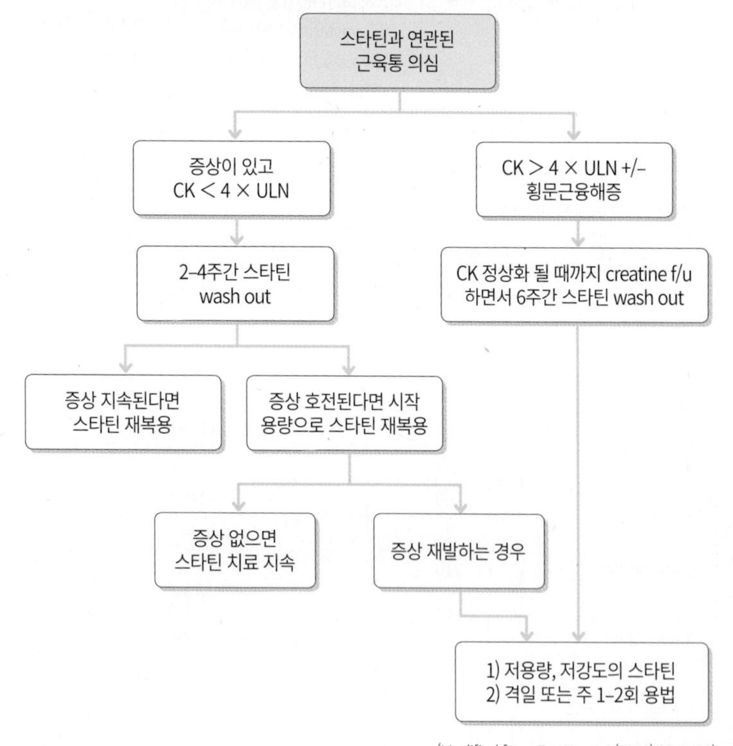

(Modified from Eur Heart J (2019) 00, 1–78)

6 PCSK9 Inhibitor

1) 국내 보험기준(요양급여 인정 기준)

- 죽상경화성 심혈관질환 초고위험군 성인 환자에서 최대내약용량의 스타틴과 ezetimibe를 병용 투여하였으나 반응이 불충분한 경우(표 1. very high-risk에 해당)
- 동형접합 또는 이형접합 가족성 고콜레스테롤혈증 환자에서는 별도의 기준을 따른다(보건복지부고시 제2018-158호).

2) 투여 용량

- Evolocumab: 2주 1회 140 mg 또는 월 1회 420 mg
- Aliroculab: 2주 1회 피하주사로 투여, 75-150 mg
- 간기능, 신기능 저하 시 용량 조절에 대한 연구는 부족함

7 요약

Event 발생 여부 및 risk assessment에 따라 LDL 콜레스테롤을 낮추는 것을 목표로 statin 치료를 해야 하며 필요시 ezetimibe도 병용할 수 있음. 고강도 statin 치료로도 LDL 콜레스테롤 저하가 충분치 않다면 PCSK9 inhibitor를 사용할 수 있음

Dosage of Commonly Used Cardiovascular Drugs

1 Dosage of Commonly Used Cardiovascular Drugs

Drug	Dosage
Amiodarone	• Amiodarone 150 mg over 10 min + 5% DW 100 cc (DW only) mix (loading) • Amiodarone 900 mg + 5% DW 500 cc mix iv 1 mg/min for 6 hrs → 0.5 mg/min for 18 hrs
Digoxin	• 0.25 mg + 5% DW 50 cc mix iv q6hr × 3회(loading) • 0.25 mg q24hr (blood level: 0.8–2.0 ng/mL) • 비응급 시에는 loading dose 비투여 • 신기능 저하 시 용량 조절 필요
Diltiazem	• Diltiazem 100 mg + NS 100 mL mix • 20 mg over 2 min, then 5-15 mg/hr
Dobutamine	• Dobutamine 2000 mg + 5% DW 500 cc mix • 2–20 μg/kg/min (max. 40 μg/kg/min)
Dopamine	• Dopamine 400 mg + 5% DW 200 cc mix • 2–5, 5–20, 20–30 μg/kg/min (max. 50 μg/kg/min)
Esmolol	• Esmolol 2.5 g + NS 250 cc mix • 500 μg/kg over 1 min, then 25–300 μg/kg/min • 4분마다 50 μg/kg/min씩 titration
Epinephrine	• Epinephrine 5 mg + 5% DW 500 cc mix iv • 0.01–1 μg/kg/min (max. 2 μg/kg/min)
Hydralazine	• 5–10 mg q10min (max 40 mg/dose)
Isoproterenol	• Isoproterenol 2 mg + 5% D/W 250 cc mix iv • 0.5 μg/min (0.5–5 μg/min)
Labetalol	• Labetalol 600 mg + 5% DW 200 cc mix • 20 mg over 2 min then 20–80 mg q10min or 0.5–2 mg/min

Lidocaine	• Lidocaine 2 g + 5 % DW 400 cc mix • 1 mg/min range (1–4 mg/min)
Milrinone	• Milrinone 50 mg + 5% DW 200 cc mix or Milrinone 50 mg + NS 250 cc mix • 50 μg/kg over 10 min then 0.375–0.75 μg/kg/min
Nicardipine	• 50 mg + NS 500 cc → 5 mg/hr (2.5 mg/hr씩 ↑, max 15 mg/hr)
Nitroglycerine	• Nitroglycerin 50 mg + 5% DW 500 cc mix • 5–10 μg/min (5–10↑ q3–5min, max. 200 μg/min)
Nitroprusside	• Nitroprusside 50 mg + 5% DW 200 cc (DW only) • 0.5 μg/kg/min (0.5–10 μg/kg/min)
Norepinephrine	• Norepinephrine 8 mg + 5% DW 500 cc (DW only) mix • 0.01–3 μg/kg/min
Vasopressin	• Vasopressin 40 IU + 5% DW 200 cc mix • 0.01–0.4 U/min (usually < 0.04)
Verapamil	• 5–10 mg over ≥ 2 min , repeat 5–10 mg in 15–30 min, 5–20 mg/hr

2 Cardiovascular Medications in Pregnancy

	Considered safe
	Limited data/to be used with caution
	Contraindicated
	Conflicting data/unknown

	Safety in pregnancy	FDA category	Safety in lactation	Used also for fetal treatment (F)
Arrhythmias				
Adenosine		C		
Metoprolol		C		
Propranolol		C		
Digoxin		C		F
Lidocaine		B		
Verapamil		C		
Diltiazem		C		
Procainamide		C		
Sotalol		B		F
Flecainide		C		F
Propafenone		C		
Amiodarone		D		

	Safety in pregnancy	FDA category	Safety in lactation	Used also for fetal treatment (F)
Heart failure				
Metoprolol		C		
Carvedilol		C		
Furosemide		C		
Bumetanide		B		
Dopamine		C		
Dobutamine		B		
Norepinephrine		C		
Hydralazine		C		
Nitroglycerine		C		
Isosorbide dinitrate		C		
Torsemide		B		
Metolazone		B		
Anticoagulants/Antiplatelets/Thrombolytics				
Warfarin		D		
Unfractionated Heparin		C		
Enoxaparin		B		
Fondaparinux		B		
Argatroban		B		
Bivalirudin		B		
Aspirin (low dose)		N		
Clopidogrel		B		
Prasugrel		B		
Ticagrelor		C		
Alteplase		C		
Streptokinase		C		

	Safety in pregnancy	FDA category	Safety in lactation	Used also for fetal treatment (F)
Hypertension				
Labetalol		C		
Nifedipine		C		
α-methydopa (oral)		B		
Hydralazine		C		
Nitroglycerine		C		
Nitroprusside		C		
Isosorbide dinitrate		C		
Amlodipine		C		
Furosemide		C		
Hydrochlorothiazide		B		
Clonidine		C		
Hypertension				
Iloprost		C		
Epoprostenol		B		
Sildenafil		B		
Trepostinil		C		
Contraindicated in Pregnancy				
Atenolol		D		
ACE-I class		D	##	
ARB class		D		
Aldosterone		–		
Antagonists		X		
Statin class		–		
DOACs		X		
ERAs (e.g. bosentan)		–		

Captopril, benazepril and enalapril are considered safe during lactation.

Modified from J Am Coll Cardiol. 2019;73(4):457–76.

INDEX

K

L

M

O

P

R

S

T

U

V